Le Guide Vert

Champagne
Ardenne

Cet ouvrage tient compte des conditions
de tourisme connues au moment de sa
rédaction. Certains renseignements
peuvent perdre de leur actualité en raison
de l'évolution incessante des
aménagements et des variations du coût
de la vie. Nos lecteurs sauront
le comprendre.

Éditions du Voyage

46, avenue de Breteuil – 75324 Paris Cedex 07
Tél. 01 45 66 12 34

•

www.michelin-travel.com

Manufacture Française Des Pneumatiques Michelin
Société en commandite par actions au capital de 2 000 000 000 de francs
Place des Carmes Déchaux – 63000 Clermont-Ferrand – R. C. S. Clermont-Fd 855 200 507
© Michelin et Cie, Propriétaires Éditeurs, 2000
Dépot légal mars 2000 – ISBN 2-06-031605-7 – ISSN 0293-9436

Printed in the EU 08-2000/5-2
Compograveur : APS/Chromostyle - Impression et brochage : IME à Baume-les-Dames
Conception graphique : Christiane Beylier à Paris 12ᵉ
Maquette de couverture extérieure : Agence Carré Noir à Paris 17ᵉ

LE GUIDE VERT,
l'esprit de découverte !

Avec cette nouvelle collection LE GUIDE VERT, nous avons l'ambition de faire de vos vacances des moments passionnants et mémorables, d'accompagner votre découverte de nouveaux horizons, bref... de vous faire partager notre passion du voyage.

Voyager avec LE GUIDE VERT, c'est être acteur de ses vacances, profiter pleinement de ce temps privilégié pour découvrir, s'enrichir, apprendre au contact direct du patrimoine culturel et de la nature.

Le temps des vacances avec LE GUIDE VERT, c'est aussi la détente, se faire plaisir, apprécier une bonne adresse pour se restaurer, dormir, ou se divertir.

Explorez notre sélection !

Une mise en pages claire, attrayante, illustrée d'une nouvelle iconographie, des cartes et plans redessinés, outils indispensables pour bâtir vos propres itinéraires de découverte, une nouvelle couverture parachevant l'ensemble...

LE GUIDE VERT change.

Alors plongez vite dans LE GUIDE VERT à la découverte de votre prochaine destination de voyage. Partagez avec nous cette ouverture sur le monde qui donne au temps des vacances son sens, sa substance et en définitive son véritable esprit.

L'esprit de découverte.

Jean-Michel DULIN
Rédacteur en Chef

Sommaire

*Église à pans de bois de Bailly-le-Franc,
la plus authentique des églises du Der*

*Une enseigne de vigneron en fer
forgé à Hautvillers*

4

Villes et sites

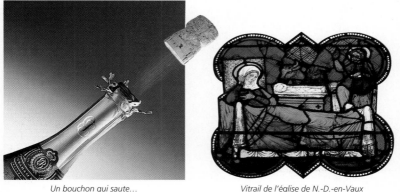

Un bouchon qui saute…
et que la fête commence !

Vitrail de l'église de N.-D.-en-Vaux
à Châlons-en-Champagne.

Cartographie

Les cartes routières qu'il vous faut

Tout automobiliste prévoyant doit se munir d'une bonne cartographie. Les produits Michelin sont complémentaires : chaque site présenté dans ce guide est accompagné de ses références cartographiques sur les différentes gammes de cartes que nous proposons. L'assemblage de nos cartes est présenté ci-dessous avec délimitations de leur couverture géographique.

Pour circuler sur place vous avez le choix entre :

• les **cartes régionales** au 1/200 000e nos 237, 241, qui couvrent le réseau routier principal, secondaire et de nombreuses indications touristiques. Elles seront favorisées dans le cas d'un voyage qui couvre largement un secteur. Elles permettent d'apprécier chaque site d'un simple coup d'œil. Elles signalent, outre les caractéristiques des routes, les châteaux, les grottes, les édifices religieux, les emplacements de baignade en rivière ou en étang, des piscines, des golfs, des hippodromes, des terrains de vol à voile, des aérodromes...

• les **cartes détaillées**, dont le fonds est équivalent aux cartes régionales mais dont le format est réduit à une demi-région pour plus de facilité de manipulation. Celles-ci sont mieux adaptées aux personnes qui envisagent un séjour davantage sédentaire sans déplacement éloigné. Consulter les cartes nos 53, 56, 57, 61, 62, 65, 66.

• la **carte départementale** (au 1/150 000e, agrandissement du 1/200 000e). Cette carte de proximité, très lisible, permet de circuler au cœur du département de la Marne (no 4051). Elle dispose d'un index complet des localités et le plan de la préfecture.

Et n'oubliez pas, la **carte de France n° 989** vous offre la vue d'ensemble de la région Champagne-Ardenne, ses grandes voies d'accès d'où que vous veniez. Le pays est ainsi cartographié au 1/1 000 000e et fait apparaître le réseau routier principal.

Enfin sachez qu'en complément de ces cartes, un serveur minitel **3615 Michelin** permet le calcul d'itinéraires détaillés avec leur temps de parcours, et bien d'autres services. Les **3617 et 3623 Michelin** vous permettent d'obtenir ces informations reproduites sur fax ou imprimante. Les internautes pourront bénéficier des mêmes renseignements en surfant sur le site **www. michelin-travel. com**.

L'ensemble de ce guide est par ailleurs riche de cartes et plans, dont voici la liste.

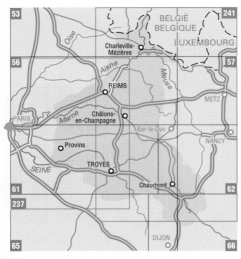

cartes thématiques

plans de ville

plans de monuments

cartes des circuits décrits

Légende

Monuments et sites

Itinéraire décrit, départ de la visite

Église

Temple

Synagogue - Mosquée

Bâtiment

Statue, petit bâtiment

Calvaire

Fontaine

Rempart - Tour - Porte

Château

Ruine

Barrage

Usine

Fort

Grotte

Monument mégalithique

Table d'orientation

Vue

Autre lieu d'intérêt

Sports et loisirs

Hippodrome

Patinoire

Piscine : de plein air, couverte

Port de plaisance, centre de voile

Refuge

Téléphérique, télécabine

Funiculaire, voie à crémaillère

Chemin de fer touristique

Base de loisirs

Parc d'attractions

Parc animalier, zoo

Parc floral, arborétum

Parc ornithologique, réserve d'oiseaux

Promenade à pied

Intéressant pour les enfants

Abréviations

A	Chambre d'agriculture
C	Chambre de commerce
H	Hôtel de ville
J	Palais de justice
M	Musée
P	Préfecture, sous-préfecture
POL.	Police
	Gendarmerie
T	Théâtre
U	Université, grande école

	site	station balnéaire	station de sports d'hiver	station thermale
vaut le voyage	★★★	⚓⚓⚓	❄❄❄	♨♨♨
mérite un détour	★★	⚓⚓	❄❄	♨♨
intéressant	★	⚓	❄	♨

Autres symboles

🛈		Information touristique
═══	═══	Autoroute ou assimilée
❶	❶	Échangeur : complet ou partiel
⊨═══	═══	Rue piétonne
I≡≡≡≡I		Rue impraticable, réglementée
▦▦▦	- - - -	Escalier - Sentier
🚂	🚃	Gare - Gare auto-train
🚌	🚌 S.N.C.F.	Gare routière
·—•—•		Tramway
ⓜ		Métro
🅿R		Parking-relais
♿		Facilité d'accès pour les handicapés
✉		Poste restante
☎		Téléphone
✉		Marché couvert
·'×'·		Caserne
△		Pont mobile
ʊ		Carrière
⚒		Mine
B	F	Bac passant voitures et passagers
🚢		Transport des voitures et des passagers
⛴		Transport des passagers
③		Sortie de ville identique sur les plans et les cartes Michelin
Bert (R.)...		Rue commerçante
AZ B		Localisation sur le plan
⌂		Hébergement
🍴		Lieu de restauration

Carnet d'adresses

20 ch :
250/375F — Nombre de chambres : prix de la chambre une personne/chambre double. *(Chambre d'hôte : petit-déjeuner compris)*

🛏 *45F* — Prix du petit-déjeuner

jusq. 5 pers. :
sem 1500F,
w.- end 1000F — Capacité du gîte rural : prix pour la semaine, pour le week-end

100 appart.
2/4 pers. :
sem.
2000/3500F — Nombre d'appartements et capacité, prix minimum/maximum par semaine *(résidence ou village vacances)*

100 lits : 50F — Nombre de lits et prix par personne *(auberge de jeunesse)*

120 empl. :
80F — Nombre d'emplacements de camping et prix pour 2 personnes avec voiture

110/250F — Restaurant : prix mini/maxi des menus servis midi et soir ou à la carte

rest.
110/250F — Repas dans un lieu d'hébergement : prix mini/maxi des menus servis midi et soir ou à la carte

restauration — Petite restauration proposée

repas 85F — Repas type « Table d'hôte »

réserv. — Réservation recommandée

⊘ — Cartes bancaires non acceptées

🅿 — Parking réservé à la clientèle de l'hôtel

Les prix sont indiqués pour la haute saison

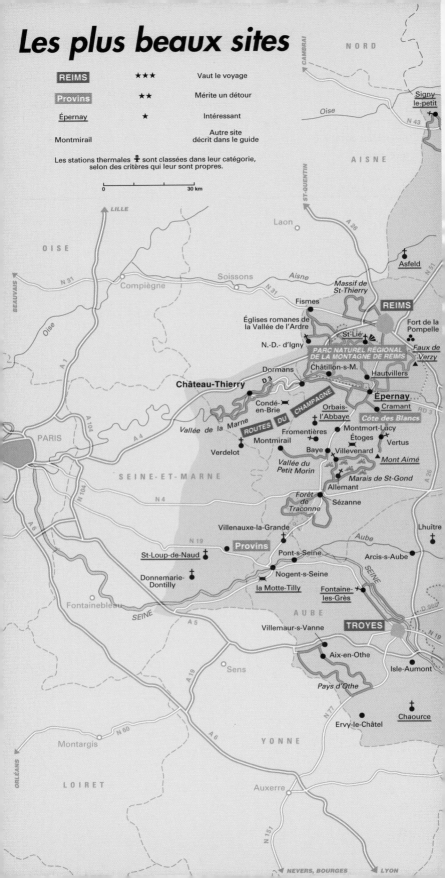

Les plus beaux sites

REIMS ★★★ Vaut le voyage

Provins ★★ Mérite un détour

Épernay ★ Intéressant

Montmirail Autre site décrit dans le guide

Les stations thermales ⚕ sont classées dans leur catégorie, selon des critères qui leur sont propres.

0   30 km

NORD

CAMBRAI

Signy-le-petit

N 43

Oise

AISNE

ST-QUENTIN

A 26

Laon

Asfeld

N 151

OISE

N 31

Compiègne

Soissons

Aisne

N 31

Fismes

Massif de St-Thierry

REIMS

Fort de la Pompelle

Églises romanes de la Vallée de l'Ardre

St-Lié

Faux de Verzy

N.-D.- d'Igny

PARC NATUREL RÉGIONAL DE LA MONTAGNE DE REIMS

BEAUVAIS

Oise

A 1

Dormans

Châtillon-s-M.

Hautvillers

Château-Thierry

D 3

Épernay

Cramant

RD 3

Condé-en-Brie

ROUTES DU CHAMPAGNE

Orbais-l'Abbaye

Côte des Blancs

Montmort-Lucy

Montmirail

Fromentières

Étoges

Vertus

Vallée de la Marne

Montmirail

Baye

Villevenard

Mont Aimé

PARIS

A 4

Verdelot

Vallée du Petit Morin

Marais de St-Gond

A 26

SEINE-ET-MARNE

N 4

Allemant

Sézanne

A 104

A 6

N 104

Forêt de Traconne

Lhuître

Villenauxe-la-Grande

Aube

N 19

Provins

Pont-s-Seine

Arcis-s-Aube

St-Loup-de-Naud

Donnemarie-Dontilly

Nogent-s-Seine

la Motte-Tilly

Fontaine-les-Grès

SEINE

D 960

Fontainebleau

SEINE

A 5

AUBE

TROYES

N 19

Villemaur-s-Vanne

Aix-en-Othe

Isle-Aumont

Sens

A 19

Pays d'Othe

N 77

Chaource

Montargis

N 60

A 6

YONNE

Ervy-le-Châtel

ORLÉANS

LOIRET

Auxerre

N 151

NEVERS, BOURGES   LYON

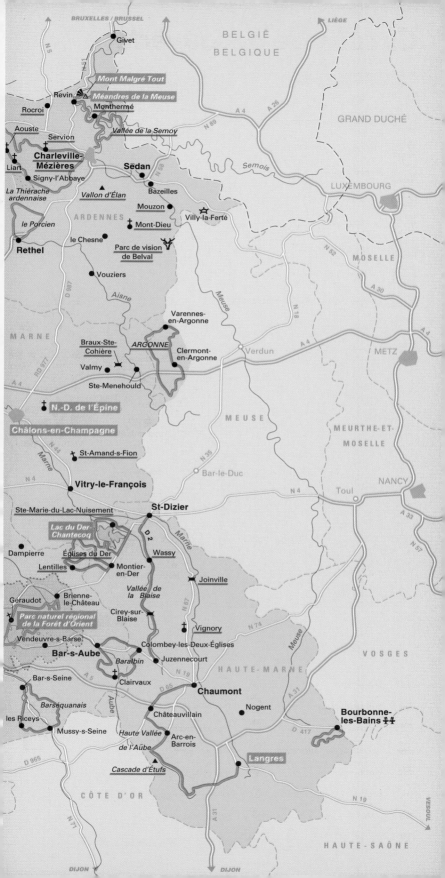

Circuits de découverte

Pour de plus amples explications, consulter la rubrique "Itinéraires à thème"

1 Légendes de la Meuse

2 Villes et villages fortifiés

3 Forêt d'Argonne

4 Souvenirs militaires

5 Le triangle d'or

6 La Brie champenoise

7 Au pays du Der et des grands lacs

8 Histoire d'eau: entre Blaise et Marne

9 Le Champagne de Bar en Bar

10 Art et artisanat en Haute-Marne

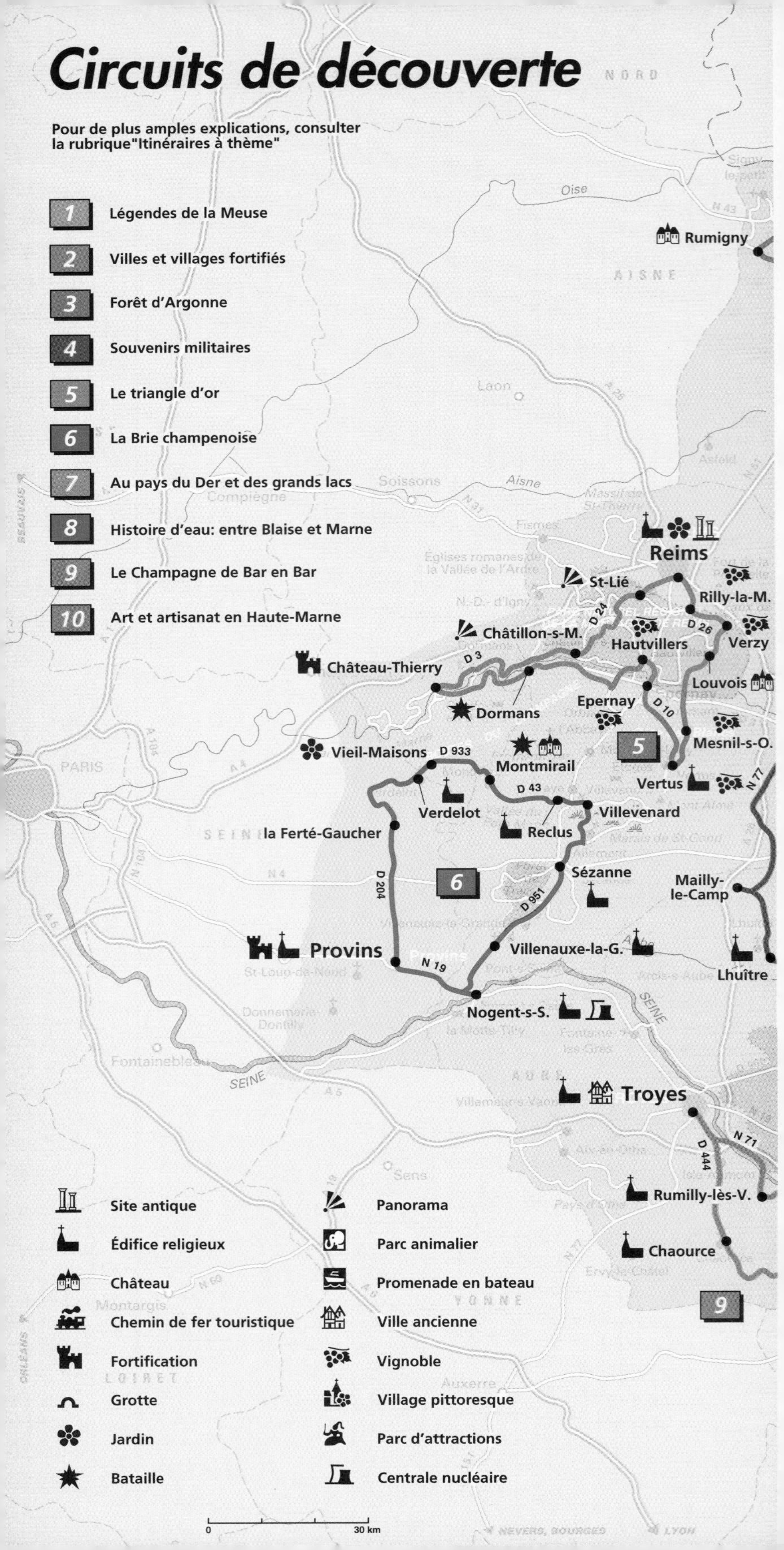

Légende

- Site antique
- Édifice religieux
- Château
- Chemin de fer touristique
- Fortification
- Grotte
- Jardin
- Bataille
- Panorama
- Parc animalier
- Promenade en bateau
- Ville ancienne
- Vignoble
- Village pittoresque
- Parc d'attractions
- Centrale nucléaire

Localités

NORD
Rumigny
AISNE
Laon
Soissons
Compiègne
Fismes
Reims
St-Lié
Rilly-la-M.
Verzy
Châtillon-s-M.
Hautvillers
Louvois
Château-Thierry
Dormans
Epernay
Mesnil-s-O.
Vieil-Maisons
Montmirail
Vertus
Verdelot
Villevenard
la Ferté-Gaucher
Reclus
Sézanne
Mailly-le-Camp
Provins
Villenauxe-la-G.
Lhuître
Nogent-s-S.
Troyes
Rumilly-lès-V.
Chaource

PARIS
BEAUVAIS
SEINE
YONNE
LOIRET
ORLÉANS
Montargis
Fontainebleau
Sens
Auxerre
NEVERS, BOURGES
LYON

0   30 km

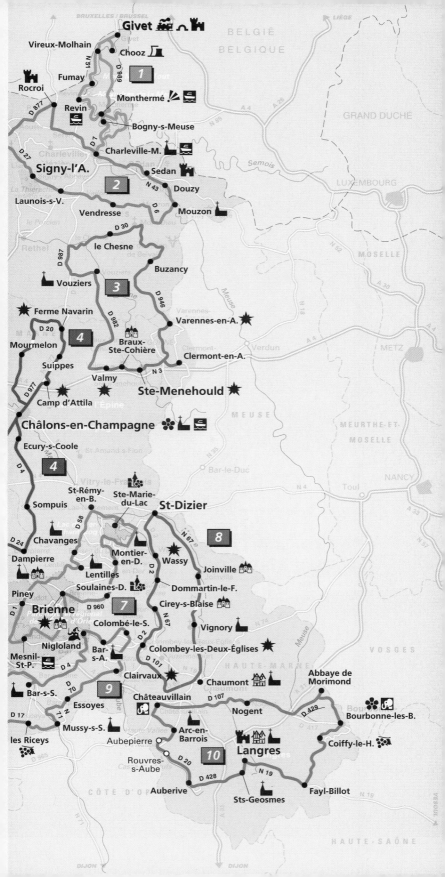

Les bords de la Meuse à Fumay

Informations
pratiques

Avant le départ

Hébergement, restauration, loisirs sportifs, manifestations, stages artisanaux, découverte du patrimoine naturel ou historique : plusieurs catégories d'organismes peuvent vous renseigner pour passer d'agréables vacances en Champagne-Ardenne.

adresses utiles

COMITÉ RÉGIONAL DU TOURISME (CRT)

Champagne-Ardenne : 15 av du Maréchal-Leclerc, BP 319, 51013 Châlons-en-Champagne Cedex, ☎ 03 26 21 85 80, fax 03 26 21 85 90.

COMITÉS DÉPARTEMENTAUX DU TOURISME (CDT)

Ardennes : 24 place Ducale, BP 419, 08107 Charleville-Mézières Cedex, ☎ 03 24 56 06 08, fax 03 24 59 20 10.

Aube : 34 quai Dampierre, 10000 Troyes, ☎ 03 25 42 50 00, fax 03 26 42 50 88.

Marne : 13 bis rue Carnot, BP 74, 51006 Châlons-en-Champagne Cedex, ☎ 03 26 68 37 52, fax 03 26 68 46 45.

Haute-Marne : 40 bis avenue Foch, 52000 Chaumont, ☎ 03 25 30 39 00, fax 03 25 30 39 09.

adresses électroniques

E-mail : contact@tourisme-champagne-ard.com.
E-mail : ardennes @tourisme-ardennes.com
Région Champagne-Ardenne :
http://www.tourisme-champagne-ard.com
http://bonjour.com/Fr/f07.shtml
http://.champagne-online.com

Vendanges du côté d'Hautvillers.

Département de la Haute-Marne, site du conseil général :
http://www.haute-marne.org/hp_cg.htm
Reims :
http://www.ville-reims.com/
http://www.ville-reims.com/france/champagne/Default.htm
Troyes et sa région, site de l'Office de tourisme :
http://www.ot-troyes.fr/
La route touristique du champagne :
http://www.marisy.fr/cote_des_bar/homepage.htm
Arthur Rimbaud, site personnel, en association avec la bibliothèque de Charleville :
http://www.imaginet.fr/rimbaud/

météo

Pour les promenades comme pour toute visite ou activité de plein air, il est utile de disposer à l'avance d'informations touristiques.
Le service **Météo France** a mis en place un système de répondeur téléphonique : **08 36 68 02 suivi du numéro du département** (exemple pour les Ardennes 08 36 68 02 08) : prévisions météorologiques départementales à sept jours.
3615 Météo : rubriques prévisions, météorologie générale, informations pratiques, loisirs...

QUAND PARTIR ?

À la belle saison, mais l'automne a ses charmes, au moment des vendanges (septembre-octobre) ou, en octobre, lorsque le vignoble s'empourpre. Dans les Ardennes, la chasse s'ouvre en novembre.

transports

LIAISONS ROUTIÈRES

La Champagne-Ardenne est bien reliée aux réseaux routiers (N 4, N 19, N 51) et autoroutiers : A 4 l'autoroute de l'Est, de Paris à Strasbourg en passant par Reims, Châlons-en-Champagne, Ste-Menehould ; A 26 l'autoroute des Anglais, de Calais à Troyes en passant par Reims, Châlons-en-Champagne, puis Chaumont et Langres ; A 5 de Paris à Troyes ; A 31 de Beaune à Luxembourg passe par Langres ; A 203 de Charleville-Mézières à Sedan.
Autoroute Information : centre de renseignements autoroutes, 3 rue Edmond-Valentin, 75007 Paris, du lundi au vendredi, ☎ 01 47 05 91 01, sur Minitel 3615 code Autoroute.

Petite gare en Haute-Marne.

Consulter la carte Michelin n° 989 au 1/1 000 000 ou l'Atlas autoroutier n° 914.

Tourisme-Informations sur Minitel — Consulter **3615 Michelin** : ce service vous aide à préparer ou décider du meilleur itinéraire à emprunter en vous communiquant d'utiles informations routières.

LIAISONS AÉRIENNES

Aéroport de Charleville-Mézières, ☎ 03 24 52 94 61.

Aéroport de Reims-Champagne — Lignes directes quotidiennes sur Lyon et St-Étienne. ☎ 03 26 07 15 15.

LIAISONS FERROVIAIRES

Au départ de Paris-gare de l'Est, il existe des liaisons directes ou rapides plusieurs fois par jour avec les grandes villes de la région
Paris — Charleville-Mézières, 2h30 environ.
Paris — Reims, 1h30 à 2h, avec parfois un changement à Épernay.
Paris — Châlons-en-Champagne, 1h15 environ.
Paris — Chaumont, 2h30 environ.
Paris — Langres, 3h environ.

Paris — Troyes, 1h30 environ, certains trains sont directs.
Le guide régional « TER », transport express régional, regroupe les horaires par fiche pour circuler dans la région.

tourisme et handicapés

Un certain nombre de curiosités décrites dans ce guide sont accessibles aux handicapés. Elles sont signalées par le symbole & dans le chapitre des Conditions de visite. Pour de plus amples renseignements au sujet de l'accessibilité des musées aux personnes atteintes de handicaps moteurs ou sensoriels, contacter la direction des Musées de France, service Accueil des publics Spécifiques, 6 rue des Pyramides, 75041 Paris Cedex 01, ☎ 01 40 15 35 88).

Le **guide Rousseau,** édité par l'Association France « H », 9 rue Luce-de-Lancival, 77340 Pontault-Combault, ☎ 01 60 28 50 12, donne de précieux renseignements sur la pratique du tourisme, des loisirs et des sports accessibles aux handicapés.

Les **Guides Michelin France** et **Camping-Caravaning France**, révisés chaque année, indiquent respectivement les chambres accessibles aux handicapés physiques et les installations sanitaires aménagées.

3614 **Handitel**, service télématique du Comité national français de liaison pour la réadaptation des handicapés (236 bis rue de Tolbiac, 75013 Paris, ☎ 01 53 80 66 66) assure un programme d'information au sujet des transports, des vacances, de l'hôtellerie et des loisirs adaptés.

Hébergement, restauration

De la frontière belge aux sources de la Seine et de la Marne, la région ne manque pas d'hôtels et de campings. Dans les petites localités ou les endroits reculés, vous trouverez gîte rural, ferme-auberge, chambre d'hôte ou hôtel chaleureux tandis que les grandes villes comme Troyes et Reims possèdent des établissements beaucoup plus luxueux.

Un certain nombre de restaurateurs qui ont adhéré à la « table régionale de Champagne-Ardenne » proposent

des recettes ou des produits locaux en affichant comme logo une toque blanche sur fond rouge à l'entrée de leur établissement. Dans les Ardennes, des restaurants ayant devant leur porte un panneau bleu et rouge, proposent à la carte ou au menu au moins trois ou quatre spécialités ardennaises.

Du restaurant gastronomique à l'auberge, l'andouillette de Troyes est à déguster qu'elle soit simplement grillée, à la poêle ou crue en fines tranches pour l'apéritif. Mais on trouvera aussi le pied de porc à la Sainte-Menehould dont la recette est gardée secrète. Dans les Ardennes le gibier et le poisson sont rois : noisette de marcassin, selle de chevreuil, truite de la Semoy, friture de fretin de Meuse. Le fromage n'est pas absent de la table : chaource crémeux, grand condé ou rocroi, langres, mussy. Mais ce qui fait la renommée internationale de la région, c'est le champagne que l'on peut boire à tout moment en apéritif, au dessert en grignotant des biscuits roses de Reims ou tout au long du repas.

les adresses du guide

C'est une des nouveautés de la collection LE GUIDE VERT : partout où vous irez, vous trouverez notre sélection de bonnes adresses. Nous avons sillonné la France pour repérer des chambres d'hôte et des hôtels, des restaurants et des fermes-auberges, des campings et des gîtes ruraux... En privilégiant des étapes agréables, au cœur des villes ou sur nos circuits touristiques, en pleine campagne ou les pieds dans l'eau ; des maisons de pays, des tables régionales, des lieux de charme et des adresses plus simples... Pour découvrir la France autrement : à travers ses traditions, ses produits du terroir, ses recettes et ses modes de vie.
Le confort, la tranquillité et la qualité de la cuisine sont bien sûr des critères essentiels ! Toutes les maisons ont été visitées et choisies avec le plus grand soin, toutefois il peut arriver que des modifications aient eu lieu depuis notre dernier passage : faites-le nous savoir, vos remarques et suggestions seront toujours les bienvenues !
Les prix que nous indiquons sont ceux pratiqués en haute saison ; hors saison, de nombreux établissements proposent des tarifs plus avantageux, renseignez-vous...

Hôtel du Champ des Giseaux à Troyes.

MODE D'EMPLOI

Au fil des pages, vous découvrirez nos carnets d'adresses : toujours rattachés à des villes ou à des sites touristiques remarquables du guide, ils proposent une sélection d'adresses à proximité. Si nécessaire, l'accès est donné à partir du site le plus proche ou sur des schémas régionaux.
Dans chaque carnet, les maisons sont classées en trois catégories de prix pour répondre à toutes les attentes :
Vous partez avec un petit budget ? Choisissez vos adresses parmi celles de la catégorie « **À bon compte** » : vous trouverez là des campings, des chambres d'hôte simples et conviviales, des hôtels à moins de 250F et des tables souvent gourmandes, toujours honnêtes, à moins de 100F.
Votre budget est un peu plus large, piochez vos étapes dans les « **Valeurs sûres** » : de meilleur confort, les adresses sont aussi plus agréablement situées et aménagées. Dans cette catégorie, vous trouverez beaucoup de maisons de charme, animées par des passionnés, ravis de vous faire découvrir leur demeure et leur table. Là encore, chambres et tables d'hôte sont au rendez-vous, avec des hôtels et des restaurants plus traditionnels, bien sûr.
Vous souhaitez vous faire plaisir, le temps d'un repas ou d'une nuit, vous aimez voyager dans des conditions très confortables ? La catégorie « **Une petite folie !** » est pour vous... La vie de château dans de luxueuses chambres d'hôte — pas si chères que ça — ou la vie de pacha dans les palaces et les grands hôtels : à vous de choisir ! Vous pouvez aussi profiter des décors de rêve des palaces mythiques à moindre frais, le temps d'un brunch ou d'une tasse de thé... À moins que vous ne préfériez casser votre tirelire pour un repas gastronomique dans un restaurant étoilé, par exemple. Sans oublier que la traditionnelle formule « tenue correcte exigée » est toujours d'actualité dans ces lieux élégants !

Pieds de porc à la Ste-Menehould

L'Hébergement

LES HÔTELS

Nous vous proposons un choix très large en terme de confort. La location se fait à la nuit et le petit-déjeuner est facturé en supplément. Certains établissements assurent un service de restauration également accessible à la clientèle extérieure.

LES CHAMBRES D'HÔTE

Vous êtes reçu directement par les habitants qui vous ouvrent leur demeure. L'atmosphère est plus conviviale qu'à l'hôtel, et l'envie de communiquer doit être réciproque : misanthrope, s'abstenir ! Les prix, mentionnés à la nuit, incluent le petit-déjeuner. Certains propriétaires proposent aussi une table d'hôte, en général le soir, et toujours réservée aux résidents de la maison. Il est très vivement conseillé de réserver votre étape, en raison du grand succès de ce type d'hébergement.

LES RÉSIDENCES HÔTELIÈRES

Adaptées à une clientèle de vacanciers, la location s'y pratique à la semaine mais certaines résidences peuvent, suivant les périodes, vous accueillir à la nuitée. Chaque studio ou appartement est généralement équipé d'une cuisine ou d'une kitchenette.

LES GÎTES RURAUX

Les locations s'effectuent à la semaine ou éventuellement pour un week-end. Totalement autonome, vous pourrez découvrir la région à partir de votre lieu de résidence. Il est indispensable de réserver, longtemps à l'avance, surtout en haute saison.

LES CAMPINGS

Les prix s'entendent par nuit, pour deux personnes et un emplacement de tente. Certains campings disposent de bungalows ou de mobile homes d'un confort moins spartiate : renseignez-vous sur les tarifs directement auprès des campings. NB : Certains établissements ne peuvent pas recevoir vos compagnons à quatre pattes ou les accueillent moyennant un supplément, pensez à demander lors de votre réservation.

La Restauration

Pour répondre à toutes les envies, nous avons sélectionné des restaurants régionaux bien sûr, mais aussi classiques, exotiques ou à thème... Et des lieux plus simples, où vous pourrez grignoter une salade composée, une tarte salée, une pâtisserie ou déguster des produits régionaux sur le pouce.
Quelques fermes-auberges vous permettront de découvrir les saveurs de la France profonde. Vous y goûterez des produits authentiques provenant de l'exploitation agricole, préparés dans la tradition et généralement servis en menu unique. Le service et l'ambiance sont bon enfant. Réservation obligatoire ! Enfin, n'oubliez pas que les restaurants d'hôtels peuvent vous accueillir.

Restaurant Le Vigneron *à* Reims.

et aussi...

Si d'aventure, vous n'avez pu trouver votre bonheur parmi toutes nos adresses, vous pouvez consulter les guides Michelin d'hébergement ou, en dernier recours, vous rendre dans un hôtel de chaîne.

LE GUIDE ROUGE HÔTELS ET RESTAURANTS FRANCE

Pour un choix plus étoffé et actualisé, le Guide Rouge Michelin recommande hôtels et restaurants sur toute la France. Pour chaque établissement, le niveau de confort et de prix est indiqué, en plus de nombreux renseignements pratiques. Les bonnes tables, étoilées pour la qualité de leur cuisine, sont très prisées par les gastronomes. Le symbole (Bib gourmand) sélectionne les tables qui proposent une cuisine soignée à moins de 130F.

LE GUIDE CAMPING FRANCE

Le Guide Camping propose tous les ans une sélection de terrains visités régulièrement par nos inspecteurs. Renseignements pratiques, niveau de confort, prix, agrément, location de bungalows, de mobile homes ou de chalets y sont mentionnés.

LES CHAÎNES HÔTELIÈRES

L'hôtellerie dite « économique » peut éventuellement vous rendre service. Sachez que vous y trouverez un équipement complet (sanitaire privé et télévision), mais un confort très simple. Souvent à proximité de grands axes routiers, ces établissements n'assurent pas de restauration. Toutefois, leurs tarifs restent difficiles

à concurrencer (moins de 200F la chambre double). En dépannage, voici donc les centrales de réservation de quelques chaînes :
— Akena ☎ 01 69 84 85 17
— B&B ☎ 0 803 00 29 29
— Etap Hôtel ☎ 08 36 68 89 00 (2,23F la minute)
— Mister Bed ☎ 01 46 14 38 00
— Villages Hôtel ☎ 03 80 60 92 70

Enfin, les hôtels suivants, un peu plus chers (à partir de 300F la chambre), offrent un meilleur confort et quelques services complémentaires :
— Campanile ☎ 01 64 62 46 46
— Climat de France ☎ 01 64 62 48 88
— Ibis ☎ 0 803 88 22 22

HÉBERGEMENT RURAL

Gîtes de France — La Fédération nationale des Gîtes de France, 59 r. St-Lazare, 75009 Paris. ☎ 01 49 70 75 75, donne les adresses des comités locaux et publie des guides nationaux sur différentes possibilités d'hébergement rural : chambres d'hôtes, gîtes d'étape, gîtes de neige, gîtes et logis de pêche, Minitel 3615 Gîtes de France.
Les **randonneurs** peuvent consulter le guide *Gîtes et refuges, France et frontières*, par A. et S. Mouraret (Éditions La Cadole, 74 rue Albert-Perdreaux, 78140 Vélizy, ☎ 01 34 65 10 40). Cet ouvrage est

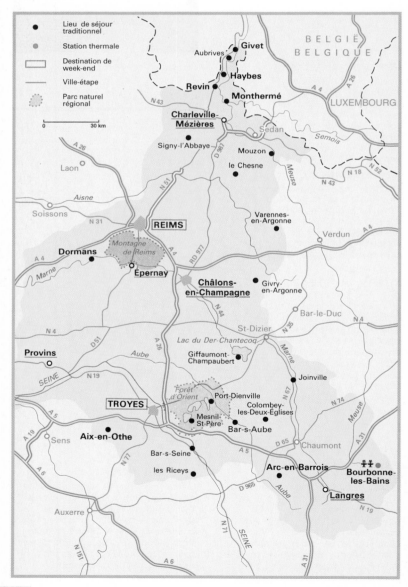

principalement destiné aux amateurs de randonnées, de cyclotourisme et de canoë-kayak.

Chambres d'agriculture — Le guide *Bienvenue à la Ferme* (édité par l'assemblée permanente des chambres d'Agriculture : service « agriculture et tourisme », 9 av. George-V, 75008 Paris, ☎ 01 47 23 55 40) propose par région et département une large sélection de fermes-auberges, fermes équestres, campings à la ferme, fermes de séjour, etc.

Il existe également un guide *Vacances et week-ends à la Ferme* (éditions Balland).

Stations vertes de vacances — La Fédération française des stations vertes de vacances et des villages de neige regroupe des localités rurales sélectionnées pour leur tranquillité et les distractions de plein air qu'elles proposent. Renseignements auprès de la Fédération, hôtel du département de la Côte-d'Or, BP 598, 21016 Dijon Cedex, ☎ 03 80 43 49 47.

Dans la région ont été sélectionnées : Monthermé et Signy-le-Petit dans les Ardennes, Bar-sur-Seine et Les Riceys dans l'Aube, Dormans, Givry-en-Argonne, Ste-Menehould dans la Marne, Arc-en-Barrois et Bourbonne-les-Bains en Haute-Marne.

AUBERGES DE JEUNESSE

La carte internationale des AJ est en vente à la Ligue française pour les Auberges de Jeunesse, 38 boulevard Raspail, 75007 Paris. ☎ 01 45 48 69 84. Minitel 3615 Auberge de jeunesse ou à la Fédération Unie des Auberges de Jeunesse, 27 rue Pajol, 75018 Paris, ☎ 01 44 89 87 27, Minitel : 3615 code FUAJ.

La carte annuelle d'adhésion est de 70F pour les moins de 26 ans et de 100F au-delà de cet âge.

SERVICES DE RÉSERVATION LOISIRS ACCUEIL

La Fédération nationale des services de réservation Loisirs Accueil (280 boulevard St-Germain, 75007 Paris, ☎ 01 44 11 10 44) propose un large choix d'hébergements et d'activités de qualité. Elle édite un annuaire regroupant les coordonnées des 58 SLA et, pour certains départements, une brochure détaillée. En s'adressant au service de réservation de ces départements, on peut obtenir une réservation rapide. Minitel : 3615 Détour.

Ardennes : passage République, 39/41 rue de la République, 08000 Charleville-Mézières, ☎ 03 24 56 00 63, fax 03 24 59 95 65.

Haute-Marne : 40 bis avenue Foch, 52000 Chaumont, ☎ 03 25 30 39 00, fax 03 25 30 39 09.

Péniche La Quiétude *amarrée sur les bords de Seine à Nogent.*

choisir son lieu de séjour

La carte ci-dessous signale des lieux de séjour traditionnels sélectionnés pour leurs possibilités d'accueil. Pour ces localités, il existe diverses possibilités d'hébergement (meublés, gîtes ruraux...) ; les offices de tourisme et syndicats d'initiative en communiquent la liste. De même ces organismes renseignent sur les activités locales de plein air et sur les manifestations culturelles de la région.

Cette carte fait également apparaître les « villes-étapes ». Reims et Troyes, par leurs richesses artistiques et historiques, sont des destinations de week-end.

Propositions de séjour

week-ends

CHARLEVILLE-MÉZIÈRES ET LES MÉANDRES DE LA MEUSE

La première journée sera consacrée à Charleville-Mézières : le matin Charleville avec ses rues commerçantes, la place Ducale animée par le marché, le musée de l'Ardenne, l'après-midi le musée Rimbaud et l'itinéraire rimbaldien pour ceux que fascine la personnalité aventureuse du poète et la basilique N.-D. d'Espérance à Mézières. La deuxième journée permettra de parcourir la pittoresque vallée de la Meuse en voiture ou en bateau.

COLOMBEY-LES-DEUX-ÉGLISES ET LE PAYS BARALBIN
Un pèlerinage à la mémoire du général de Gaulle. Visite de la Boisserie et du mémorial le matin, de l'abbaye de Clairvaux l'après-midi (à condition que ce soit un samedi). Le lendemain matin faire le circuit du pays baralbin en passant par l'écomusée du Cristal de Bayel, passer l'après-midi à Nigloland si vous êtes en famille.

LANGRES ET LES ENVIRONS
En partant de la rue Diderot, principale rue commerçante, gagner le quartier de la cathédrale où s'élèvent de belles demeures et visiter le musée d'Art et d'Histoire, l'après-midi, faire le tour des remparts à pied ou en petit train, se détendre au bord des lacs. Dans les environs, mausolée de Faverolles si l'on aime l'archéologie, le fort du Cognolot, le château du Pailly, élégante demeure, ou la cascade de la Tuffière.

PROVINS
Le matin se promener dans cette jolie cité médiévale entourée de verdure, l'après-midi selon les horaires visiter le musée de Provins, la grange aux Dîmes et les souterrains. Participer à un spectacle « les aigles de Provins » ou « À l'assaut des remparts » (d'avril à septembre).

REIMS
Flâner dans le centre-ville et visiter la cathédrale avec le palais du Tau qui renferme une partie de la statuaire originale de la cathédrale, l'après-midi surtout s'il fait chaud faire un tour dans une cave de champagne, hôtel Le Vergeur. Le lendemain la basilique et le musée St-Remi, l'après-midi, une autre cave de champagne.

Maisons à pans de bois, rue Passerat à Troyes.

TROYES
Le programme est fort riche. Profiter de l'ouverture des magasins (du lundi au samedi) pour passer la journée à faire des achats dans les deux centre commerciaux (Marques Avenue et Mac Arthur Glen). Le lendemain se promener dans le vieux Troyes et visiter le musée de l'outil et de la pensée ouvrière le matin, le musée d'Art moderne l'après-midi.

séjour de 3 à 4 jours

ÉPERNAY ET LA ROUTE DU CHAMPAGNE DES VIGNOBLES DE LA MARNE
L'avenue de Champagne est bordée de nombreuses maisons de champagne dont certaines sont ouvertes au public. Aux caves on peut ajouter quelques villages de vignoble : Ay, Hautvillers, dans la vallée de la Marne ou Oger et le Mesnil-sur-Oger sur la Côte des Blancs.

REIMS
Reportez-vous au programme du week-end. Puis sillonner les petites routes de la Montagne de Reims pour découvrir les villages vinicoles et leurs caves.

TROYES
Même programme que pour le week-end et puisque vous avez plus de temps, musée historique de Troyes et de Champagne et musée de la Bonneterie dans l'hôtel de Vauluisant et le musée des Beaux-Arts dans l'abbaye St-Loup.

LA ROUTE DU CHAMPAGNE DES VIGNOBLES DE L'AUBE
Deux circuits à faire dans la côte des Bar, l'un autour de Bar-sur-Seine (le barséquanais) sur les traces de Renoir sans oublier le village des Riceys célèbre pour son rosé ; l'autre autour de Bar-sur-Aube (le pays baralbin) avec la cristallerie de Bayel. Vous passerez facilement une journée en famille dans le parc d'attractions de Nigloland.

séjour d'une semaine

LE PARC NATUREL RÉGIONAL DE LA FORÊT D'ORIENT
Une semaine pour vous reposer en pleine nature au cœur du parc régional. De magnifiques plans d'eau pour les sports nautiques, la baignade ou la pêche, des sentiers pédestres ou de VTT, des centres équestres, une réserve ornithologique et un parc de vision animalier. Mais si la ville vous manque, Troyes n'est qu'à deux pas.

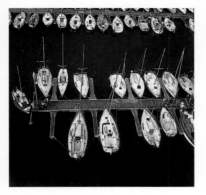

Lac de la Forêt d'Orient.

LE LAC DU DER-CHANTECOQ ET LES ÉGLISES DU DER

Amoureux de la nature et des grands espaces, le plus grand lac artificiel de France vous offre un cadre priviligié pour un séjour en pleine nature avec la possibilité de pratiquer de nombreuses activités : sports nautiques, promenades, pêche ou simplement d'observer les oiseaux (plus de 270 espèces) selon la saison. Si le temps est moins beau, allez visiter, à proximité du lac, les édifices à colombage dont de nombreuses églises éclairées par les vitraux de l'école de Troyes.

Itinéraires à thème

routes touristiques

En dehors des routes du champagne décrites dans ce guide *(voir à routes du Champagne)*, d'autres routes touristiques à thème facilitent la découverte de la Champagne et des Ardennes :

Route touristique du champagne dans les départements de la Marne, de l'Aisne et de l'Aube *(se renseigner aux comités départementaux)*.

Un guide « La Marne, Visites passion en Champagne », permet de découvrir les sites et musées autour de 9 villes, points de départ de circuits thématiques. Se renseigner auprès du Comité départemental de tourisme de la Marne et de l'Aube.

Route des églises à pans de bois non balisée, *(se renseigner à l'Office de tourisme du lac du Der-Chantecoq)*. La plupart des églises sont illuminées tous les soirs de mi-juin à mi-septembre et les week-ends le reste de l'année.

Route du fer, non balisée, au Sud de St-Dizier, le long de la vallée de la Blaise *(voir ce nom)* : 12 sites métallurgiques à découvrir *(se procurer le dépliant à l'Office du tourisme de St-Dizier)*.

Dans les **Ardennes**, six routes touristiques sont proposées :
— route des Légendes de Meuse et Semoy (65 km) ;
— route du Porcien (110 km) ;
— route des Fortifications (140 km) ;
— route Rimbaud-Verlaine (150 km) ;
— route des Églises fortifiées de Thiérache (150 km) *(voir p. 249, introduction)* ;
— route des Forêts, Lacs et Abbayes (260 km).

Information : Vitrine du conseil général, 24 place Ducale, 08000 Charleville-Mézières, ☎ 03 24 56 06 08.

Château fort de Sedan.

routes historiques

Ce sont des itinéraires de visite axés sur le patrimoine concernant villes, villages, châteaux, manoirs, abbayes, parcs et jardins.
Trois routes s'inscrivent dans la région couverte par ce guide :
— **route du patrimoine culturel québécois**, itinéraire champenois contant l'histoire des français partis au Québec dont le fondateur de Montréal et la première institutrice de « Nouvelle France ».
— **route du vitrail en Haute-Marne**, de Droyes à Joinville en passant par Montier-en-Der.
— **route Thibaud de Champagne**, du château de Champs-sur-Marne à Troyes en passant par les châteaux de Ferrières, la Motte-Tilly, Vaux-le-Vicomte.

Chacune d'elles fait l'objet d'un dépliant disponible dans les Offices de tourisme.

La CNMHS délivre un laissez-passer permettant d'accéder librement à plus de cent monuments gérés par elle en France et de bénéficier de la gratuité aux expositions organisées dans les monuments concernés. Ce laissez-passer est valable un an. On peut l'obtenir sur place dans certains monuments ou par correspondance, à la CNMHS (Caisse nationale des Monuments historiques et des sites, 62 rue St-Antoine, 75004 Paris). Les sites concernés par le laissez-passer et décrits dans ce guide sont le cloître de Notre-Dame-en-Vaux à Châlons, le château de la Motte-Tilly, le palais du Tau et les tours de la cathédrale à Reims.

stage d'œnologie

C'est une initiation à la dégustation et à la découverte du vin de champagne :
Institut œnologique de champagne, 10110 Bar-Sur-Seine, ☎ 03 25 29 90 22.
La maison du millésime, dégustation commentée sur rendez-vous, château de Pierry, 51201 Épernay, ☎ 03 26 54 05 11.
Les celliers de Pierry, cours de dégustation, 1 rue Carnot, 51200 Pierry, ☎ 03 26 54 81 75.
La palette de Bacchus, sélection de champagne, initiation, 51150 Ambonnay, ☎ 03 26 57 07 87.
Dehu, père et fils, 3 rue St-Georges, 02650 Fossoy, ☎ 03 23 71 90 47.

stage cynégétique

En 1995 a été créé un centre pédagogique sur la chasse et la nature, l'institut cynégétique François

Cours en extérieur sur le piégeage.

Sommer. Il propose toute l'année des stages de formation solide de 4 à 9 jours. Se renseigner à la réserve de Belval, 08240 Bois-des-Dames, ☎ 03 24 30 01 86.

thermalisme

Bourbonne-les-Bains est la première station thermale de l'Est de la France et la seule de la région. Elle traite les rhumatismes, l'arthrose, les fractures, les voies respiratoires. La station propose des forfaits mini-cures : une journée, un week-end, une semaine, 10 jours....
Centre Borvo, 52400 Bourbonne-les-Bains, ☎ 03 25 90 01 71.
Fédération thermale et climatique française, 16 rue de l'Estrapade, 75005 Paris, ☎ 01 43 25 11 85.

circuits de découverte

Pour visualiser l'ensemble des circuits proposés, reportez-vous à la carte p. 12 du guide.

1 ARDENNE, TERRE DE LÉGENDE
Circuit de 120 km — Les Ardennes, pays d'eau et de forêts, Arduinna en langue celtique signifie forêt profonde, sont traversées de vallées encaissées comme la Meuse et la Semoy. Elles y ont creusé un relief original, aux sites grandioses qui inspirèrent la mythologie populaire. Qui ne connaît pas la légende des Quatre fils Aymon montés sur le cheval Bayard ou encore celle des Dames de la Meuse !

2 VILLES ET VILLAGES FORTIFIÉS
Circuit de 170 km — Voie de passage depuis le temps des Romains, la région a souffert des vicissitudes des invasions et des guerres. La trace est restée visible dans l'architecture militaire et religieuse comme les places fortes de Rocroi (lieu d'une terrible bataille en 1643), de Sedan (immense château fort de 35 000 m² sur 7 niveaux), ou de Mézières et les églises fortifiées de la Thiérache, avec leurs tourelles et leurs meurtrières, qui servaient de refuge à la population, en cas d'invasion.

3 L'ARGONNE ET SA FORÊT
Circuit de 200 km — Située aux confins de la Champagne et de la Lorraine, l'Argonne forme une entité géographique particulière. Ce massif boisé est agréable à parcourir en randonnée pédestre, équestre ou VTT au départ de Ste-Menehould. La forêt d'Argonne n'a rien perdu de ses paysages fantastiques où s'enchevêtrent crêtes, plateaux et

Bois de Haybes dans les Ardennes.

défilés. Mais elle a connu de nombreux combats qui ont laissé des cicatrices comme les tranchées de la Haute Chevauchée.

4 SOUVENIRS MILITAIRES DANS LA CHAMPAGNE CRAYEUSE

Circuit de 200 km — À défaut d'intérêt pour les camps militaires, l'itinéraire offre de beaux paysages sur la champagneuse crayeuse, appelée autrefois sèche ou pouilleuse. La grande plaine et les monts de Champagne sont occupés par des camps militaires, aujourd'hui terrains de manœuvres de l'armée française : camp de Moronvilliers de 2 000 ha, camp de Suippes (13 500 ha). Au Nord de Châlons, Le camp de Mourmelon (11 400 ha), appelé autrefois camp de Châlons, fut créé en 1857 par Napoléon III. Au Sud de Châlons subsiste le camp de Mailly. Presque tous les appelés ont dû y faire un séjour.

5 TRIANGLE D'OR

Circuit de 120 km — Entre Reims, Châlons, Épernay et Château-Thierry, le vignoble s'étire sur les versants ensoleillés, jalonnés de villages pittoresques. Que ce soit en parcourant la Montagne de Reims, la vallée de la Marne ou la Côte des Blancs, de nombreux vignerons ou viticulteurs vous attendent pour vous faire découvrir, dans le secret de leurs caves, leur méthode d'élaboration du champagne. Vous pourrez également goûter leur production et éventuellement acheter quelques bouteilles. Certaines maisons ont même créé un musée de la Vigne.

6 BRIE CHAMPENOISE

Circuit de 165 km — Entre l'Île de France et la Champagne, les paysages de la Brie sont jalonnés de petites villes anciennes comme Nogent-sur-Seine, Villenauxe-la-Grande, Montmirail, Verdelot. Mais c'est d'abord la cité féodale de Provins qui retiendra l'attention par la silhouette de sa tour de César. Les jardins de Viels-Maisons vous séduiront par les milliers de fleurs multicolores et odorantes.

7 AU PAYS DU DER ET DES GRANDS LACS

Circuit de 170 km — Amoureux de la nature, l'immense lac du Der-chantecoq offre un cadre privilégié pour la détente et les loisirs : baignade, nautisme et pêche. C'est également un lieu ornithologique où évoluent plus de 270 espèces d'oiseaux migrateurs dont la célèbre grue cendrée. D'ailleurs, la Maison de l'oiseau et du poisson vous initiera à la découverte de la flore et de la faune. Si vous êtes curieux, aux alentours, le pays du Der possède une architecture à pans de bois que l'on retrouve surtout dans les églises. Plus au Nord, les lacs de la Forêt d'Orient qui forment de magnifiques plans d'eau sont également propices aux loisirs. Avec beaucoup de patience, vous pourrez aussi découvrir des animaux en semi-liberté dans le parc de vision animalier sur la rive Est du Parc naturel régional de la Forêt d'Orient et les oiseaux du lac dans la réserve ornithologique.

8 HISTOIRE D'EAU ENTRE BLAISE ET MARNE

Circuit de 165 km — La vallée de la Blaise, l'une des plus anciennes régions métallurgiques de France, a gardé de nombreux témoignages de ce passé comme le haut fourneau à Dommartin-le-Franc ou le Paradis à Sommevoire et les fontes d'art à St-Dizier. En remontant la vallée de la Marne, vous découvrirez Chaumont et son festival de l'Affiche, Vignory et son église, Joinville et le château du Grand Jardin, de quoi satisfaire votre curiosité. Mais n'oublions pas les grands hommes qui ont laissé leur empreinte : le général de Gaulle à Colombey-les-Deux-Églises, Voltaire à Cirey-sur-Blaise.

Vallée de la Blaise.

9 CHAMPAGNE DE BAR-EN-BAR

Circuit de 225 km — De Troyes, capitale du champagne aubois, la côte des Bar offre des paysages variés où se cotoient vignes, forêts et champs. Il faut faire une halte aux Riceys, seule commune en France à avoir trois appellations d'origine contrôlée dont le célèbre rosé des Riceys. Si vous êtes en famille, promenez-vous dans le parc fleuri et ombragé de Nigloland et embarquez-vous sur les grandes attractions.

10 ART ET ARTISANAT EN HAUTE-MARNE

Circuit de 200 km — Après avoir parcouru la vieille ville et les remparts de Langres, autrefois pays de la coutellerie, dirigez-vous vers Fayl-Billot connue pour son école nationale d'osiériculture et de vannerie. Prenez le temps de faire un tour au pays vannier pour découvrir les oseraies, les routoirs et le travail des artisans dans leurs boutiques. Si vous avez des problèmes d'arthrose,

Écorçage manuel de l'osier.

de rhumatisme, de fractures, faites un séjour à Bourbonne, vous en sortirez soulagé comme le montrent les panneaux de la ville. Arrivé dans le Bassigny, pays de la coutellerie, arrêtez-vous à Nogent voir l'Espace coutelier.

Découvrir autrement la région

trains touristiques

Le **chemin de fer touristique du Sud des Ardennes** longe en partie la vallée de l'Aisne d'Attigny à Challerange en passant par Vouziers (30,8 km) et d'Attigny à Amagne-Lucquy (9,5 km).
Un autre **chemin de fer touristique** suit la vallée de la Meuse (24 km) de Mouzon à Stenay.
Ils fonctionnent les dimanches de juin à septembre. Se renseigner auprès de l'association « Les Amis de la traction vapeur en Ardenne » (ATVA), cour de la Gare, 08130 Attigny, ☎ 03 24 42 26 14 ou 03 26 04 86 06.
Un **autorail « Picasso »** circule dans la forêt de la Traconne autour de Cézanne.
Le **chemin de fer à vapeur des 3 vallées** exploite trois lignes dont celle entre Givet et Dinant, en Belgique.
Le **train touristique de la Blaise et du Der** circule en juillet et août tous les dimanches à 15h à partir de Wassy, gare du 19ᵉ s. Renseignements : La Gare, 52130 Wassy, ☎ 06 07 50 55 72.
Un **circuit touristique en petit train** est possible en saison à Châlons-en-Champagne, Épernay, Langres, Reims, Troyes et au lac du Der-Chantecoq.

tourisme fluvial

600 km de voies navigables s'offrent à ceux qui aiment découvrir une région au fil de l'eau. Le long de ces voies, pour la plupart des **canaux** (canal de l'Est, canal des Ardennes, canal de l'Aisne à la Marne, canal latéral de la Marne, canal de la Marne à la Saône), sont installés des haltes, des relais nautiques et des ports de plaisance. Des locations de bateaux habitables sont possibles.

Monorail sur la ligne Mouzon-Stenay.

Pour le canal de la Marne à la Saône :
Direction départementale de
l'Équipement, 82 rue du
Commandant-Hugueny, BP 2087,
52903 Chaumont Cedex 9, ☏ 03 25 30
79 79.
Pour les autres canaux :
Service Navigation du Nord-Est, 28 rue
Albert-1ᵉʳ, Case Officielle nº 62, 54036
Nancy Cedex, ☏ 03 83 95 30 01.

LOCATION

Comité régional de tourisme
Champagne-Ardenne,
Châlons-en-Champagne.
Ardennes Nautisme, 16 rue du
Château, BP 78, 08203 Sedan, ☏ 03 24
27 05 15, base de départ : Reims (port
de plaisance, boulevard Paul-Doumer)
et Pont-à-Bar (écluse de Pont-à-Bar à
Dom-le-Mesnil).
Locaboat Plaisance, Port-au-Bois, BP
150, 89303 Joigny, ☏ 03 86 91 72 72.
M. Heitz, ☏ 03 26 47 03 58 à Reims.

*Le « Champagne-Vallée », bateau-promenade
sur la Marne.*

CROISIÈRES

Des croisières de 1h1/2 à 2h30 sont
organisées :
Sur la **Meuse** au départ de Charleville,
Monthermé et Revin. S'adresser à la
vitrine du conseil général des
Ardennes, 22 place Ducale, 08000
Charleville-Mézières, à Loisirs Accueil
en Ardennes, 39-41 rue de la
République à Charleville-Mézières.
Sur la **Marne** à bord du *Champagne
Vallée*, au départ de Cumières,
informations : Croisi-Champagne,
BP 22, 51480 Cumières, ☏ 03 26 54
49 51,
Sur la **Seine** à bord du *Sisley* à
Bray-sur-Seine, Association Loisirs
nautiques et équestres, 8 rue de la
Ruelle-de-Mars, 77480
Montigny-le-Guesdier, ☏ 01 60 67
23 52.

tourisme aérien

À bord d'une nacelle de montgolfière,
découvrez d'une manière insolite le
vignoble champenois.
Champagne air show, 15 bis place
St-Nicaise, 51100 Reims, ☏ 03 26 82
59 60.

tourisme technique

À la faveur du tourisme technique,
industriel et artisanal, certains ateliers
et entreprises ouvrent leurs portes
aux visiteurs.
Fromagerie Jean Pire, rue de la
Grande-Chaudière, Taillette 08230
Rocroi, ☏ 03 24 54 10 84.
Bio-Plantes (production de plantes
aromatiques médicinales), 10210
Pargues, ☏ 03 25 40 12 53.
Domaine du moulin d'Éguebaude
(pisciculture), 10190 Estissac, ☏ 03 25
40 42 18.
Poulain (culture et transformation des
champignons), 10210 Cussangy,
☏ 03 25 40 18 71.
Artamin (confection et décoration
florales), moulin de la Fleuristerie,
52120 Orges,
☏ 03 25 01 14 72. 16,5 km à l'Ouest
par la D 65 puis la D 105.
Ferme du Châtel (robot de traite),
52120 Braux-le-châtel, ☏ 03 25 31
32 34.
Établissements Husson (fabrique de
pantoufles et mules), 20 bis rue de
Bel-Air, 08370 Margut, ☏ 03 24 29
58 51.
Le Vitrail, Alain Vinum, 4 rue
Brulard, 10000 Troyes, ☏ 03 25 73
38 87.
Fleurs séchées Paulais, rue
d'En-Haut, 08200 Illy, ☏ 03 24 27
60 43.
La Poste (centre de traitement du
courrier), 21 avenue Marc-Chagall,
52902 Chaumont Cedex 9, ☏ 03 25 30
78 00.
**Société nationale des chemins de fer
français** (atelier-magasin), route de
Villiers-en-Lieu, 52100 St-Dizier,
☏ 03 25 06 62 01.

La pantoufle ardennaise.

Sommer Alibert Industrie Formage (fabrication de produits insonorisants pour automobile), zone industrielle, BP 13, 08210 Mouzon, ☎ 03 24 27 75 00.

Électricité de France, visite des installations liées au transport d'électricité (poste de transformation), prendre contact avec EDF, ☎ 03 26 05 53 53. Visite du barrage hydro-électrique de Revin-St-Nicolas, prendre contact avec EDF, ☎ 03 24 40 10 28.

Chausson Outillage, 11 rue du Colonel-Charbonneaux, 51100 Reims, ☎ 03 26 05 63 63.

Jacob Delafon (robinetterie sanitaire), 59 bis rue Vernouillet, 51100 Reims, ☎ 03 26 49 57 00.

Mecadis (orfèvrerie), route de Provence, 52800 Mandres-la-Côte, ☎ 03 25 31 99 50.

Pour le département de l'Aube, l'Office du tourisme de Troyes peut fournir la liste des entreprises et ateliers d'artisanat à visiter.

avec les enfants

PARC D'ATTRACTIONS
Nigloland, au pays des hérissons, près de Bar-sur-Aube.

PARCS ANIMALIERS
Une promenade à travers ces parcs permet de rencontrer des animaux de la région en liberté ou semi-liberté tels que cerfs, chevreuils, daims, sangliers... :
— parc de vision de **BelVal** (en circuit automobile),
— parc de **St-Laurent** aux environs de Charleville-Mézières, proposant plusieurs parcours de durée variable,
— parc de **la Bannie** aux portes de Bourbonne-les-Bains.
— enclos à gibier dans le **Parc naturel régional de la Forêt d'Orient,** près de la Maison du Parc.

Grues cendrées sur les bords du lac du Der-chantecoq.

OBSERVATION DES OISEAUX
Les lacs, nombreux dans la région, sont des endroits privilégiés pour découvrir la nature et observer les oiseaux.

Lac de Bairon — Une partie du lac est constituée en réserve naturelle pour les oiseaux.

Lacs du Parc naturel régional de la Forêt d'Orient — La partie Nord-Est du lac d'Orient est occupée par une réserve ornithologique. Sur chaque lac, un observatoire permet de suivre l'évolution des poules d'eau, canards, grues cendrées...

Pour toute information, s'adresser à la maison du Parc à Piney.

Lac du Der-Chantecoq — Situés aux abords des zones de quiétude de Chantecoq, de Champaubert et des étangs d'Outines et d'Arrigny, des observatoires et un sentier de découverte ont été aménagés.

Dans la ferme aux Grues sont données des explications sur la sauvegarde, l'observation et le recensement de cet oiseau migrateur, le plus grand échassier d'Europe, ☎ 03 26 72 54 10.

La Maison de l'Oiseau et du Poisson est un espace d'apprentissage à l'observation des biotopes du lac, ☎ 03 26 74 00 00.

ASSOCIATIONS
Champagne-Ardenne Nature Environnement (URCANE), Maison du lac à Giffaumont, ☎ 03 26 73 29 41, invite à la découverte de la faune et de la flore de la région du Der.

Centre d'Initiation à l'environnement et au Projet pédagogique (CIEPP), 15 rue des Ponts à Montier-en-Der, ☎ 03 25 04 21 30, offre une initiation à l'environnement.

Les P'tits Migrateurs, 33 rue du Lac à Châtillon-sur-Broue, ☎ 03 25 94 36 38, organisent des sorties sur les oiseaux migrateurs, le monde de l'eau, le patrimoine champenois.

La **Ligue pour la Protection des Oiseaux** (LPO) Champagne-Ardenne propose des week-ends de découverte du lac qui ont lieu traditionnellement en février, mars et novembre, des animations sur les digues du lac du Der ainsi qu'une promenade originale en train touristique, le « Train aux oiseaux », avec observation ornithologique (en hiver). La Ligue propose également dans toute la région de nombreuses sorties ouvertes à tous d'une durée de 2 à 3 heures. Jumelles et bottes sont souvent recommandées. Pour tout renseignement, s'adresser au siège social, 4 place du Maréchal-Joffre, BP 27, 51301 Vitry-le-François Cedex, ☎ 03 26 72 54 47.

Sports et loisirs

Les **Services loisirs-accueil** proposent des randonnées pédestres, équestres, cyclotouristiques, des stages de pêche, de golf, de chasse, de canoë *(voir le chapitre hébergement, restauration)*.

activités nautiques

PLANS D'EAU
La région de Champagne-Ardenne est très riche en lacs et plans d'eau, pour la plupart des créations récentes dont la vocation première est celle de réservoir. Tous ces lacs et plans d'eau ainsi que les rivières permettent la pratique de sports nautiques : natation, voile, ski nautique... Leurs sites en font également des lieux de villégiature et des buts de promenades fort appréciés.

CANOË-KAYAK
La plupart des rivières de Champagne Ardenne se prêtent au canoë-kayak. Les plus sportives sont la Blaise, la Saulx, le Rognon et l'Aire, mais on peut aussi pratiquer ce sport sur la Meuse (à Sedan), l'Aube, la Marne. Avec le concours de la Fédération française de canoë-kayak, 87 quai de la Marne, BP 58, 94344 Joinville-le-Pont, ☎ 01 45 11 08 50, l'IGN édite une carte 905 « France, canoë-kayak et sport d'eau vive » avec tous les itinéraires pratiques classés par difficultés. Minitel : 3615 Canoë Plus.
Dans le département de l'Aube, il est possible de naviguer sur la Seine, l'Aube et l'Ource et les lacs de la Forêt d'Orient. Se procurer la brochure *découverte des rivières auboises en canoë-kayak* auprès du Comité départemental du tourisme de l'Aube.

Lac des Vieilles Forges.

bases de loisirs

Un dépliant édité par le conseil général des Ardennes propose 4 bases de loisirs et de camping dans le département :
Base de Givonne, 08200 Sedan, ☎ 03 24 29 75 29.
Base du lac des Vieilles Forges, 08500 Les Mazures, ☎ 03 24 40 17 20.
Base d'Haulmé, 08800 Monthermé, ☎ 03 24 32 81 61.
Base du lac de Bairon, 08390 Le Chesne, ☎ 03 24 30 13 18.
Sur le lac de Bairon et sur le lac des Vieilles Forges, des stages d'initiation et de perfectionnement à la planche à voile ou au dériveur sont proposés en été (renseignements auprès du conseil général des Ardennes, services des bases de loisirs, hôtel du département à Charleville-Mézières).

chasse

Les forêts profondes attirent le chasseur à l'affût du gros gibier : cerfs, daims, chevreuils et sangliers.

Principaux plans d'eau	Ville proche	Superficie en ha	Base nautique	Baignade	Pêche
Amance	Troyes	500	⛵	≈	•
Bairon	Le Chesne	120	⛵	≈	—
Charmes	Langres	197	—	≈	•
Der-Chantecoq	Vitry-le-François	4 800	⛵	≈	•
Liez	Langres	290	⛵	≈	•
Mouche	Langres	94	—	—	•
Orient	Troyes	2 300	⛵	≈	•
Temple	Troyes	1 830	—	—	•
Vieilles-Forges	Revin	150	⛵	≈	—
Vingeanne	Langres	197	⛵	≈	—

Pour avoir des informations sur les conditions de chasse, s'adresser au **Saint-Hubert Club de France**, 10 rue de Lisbonne, 75008 Paris, ☎ 01 45 22 38 90 ou à l'**Union nationale des fédérations départementales des chasseurs**, 48 rue d'Alésia, 75014 Paris, ☎ 01 43 27 85 76.
Fédération départementale des chasseurs des Ardennes, ☎ 03 24 56 07 35.
Il est possible de passer une journée ou un week-end dans le domaine de la Maison forestière de Germaine au hameau de Vauremont, 5 rue de la Croix-Verte, 51160 Germaine, ☎ 03 26 51 08 27. Trois formules sont proposées : chasse au mirador, chasse dans un parc de 400 ha, chasse dans une forêt de 1 200 ha.
Pavillon du territoire du sanglier, 08 Mogues : initiation à la chasse au sanglier, Office de tourisme des 3 cantons, ☎ 03 24 29 79 91.

cyclotourisme

La **Fédération française de cyclotourisme**, 8 rue Jean-Marie-Jégo, 75013 Paris, ☎ 01 44 16 88 88, fournit des fiches-itinéraires réparties sur toute la France, avec kilométrages, difficultés et curiosités touristiques.
Ligue régionale de cyclotourisme, M. Philippe Henry, 30 rue Grandval, 51100 Reims, ☎ 03 26 02 46 50.

Points de location
Ardennes : Vieilles-Forges, Bairon, Haulmé, Givonne, Liart, Rethel Topoguides sur le pays d'accueil des Crêtes préardennaises, la Thiérache, le pays des trois cantons (Carignan, Mouzon, Raucourt).
Aube : Maison du parc à Piney, Géraudot, Méry-sur-Seine.
Marne : Verzy, Reims, Cormontreuil, Ste-Menehould, Givry-en-Argonne, Sézanne, Dormans, Montmirail, Giffaumont, Vitry-le-François, St-Remy-en-Bouzemont.
Topoguides et dépliants sur le Parc naturel régional de la Montagne de Reims, l'Argonne, Épernay, la maison du lac à Giffaumont.
Haute-Marne : Chaumont, Arc-en-Barrois, Langres, lac de la Liez. Topoguides et circuits cyclo sur Arc-en-Barrois, le pays de langres et Chaumont, Wassy, Montier-en-Der, St-Dizier.

Le VTT
Né en 1970 aux États-Unis sous le nom de moutain bike, le vélo tout terrain (VTT) a pris un essor important depuis son apparition en France en 1983.

La Fédération française de cyclisme, 5 rue de Rome, 93561 Rosny-sous-Bois, 01 49 35 69 45, propose 17 000 km de sentiers balisés pour la pratique du VTT. Ils sont répertoriés dans un guide disponible dans les centres VTT ou sur demande à la FFC, Minitel 3615 centres VTT ou 3615 FFC.
Dans la région, il existe des centres de VTT avec possibilités de stages et de randonnées.
Signy-l'abbaye : centre VTT, ☎ 03 24 53 10 10.
Lac de Der-Chantecoq : 250 km de circuits sont balisés pour les VTT ; s'adresser à la maison du Lac à Giffaumont.
Forêt d'Argonne : s'adresser à Argonne Passions, La Grange-aux-Bois, 51800 Ste-Menehould, ☎ 03 26 60 81 16.
Crêtes préardennaises 3 circuits de randonnée VTT sont balisés, s'adresser à l'Office de tourisme des Crêtes préardennaises, rue Roger-Ponsard, 08430 Launois-sur-Vence.

pêche

Des milliers de kilomètres de rivières et de plans d'eau sont classés. Leurs eaux sont particulièrement riches en salmonidés. Quel que soit l'endroit choisi, il convient d'observer la réglementation en vigueur et d'être affilié à une association de pêche et de pisciculture agréée, d'acquitter les tâches afférentes au mode de pêche pratiqué et éventuellement d'acheter une carte journalière.
La carte-dépliant commentée *La Pêche en France* est publiée et diffusée par le Conseil supérieur de la pêche, 134 avenue de Malakoff, 75116 Paris, ☎ 01 45 02 20 20. On peut également se procurer des cartes et informations locales auprès des fédérations départementales pour la pêche et la protection du milieu aquatique.

Pêche sur le lac de Charmes.

En Haute-Marne, le *Guide du pêcheur* répertorie les coins selon les espèces et propose des journées et des séjours de pêche. S'adresser au Comité départemental du tourisme.
Le *Guide du Tourisme Pêche dans l'Aube* signale les différents parcours de pêche. S'adresser au Comité départemental du tourisme.

randonnées équestres

Le tourisme équestre connaît un grand essor en Champagne-Ardenne. De nombreux centres y sont installés et proposent des séjours et des randonnées d'un ou plusieurs jours sur les kilomètres de pistes aménagées à travers les forêts, le long des lacs, sur les hauteurs des Ardennes, dans les grandes étendues de la Champagne crayeuse, etc.
La **Délégation nationale au Tourisme Équestre** (30 avenue d'Iéna, 75116 Paris, ☎ 01 53 67 44 44) édite annuellement le catalogue *Tourisme et Loisirs équestres en France* donnant les adresses des centres équestres sélectionnés. Renseignements disponibles également auprès de l'**Association de Champagne-Ardenne pour le tourisme équestre** (ACATE), 51170 Arcis-le-Ponsart, ☎ 03 26 48 86 39.
Le conseil général des Ardennes propose *Les Ardennes à cheval*, un topoguide (330 km de sentiers de randonnées équestres) disponible à l'hôtel du département, 08011 Charleville-Mézières, ☎ 03 24 59 60 60.
Le comité départemental du tourisme de la Haute-Marne à Chaumont édite un document intitulé « *suivez le guide* ».

randonnées pédestres

Plusieurs centaines de kilomètres de **sentiers de Grande Randonnée** ou GR, jalonnés de traits blancs et rouges horizontaux, permettent de parcourir la région Champagne-Ardenne. Les principaux sentiers sont :
Le **GR 2** (148 km) qui traverse le pays d'Othe, aux pittoresques paysages vallonnés, puis longe la Seine ;

Le **GR 24** (141 km) formant une boucle au départ de Bar-sur-Seine, en passant par le Parc naturel régional de la Forêt d'Orient, le Barsuraubois et le Barséquanais à travers forêts, vignobles et cultures. Plusieurs variantes : le GR 24 A (50 km), le GR 24 B (57 km), le GR 24 C (24 km) et le GR 24 D, permettant d'approfondir la connaissance de cette région ;
Le **GR 12,** tronçon du GR 3 européen (Atlantique-Bohême), qui coupe à travers le département des Ardennes et se poursuit vers l'Ardenne belge ;
Le **GR 14** qui suit la Montagne de Reims parmi les vignobles et la forêt, puis continue dans la Champagne crayeuse jusqu'à Bar-le-Duc avant de bifurquer vers les Ardennes en passant par la Chartreuse du Mont-Dieu. Sa variante le GR 141 propose un circuit autour de la Montagne de Reims.
Des topoguides donnent le tracé détaillé de tous ces sentiers et procurent d'indispensables conseils aux randonneurs. Ils sont édités par la Fédération française de la randonnée pédestre, point d'information et de vente : 14 rue Riquet, 75019 Paris, ☎ 01 44 89 90 90. Minitel : 3615 Rando.

AUTRES RANDONNÉES

Une carte au 1/50 000ᵉ répertoriant 29 circuits de randonnée autour de Langres et des 4 lacs est en vente à l'Office de tourisme.
Autour des trois lacs du Parc naturel régional de la Forêt d'Orient ont été balisés des circuits d'une quinzaine de kilomètres en moyenne avec des itinéraires conseillés aux cyclistes *(se procurer la brochure à la Maison du parc à Piney)*.
250 km de sentiers sont balisés autour du lac du Der-Chantecoq, topoguides disponibles à la maison du lac du Der.
Un topoguide comprenant 11 secteurs de randonnée propose une découverte du plateau de Rocroi et de la Thiérache ardennaise aussi bien à pied qu'en VTT ou à cheval. Se renseigner : 14 place Aristide-Briand, 08230 Rocroi, ☎ 03 24 54 21 92.
L'Office de tourisme des Crêtes préardennaises (rue Roger-Ponsard, 08430 Launois-sur-Vence, ☎ 03 24 35 02 69) propose des itinéraires « promenades pour promeneurs, sur les pas d'André Dhôtel ».

Souvenirs

que rapporter ?

POUR LE PLAISIR DU PALAIS

ALCOOLS

Champagne brut ou sec bien sûr que l'on trouve aussi bien dans les grandes maisons de renommée internationale que chez les simples viticulteurs. Mais le plaisir ne se limite pas au champagne. Il y a également les coteaux champenois, vins tranquilles élaborés dans l'aire de production du champagne, le rosé des Riceys, les vins de Coiffy et de Montsaugeon, vins de pays, rouges ou blancs, produits dans la Haute-Marne, le cidre du pays d'Othe fabriqué avec des pommes aux doux noms de « nez de chat », « cul d'oiseau », le cacibel, à base de cidre, de cassis et de miel, ou encore vin de groseilles pour l'apéritif ou le dessert, marc de champagne, ratafia, fine de champagne.

cidre du pays d'Othe, Gérard Hotte, 10130 Eaux-Puiseaux, ☎ 03 25 42 15 13.

cidre, Ets Bellot, 5 rue du Croc-du-Gré, 10210 Chaource, ☎ 03 25 40 11 01.

vin de groseilles, M. Rousselle, 52210 Bugnières, ☎ 03 25 31 00 95.

Muid Montsaugeonnais, 52190 Vaux-sous-Aubigny, ☎ 03 25 90 04 65. Pour le **champagne** voir les adresses dans les différents chapitres du guide.

CHARCUTERIE

Véritable andouillette de Troyes composée de chaudins (gros intestin) et d'estomacs de porc coupés en lamelle comportant la dénomination des 5 AAAAA (Association Amicale des Amateurs d'Andouillette Authentique).

Claude Maury, 28 rue du Général-de-Gaulle, 10000 Troyes.

Serge Vavon, 37 av. du 1er-Mai, 10000 Troyes

Boudin blanc de Rethel, jambon des Ardennes, pieds de porc à la Ste-Menehould.

Charcuterie Yves Duhem, 9 rue Colbert, 08300 Rethel, ☎ 03 24 38 46 19.

FROMAGES

Ce sont en général des fromages à base de lait de vache, à pâte molle et croûte lavée ou fleurie : chaource, langres, mussy, soumaintrain, rocroi avec du lait écrémé.

Fromage rocroi, ferme Jean Pire, 08230 Taillette, ☎ 03 24 54 10 84, qui fabrique également le grand condé et le carré des remparts.

Mussy-l'Évêque, fromagerie Bourgin.

Fromage de langres, fromagerie Schertenleib, 52140 Saulxures, ☎ 03 25 90 33 20.

DOUCEURS

Biscuits roses ou croquignoles (en forme de doigts) de Reims, caisses de Wassy (meringues aux amandes) ou de Bar, tarte au quemeu (flan au fromage), gâteau mollet, galette ardennaise, bouchons de champagne, chocolats moulés en forme de bouchon de champagne contenant du marc de champagne, les ardoises, spécialités en chocolat des Ardennes.

POUR LE PLAISIR DE LA MAISON

Verres ou vases en cristal de Bayel (magasin à côté de la cristallerie), objets en vannerie de Fayl-Billot (à l'école d'osériculture, chez les artisans dans le village ou à la coopérative de Bussières-les-Belmont), couteaux et ciseaux de Nogent.

Arts de la table, linge de maison, décoration, tapis au point de Sedan ... les idées ne manquent pas et le choix est vaste, notamment à Troyes, où pullulent les magasins d'usine à prix cassés.

Ciseaux sortant d'un bain de chrome.

POUR HABILLER LA FAMILLE

Sous-vêtements, chaussettes et chaussures pour les enfants, lingerie, tailleurs et vêtements pour adultes, achetés dans les deux centres de magasins d'usine et de négoce aux environs de Troyes *(voir les adresses à Troyes)*.

POUR LES ENFANTS

Les marionnettes remportent toujours un réel succès auprès des plus jeunes, qui seront enchantés de vous proposer, après entraînement, un petit spectacle de leur cru.
Le Nain jaune, magasin de jouets, 39 rue de la République, 08000 Charleville-Mézières, ☏ 03 24 37 31 59.

Aiguières de la cristallerie à Bayel.

Kiosque

livres

OUVRAGES GÉNÉRAUX, TOURISME

Champagne-Ardenne, coll. Beautés de la France, Larousse.
Le guide du patrimoine Champagne-Ardenne, Hachette, 1995.
Le guide des Ardennes, Y. Hureaux, La Manufacture, diff. Vilo, 1993.
Le guide de l'Argonne, La Manufacture, diff. Vilo.
le guide de la Champagne, G. Rossignol, La Manufacture, diff. Vilo, 1995.
Le guide de Sedan, La Manufacture, diff. Vilo.
Champagne-Ardenne ; Aube, Bonneton, 1994
La Champagne, les Ardennes, P. Demouy et J.F. Wiedemann, SAEP.
Champagne romane, H. Collin et A. Marsat, Zodiaque, diff. Desclée De Brouwer.
Champagne-Ardenne, coll. La France et ses trésors, Larousse.
La Champagne mystérieuse, Tarade et G. Screyer, Dervy, 1993.
Merveilles de Champagne, J. Delpal, La Martinière, 1994.
Anthologie du champagne, F. Bonal, Guéniot, 1990.
Reims, ville royale, P. Demouy, coll. Guides Historia Tallandier.
Collection Patrimoine et Innovations, une dizaine de titres dont : *Bonneterie auboise, Métallurgie ardennaise, Du fer au titane dans le bassin nogentais, Vannerie en Champagne-Ardenne,* Dominique Guéniot, *Ardoise en Ardennes,* ORCCA.

GASTRONOMIE

300 recettes du pays d'Ardenne, L. Bésème-Pia, Guéniot, 1991.
La cuisine au champagne, L. Bésème-Pia, Fradet, 1996.
La cuisine rustique de la Champagne, L. Bésème-Pia, Fradet, 1996.

LITTÉRATURE

Ardennes : le Pays où l'on n'arrive jamais, A. Dhotel, Librio.
Un balcon en forêt, J. Gracq, Corti.
Mémoires de guerre (3 vol.), C. De Gaulle, Pocket.
Les Ardennes de Rimbaud, Y. Hureaux, Hatier.
Bille de chêne : une enfance forestière, Y. Hureaux, Lattès.
Malaver à l'hôtel, J.-P. Maurel, Hamy.
Malgrétout, G. Sand, Aurore.

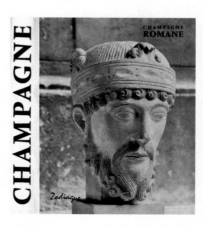

« Champagne romane » (Zodiaque, exclusivité Desclée de Brouwer).

Cinéma, télévision

Certains sites de la région décrite dans ce guide ont servi au tournage des films suivants :
À **Cumières** (Marne) : *Le Baron de l'écluse* (1960) de J. Delannoy.
À **Wasigny** (Ardennes) : *Le Jour et l'heure* (1962) de René Clément.
À **Givet** (Ardennes) : *Les Patates* (1969) de Claude Autant-Lara.
À **Fumay** (Ardennes), **Langres** (Haute-Marne) et **Poinson** (Haute-Marne) : *Le Train* (1972) de Pierre Granier-Deferre.

Scène du film « Au revoir les enfants » de Louis Malle.

Dans la région de **Monthermé** (Ardennes) : *Un balcon en forêt* (1979) de Michel Mitrani.
Au viaduc de **Chaumont** (Haute-Marne) : *Un étrange voyage* (1980) d'Alain Cavalier.
À **Troyes** (Aube) : *Notre histoire* (1984) de Bertrand Blier, avec Nathalie Baye et Alain Delon.
À **Givet** (Ardennes) : *Commissaire Maigret chez les flamands* (1986).
À **Provins** (Seine-et-Marne) : *Au revoir les enfants* (1987) de Louis Malle.
À **Villeneuve-sur-Fère** (Aisne) : *Camille Claudel* (1988) de Bruno Nuytten, avec Isabelle Adjani et Gérard Depardieu.
À **Thonnance-les-Moulins** et à **Épizon** (Haute-Marne) : *La Vie et rien d'autre* (1989) de Bertrand Tavernier.
À **Wassy** (Haute-Marne) : *Je m'appelle Victor* (1992) de Guy Jacques.
Au château fort de **Sedan** (Ardennes) : *Jeanne la Pucelle* (1993) de Jacques Rivette, avec Sandrine Bonnaire.
À **Monthermé**, **Charleville** et **Renwez** (Ardennes) : *Les Amoureux* (1993) de Catherine Corsini.
À **Charleville** (Ardennes) : *Rainbow pour Rimbaud* (1994) de Jean Teulé.
Interdit de vieillir (1997), de Dominique Tabuteau (téléfilm diffusé sur France 2).

Escapade en Belgique

La Belgique, toute proche, offre plusieurs excursions intéressantes non loin de nos principales curiosités. L'ambiance, les spécialités dont la bière, la bonne humeur font que le dépaysement est très grand même à quelques kilomètres de la frontière des Ardennes françaises.
4 buts d'excursions sont proposés :

VALLÉE DE LA MEUSE

Née en France sur le plateau de Langres, la Meuse parcourt 950 km avant de se jeter dans la mer du Nord. **Dinant** occupe un site remarquable dans cette vallée. Dominée par le clocher bulbeux de sa collégiale et la masse de sa citadelle, la ville étire sur 4 km, entre le fleuve et le roc, ses maisons aux toits bleutés. Dinant a

Dinant dans la vallée de la Meuse.

donné son nom à la dinanderie, art de fondre, battre et repousser le laiton (ou cuivre jaune), pratiquée dès le 12ᵉ s. La ville a pour spécialité les « couques », gâteaux au miel auxquels la cuisson dans un moule en bois sculpté donne des formes décoratives. Possibilité de promenades en bateau *(embarcadère face à l'hôtel de ville)*.

VALLÉE DE LA SEMOIS

Affluent de la Meuse, la Semois (en France Semoy) prend sa source près d'Arlon, s'engage dans une dépression marneuse de la « Lorraine belge », puis s'aventure au-delà de Florenville, dans les schistes du massif ardennais, en des replis sinueux. **Bouillon,** petite capitale de la vallée de la Semois dont les vieux toits d'ardoise se pressent au bord de la rivière formant ici une large boucle, est dominée par la masse sévère de sa forteresse, dressée sur une arête rocheuse. C'est le vestige le plus important de l'architecture militaire médiévale.

CHIMAY

À la lisière de la vaste forêt de Rance, la petite ville de Chimay est connue pour son château dont on a une jolie vue depuis le pont sur l'Eau blanche, mais aussi pour sa bière appelée Trappiste de Chimay. Celle-ci est fabriquée à l'abbaye N.-D.-de-Scourmont, à quelques kilomètres au Sud de la ville. Fondée en 1850, l'abbaye est occupée par des trappistes. Ses sobres bâtiments s'ordonnent autour d'une cour centrale où se dresse la façade dépouillée de l'église (1949).

ABBAYE D'ORVAL

Retirée au milieu des bois de la Gaume, cette abbaye, fondée en 1070 par des bénédictins venus de Calabre, au Sud de l'Italie, devint, dès le 12ᵉ s. un des plus célèbres et des plus riches monastères cisterciens d'Europe. Le nom de l'abbaye, Orval (val d'or) et ses armoiries, d'argent et représentant un ruisseau d'azur d'où sort une bague ornée de trois diamants, rappellent la légende : la comtesse Mathilde, duchesse de Lorraine, protectrice de l'abbaye, avait perdu dans une source son anneau nuptial. Celui-ci fut rendu par une truite miraculeuse. L'église Notre-Dame, construite à la fin du 12ᵉ s., est modifiée au 16ᵉ s. Dévastée à deux reprises, l'abbaye est vendue en 1797. Le nouveau monastère, achevé en 1948, reproduit le plan traditionnel cistercien. Les ruines de l'église se dressent dans un cadre de verdure.

Calendrier festif

TRADITION ET CULTURE

Fin janvier-fin mars
Les claviers d'hiver au château.   Joinville

Mars
Le Carnaval (dernier samedi du mois).   Châlons-en-Champagne

Fin mars-début avril
Fête de l'eau vive.   Givet

Avril-juin
À l'assaut des remparts   Provins

Avril à octobre
Les aigles des remparts   Provins

Avril
Grande fête du tourisme ardennais   Launois-sur-Vence
(3ᵉ week-end du mois)

Mai

Fête du muguet (1ᵉʳ mai).

Pèlerinage (autour du 8 mai).

Fête locale (la veille de l'Ascension jusqu'au dimanche suivant).

Chaource
N.-D. de l'Épine
St-André les Vergers

Juin

Festival des Trois Vallées : contes et expositions.

Cantons de Monthermé et Nouzouville

Fêtes johanniques à Reims.

Fête médiévale (3ᵉ week-end du mois).

Son et lumière (2ᵉ et 3ᵉ week-end du mois).

Rencontres internationales des arts graphiques (1ᵉʳᵉ quinzaine du mois).

Fêtes johanniques et les Sacres du Folklore (2ᵉ dimanche du mois).

Fête Jean de La Fontaine (fin du mois).

Provins
Chaumont

Reims

Château-Thierry

De juin à août

Tournoi de chevalerie.

Provins

Fin juin, juillet, août

Festival d'été.

Braux-Ste-Cohière

Juillet

Les rendez-vous de juillet (théâtre) avec la compagnie Humbert.

Langres

Juillet-août

Les flâneries musicales d'été.

Musique, lumière et patrimoine (St-Pantaléon et St-Nicolas).

Vindovera : spectacle historique (week-end juillet et le 1ᵉʳ week-end d'août), ☎ 03 25 41 44 76.

Spectacle son et lumière au château de la Cassine, ☎ 03 24 26 02 68.

Spectacle de marionnettes.

Reims
Troyes

Vendeuvre-s-Barse

Vendresse

Charleville-Mézières

Flâneries musicales à Reims.

Fin juin à début octobre
Évocation Musique et Lumière à la basilique St-Remi
(tous les samedis du mois de juillet, août et septembre). **Reims**

Fin juillet-début août
Concours de bûcheronnage. **Renwez**

Août
Spectacle historique : la ronde des hallebardiers. **Langres**
Pèlerinage à Notre-Dame de l'Épine (15 août). **N.-D. de l'Épine**
Fête de la moisson (dernier dimanche d'août). **Provins**

Septembre
48 heures d'automobiles anciennes (les années paires). **Troyes**
Pèlerinage à Notre-Dame-du-Chêne. **Bar-sur-Seine**

Octobre
Foire gastronomique « boire et manger en Ardenne » **Launois-sur-Vence**
(3e week-end du mois)

Décembre
Noël des bergers. **Braux-Ste-Cohière**

FÊTES GASTRONOMIQUES

Janvier
Fête de la St-Vincent, patron des vignerons (samedi ou **Dans chaque village**
dimanche suivant le 22 janvier). **viticole**

Jeudi précédant Pâques
Foire du Grand Jeudi. **Les Riceys**
Foire au jambon. **Troyes**

Fin avril
Foire au boudin blanc (dernier week-end). **Rethel**

Pentecôte
Fête du pain. **Revin**

Juin
Foire de Champagne. **Troyes**

Septembre
Fête du boudin noir (jour de la St-Michel). **Fumay**
Foire aux vins de Champagne (début du mois). **Bar-sur-Aube**
Fête du cidre (2e dimanche de septembre). **Pays d'Othe**
Fête de la choucroute de Champagne (3e week-end du **Brienne-le-Château**
mois).
Rendez-vous gourmand (dernier dimanche du mois). **Chaource**
Concours-foire des éleveurs du Bassigny (fin du mois). **Montigny-le-Roi**

Novembre
Foire aux oignons. **Givet**

Fête de la St-Vincent à Verzy
(1994).

Capsules de bouchons de champagne

*Invitation
au voyage*

Le champagne

Si les vins de Champagne sont connus depuis très longtemps, l'histoire du champagne en tant que telle est récente. Les Gaulois cultivent déjà la vigne sur les coteaux lors de la conquête romaine, tradition que préservent les premiers évêques de Reims et que développent les monastères.

Foudre sculpté, champagne Roederer

Un sourire qui pétille

À partir du 10ᵉ s., la notoriété des vins de champagne grandit. ce sont des vins rouges et blancs, comme ceux d'Ay, « *clerets et fauvelets, subtils, délicats et d'un goût fort agréable au palais...* » **Saint Bernard**, à Clairvaux, introduit l'arbanne, cépage qui est à l'origine des crus de la Côte des Bar. Les papes **Urbain II**, en bon Champenois qu'il était, puis, à la Renaissance,

Fontaine de champagne

Léon X, qui possédait son vendangeoir personnel en terroir d'Ay, les préconisent. Les vins de Champagne profitent aussi de l'affluence amenée par les sacres royaux. **Henri IV** se déclarait « *sire d'Ay et de Gonesse, c'est-à-dire des meilleures vignes et des plus fertiles guérets...* »

Et pourtant, jusqu'au début du 18ᵉ s., ce n'était encore que des vins tranquilles qui avaient une tendance à pétiller, d'où leur nom de « *vins du diable* » ou « *saute-bouchon* ». Exilé en Angleterre, le **marquis de Saint-Evremond** les met à la mode. Les termes « *champaign* » (1663) et « *sparkling champagne* » y apparaissent bien avant d'être employés en France, ainsi que la bouteille « à gros corps et long col » et un bouchonnage de liège capable de résister à la pression. On ajoute maints ingrédients et épices pour rendre le vin pétillant. La démarche de **dom Pérignon** (1638-1715), moine bénédictin, est bien différente. Il obtient l'effervescence en observant les conditions de cette seconde fermentation qui reprend au printemps qui suit les vendanges, avec la remontée de la température. En bon gestionnaire des biens de l'abbaye d'Hautvillers, il pratique l'assemblage des crus qui assure la qualité constante du vin. On lui doit la science du champagne.

Celui-ci reste une fantaisie coûteuse au 18ᵉ s., car les bouteilles explosent (les ouvriers porteront un masque grillagé jusqu'à la fin du 19ᵉ s.). On en use aux petits soupers du **Régent**, aux parties fines de

Détail d'un foudre

Casanova ou sous les tentes des maréchaux de Saxe et de Richelieu ; en parlant de lui, la **marquise de Pompadour** disait : « *C'est le seul vin qui laisse la femme belle après boire* » et Voltaire déclare dans *Le Mondain* (1736) :

« *De ce vin si fin l'écume pétillante
De nos Français est l'image brillante.* »

Les grandes maisons naissent à Reims et à Épernay : **Ruinart** en 1729, Fourneaux, qui deviendra **Taittinger**, en 1734, **Moët** en 1743, **Clicquot** en 1772.

La Révolution passe, le champagne reste. Sous l'Empire, les ventes de champagne grossissent régulièrement : **Florent-Louis Heidsieck**, originaire de Westphalie, et la **veuve Clicquot** prospectent en Allemagne ; Moët exporte en Angleterre grâce à la contrebande. Malgré son goût pour le chambertin, **Napoléon** est un client fidèle des négociants champenois, et **Talleyrand** utilise le « *vin civilisateur* » pour obtenir de meilleures conditions de paix lors du Congrès de Vienne.

Les réquisitions et les pillages de 1814-1815 auront pour les négociants de vins une vertu publicitaire. Des maisons nouvelles sont fondées, souvent par des Rhénans (Mumm, Krug, Bollinger) ou ceux-ci sont d'intrépides représentants de commerce. Les rois, les princes et toute l'aristocratie européenne en font un vin de fête ; le « champ » des demi-mondaines est un élément indissociable de la vie de boulevard du Second Empire. Cependant, le champagne est un vin de dessert, doux ; ce sont les Anglo-saxons qui aiment le champagne « brut ». Aux expositions universelles (1889, 1900), le foudre géant d'**Eugène Mercier** est le clou d'une campagne de publicité savamment orchestrée. Le champagne se démocratise ; il est le « vin des libertins » et le prince de Galles, futur **Edouard VII**, parlant de l'ordre du Bain, aurait dit : « *je lui préfère un bain de champagne.* »

Malgré les fléaux naturels (le phylloxéra à partir de 1888), les débats autour de la délimitation du vignoble qui entraînent les émeutes de 1911, mais participent à l'émergence de la notion d'appellation d'origine contrôlée, les guerres (1914, 1915 et 1917 sont parmi les plus fameux millésimes du siècle), l'expansion du champagne n'a cessé de se poursuivre. Les expéditions dépasseront aisément le cap des 300 millions de bouteilles pour les festivités du millénaire, dont plus de 140 millions à l'exportation. Une dizaine de grands groupes, L.V.M.H. en tête, en réalisent environ 50 %, suivis par des maisons prestigieuses de plus petites taille (Bollinger, Jacquesson & Fils) ; le reliquat étant assuré par les « récoltants-manipulants », propriétaires vigneron qui commercialisent leur propre champagne, et quelques coopératives.

Une élaboration minutieuse

De nombreuses manipulations et opérations spécifiques sont nécessaires à l'élaboration du champagne qui se déroule en trois temps : l'élaboration du **vin tranquille**, la composition de la **cuvée** (ou assemblage)
et la **prise de mousse** (ou champagnisation). La méthode champenoise
est appelée, partout ailleurs, **méthode traditionnelle.**

La qualité d'un grand champagne dépend de celle du vin de base. 75%
de la vendange est composée de raisins noirs de deux cépages : le **pinot
noir** et le **pinot meunier** ; on utilise un cépage blanc : le **chardonnay**.
En octobre, les vendangeurs (la récolte est strictement manuelle) déposent
les grappes dans des caisses plastique ajourées (pour faciliter l'éva-
cuation du jus) transportées le plus rapi-
dement possible jusqu'au vendangeoir
souvent installé à proximité du
vignoble.

Les grappes sont pressées sans avoir été
foulées, ce qui permet d'obtenir un
moût (jus de raisin) blanc même avec du
raisin noir. L'unité de capacité du pressoir est le « **marc** » qui correspond à
4 000 kg de vendange. Le pressurage
dure 3 heures. Les premiers 2 050 l
constituent la « **cuvée** », auxquels s'ajoutent les 410 l de la « **taille** ». Seuls ces
2 460 l sont utilisés pour l'élaboration des
vins d'appellation « champagne ».

Après **débourbage** par gravitation naturelle, opération systématique destinée à
éclaircir les jus, ceux-ci sont mis en cuves
(les foudres sont encore utilisés par des maisons comme Krug ou Bollinger) et y subissent la première fermentation qui dure
6 jours environ. La chaptalisation (ajout de
sucre) entraîne une augmentation du degré
alcoolique de 2,5°. les particules en suspen-
sion sont éliminées. Le vin est passé à froid
pour éviter que les bouteilles ne deviennent
« gerbeuses » en exaltant la mousse à leur
ouverture.

À l'exception des blanc de blancs millésimés,
tous les autres champagnes sont le résultat

Remuage cuvée 2000

d'**assemblages** réa-
lisés sur les vins secs
et tranquilles des trois
cépages, de prove-
nances et souvent
d'âges différents. Des
œnologues ou le caviste
de la maison (parfois à
la retraite) dirigent les
assemblages. Chaque
maison de champagne
possède sa cuvée propre
dont la qualité est
constante. Les vins de la
Montagne de Reims et
de la **Côte des Bar**, où
domine le pinot noir,
sont charpentés et
corsés, ceux de la **vallée
de la Marne**, issus en
majorité du pinot meu-
nier, sont ronds et fruités,

*Assemblage-
dégustation*

Salle des pressoirs à Ambonnay

Vendanges à Leuvrigny

Geste de coupe du raisin aux alentours de Verzenay

les vins frais et élégants de la **Côte des Blancs** viennent du cépage chardonnay. La proportion de raisins noirs et de raisins blancs peut varier (en général autour de 2/3 et 1/3). Les années exceptionnelles, le champagne est millésimé. Dans ce cas, sa saveur porte les caractéristiques de l'année.

La seconde fermentation est réalisée en bouteille par adjonction d'une **liqueur de tirage** composée de sucre, sous la forme d'un sirop, et de levures sélectionnées. Les bouteilles sont très épaisses pour résister à la forte pression (5,5 bars), due au dégagement de gaz carbonique, qui, au moment du débouchage, produira la mousse. Serties d'une capsule en plastique, elles sont disposées sur des lattes dans des caves où règne une température constante de 10° à 12° pour une durée de 15 mois minimum.

Pendant ces années, un dépôt s'est formé qu'il faut éliminer en le dirigeant vers le goulot. Les bouteilles sont alors placées sur des pupitres perforés, la pointe inclinée vers le bas. Chaque jour un remueur, pouvant manipuler jusqu'à 40 000 bouteilles par jour, leur imprime une rotation d'un quart de tour et les redresse légèrement. Après 4 à 6 semaines, la bouteille est verticale et le dépôt complètement rassemblé sur le bouchon, mais ce **remuage** est effectué, sauf pour quelques cuvées de prestige, par des gyropalettes qui remuent 504 bouteilles à la fois en 8-12 jours.

Le col de la bouteille est plongé dans un bain de saumure à -20-22° et le dépôt, prisonnier d'un glaçon, est expulsé. C'est le **dégorgement** effectué par des machines. La quantité de vin manquant est remplacée par du vin de même nature additionné d'une **liqueur d'expédition** comportant quelques produits « maisons » et du sucre en quantité variable suivant que l'on veut obtenir du champagne doux, demi-sec, sec ou brut.

Mise en bouteille du champagne

Après bouchage à l'aide d'un bouchon de liège très épais, la bouteille est muselée, habillée pour l'expédition. Le vin, ayant en moyenne 3 à 4 ans d'âge, peut être consommé, mais certains champagnes peuvent vieillir, convenablement stockés en cave (4 à 5 ans en moyenne, 8 à 10 ans pour les millésimes).

Étiquette d'une bouteille de champagne A. Desmoulins & Cie, cuvée prestige.

Reconnaître un champagne

Il y a champagne et champagne. Le « **blanc de blancs** » est fait uniquement avec des raisins blancs du cépage chardonnay. Le « **blanc de noirs** », moins connu, provient exclusivement du pinot noir et du pinot meunier. Les **vins millésimés** (mélange de crus différents mais de même année) doivent vieillir trois ans, et certaines maisons de champagne ont créé des cuvées de prestige à l'occasion de circonstances particulières.

Une charte de qualité très stricte, adoptée en 1992, permet au champagne de se distinguer des autres vins mousseux qui sont, parfois, de redoutables concurrents. Le champagne ne se fabrique qu'en Champagne. L'appellation est protégée par toute une série d'accords bilatéraux. Il ne faut pas confondre champagne et **crémant**, vin mousseux élaboré selon la méthode traditionnelle, mais dont la pression est plus faible et la durée d'élevage moins longue. Il y en a six en France : les crémants de Loire, d'Alsace, de Bordeaux, de Limoux, de Bourgogne, auxquels on ajoute celui du Luxembourg. D'autres vins mousseux sont obtenus par la **méthode rurale** (première fermentation en bouteille), très ancienne, comme le gaillac ou la clairette de Die.

L'étalement de la seconde fermentation favorise la dissolution du gaz carbonique et garantit la finesse des bulles. Durant l'élevage, les bouteilles sont conservées verticalement, pointe en bas ou elles sont empilées goulot contre goulot (mise sur pointe ou en masse). Cette disposition favorise le vieillissement. Le dépôt est composé de levures mortes qui libèrent des substances aromatiques qui affinent le bouquet du vin. La qualité des **bulles** du champagne dépend de trois facteurs : la finesse de la bulle ; la persistance du dégagement ; la présence du cordon autour du verre, marque d'un dégagement régulier.

La bouteille de forme champenoise garantit l'authenticité du produit ainsi que l'**étiquette** qui comporte : le pays « France », l'appellation « champagne », le type du vin (« rosé »), la contenance de la bouteille, la marque, le nom et l'adresse de l'élaborateur, le numéro d'immatriculation du Comité interprofessionnel du vin de Champagne précédé d'initiales qui renseignent sur la catégorie du producteur, la teneur en sucre résiduel (brut, sec, demi-sec, doux), le titre alcoométrique du vin en pourcentage de volume. Elle peut préciser le millésime (vins de la même année) et le nom de la commune (raisins d'une même commune). Lorsque le complément de volume appartient à la même cuvée et qu'il n'y a pas d'apport de sucre, on parle d'extra-brut ou de brut de brut.

Les différents flaconnages

Les bouteilles de Champagne

Les noms s'inspirent du Moyen-Orient antique pour évoquer faste et grandeur.

Quart : 18, 7 cl
Demie : 37,5 cl
Bouteille : 75 cl
Magnum : 2 bouteilles
Jéroboam : 4 bouteilles
Réhoboam : 6 bouteilles
Mathusalem : 8 bouteilles
Salmanazar : 12 bouteilles
Balthazar : 16 bouteilles
Nabuchodonosor : 20 bouteilles

Il existe aussi le **Salomon** (24 bouteilles) et le **Primat** (36 bouteilles), mais non homologués.

Nom de la marque

Appellation Champagne

Teneur en sucre brut, demi-sec

Millésime de l'année de production

PRODUIT DE FRANCE

CHAMPAGNE

BRUT   BRUT

2000

A. Desmoulins & Cie

Grande Cuvée

12,5%vol.   750 ml

Elaboré par A. Desmoulins & Cie 51200 Epernay, France

NM-177-001   EPERNAY   L. 2000

Numéro d'immatriculation CIVC

Contenance de la bouteille

Marque de maison de champagne négociant-manipulant

Nom de l'élaborateur et commune du lieu de l'élaboration

Le champagne doit être servi frais, à une température de 8-10°, et versé précautionneusement dans des « flûtes » qui mettront en valeur son bouquet (les coupes favorisent la perte des bulles et des arômes). « *Sabler* », à l'origine, signifiait boire cul sec et s'appliquait à tous les vins. Le champagne brut peut être servi tout au long d'un repas ; beaucoup d'amateurs, cependant, le préfèrent en apéritif ou entre les repas. Les champagnes secs ou demi-secs seront réservés pour le dessert (de préférence sur des pâtisseries « sèches » : génoise, biscuit ou un champagne rosé pour les charlottes aux fruits rouges).

La Champagne produit aussi en quantités très limitées des vins tranquilles bénéficiant de l'appellation contrôlée « **Coteaux champenois** ». Ce sont des vins rouges (souvent désignés par le nom de la commune d'origine : Bouzy, Ay, Cumières, etc.), blancs ou rosés. Le **champagne rosé** est le seul exemple de mélange d'un vin blanc tranquille avec un vin rouge (d'appellation « Coteaux champenois »). Une appellation particulière est réservée au « **rosé des Riceys** », élaboré uniquement avec le pinot noir. Il existe aussi des vins de pays de la Haute-Marne : le Coiffy et le Montsaugeon. Citons encore le **ratafia**, apéritif qui se compose de jus de raisin et d'alcool en proportions déterminées, et le **marc de champagne** obtenu à partir des peaux de raisin.

La terre du champagne

On peut comparer la configuration de cette région à une série de plats empilés, l'ancienneté des plats diminuant avec leur taille. Au milieu de l'ère secondaire, le socle ancien s'effondre et la mer envahit le Bassin parisien, devenu un vaste golfe. À l'époque tertiaire, par deux fois, mer et lacs l'occupent : les sédiments (sables, dépôts calcaires) s'accumulent sous forme d'auréoles concentriques séparant le centre du bassin des massifs primaires. D'Ouest en Est, on trouve : le plateau de Brie et du Tardenois ; la Champagne crayeuse, la Champagne humide et ses rebords (l'Argonne), le Barrois et le plateau de Langres. Sous l'effet du plissement alpin, ces longues tables de roches sédimentaires ont pris une inclinaison montante vers l'Est et le Sud-Est.

Le travail de l'érosion : le relief de côtes

De la Brie et du Tardenois jusqu'au plateau lorrain se déploie un type particulier de paysage, fait d'une succession de plateaux, de côtes et de dépressions.

Les côtes, appelées aussi « **cuestas** », ont été dégagées par l'érosion. Elles dominent la plaine de 100 à 200 m et regardent l'Est. Leur rebord est irrégulier, festonné de ravins, de percées en entonnoir (l'Aisne, la Marne, la Vesle, les deux Morins) dans lesquelles pénètre le vignoble, de saillants (Montagne de Reims). On en compte cinq : la célèbre « **falaise de l'Île-de-France** », ligne de côtes incurvée de la Seine à l'Oise, la **côte de Champagne**, la **côte des Bar**, la **côte de Meuse**, la **côte de Moselle** *(voir le Guide Vert Alsace-Lorraine pour ces deux dernières)*.

Rebord d'érosion, la cuesta recule plus ou moins rapidement ; les buttes isolées, en avant des côtes comme le **mont Aimé** (240 m) ou le **mont Sarran**, rappellent son ancien tracé. Elles ont été épargnées par l'érosion en raison de la résistance offerte par leur chapeau calcaire. Mais des accidents tectoniques interviennent également pour guider et fixer les côtes et les buttes-témoins.

Les sols légers et fertiles des pentes, abritées des vents humides, concentrent le vignoble et les vergers. Les villes importantes, comme Reims, se situent sur les grandes voies de passage qui longent les côtes.

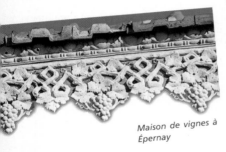

Maison de vignes à Épernay

Le revers de la côte est une table de roche dure. La plus célèbre est la **Champagne crayeuse**. Avant les progrès de l'amendement, cette région était si pauvre qu'elle était qualifiée de « pouilleuse » par les physiocrates du 18e s. : « *La Champagne pouilleuse, à laquelle juillet vient de couper ses cheveux d'or ; de grandes plaines jaunes et nues, immenses et molles vagues*

Site de l'ancienne abbaye d'Hautvilliers

de terre au sommet desquelles frissonnent, comme une écume végétale, quelques broussailles misérables [...] (Victor Hugo, Lettres). ».

Les formes sont molles, les versants adoucis, la cuesta parfois estompée. Le délitement de la craie sous l'action du

Dommange

froid crée des amas de débris accumulés qu'on appelle grèves ou « **grouines** ». Cette région dénudée, qui donna son nom à la Champagne (étymologiquement : « plaine calcaire »), forme un arc de cercle d'une largeur de 80 km. On peut la situer sur la carte au relâchement du réseau routier et à l'espacement des villages. Le plateau est aride malgré l'abondance des précipitations. L'eau, s'infiltrant à travers les fissures de la craie, ne reparaît que dans le fond des vallons, sous forme de sources appelées « **sommes** », d'où le nom de nombreux villages : Somme-Vesle, Sommesous, Somme-Suippe. Quelques rivières : l'Aisne, la Marne, l'Aube, la Seine, creusent de grandes vallées alluviales à fond plat, humides et verdoyantes, au centre desquelles se concentrent villes et villages.

Le **plateau de Brie et du Tardenois** est drainé par de rares rivières : la Marne, les deux Morins et la Seine.

Le **Barrois**, autre plateau calcaire et marneux, est sillonné par les vallées de la Saulx et de l'Ornain, le long desquelles se sont installées les principales localités : Bar-le-Duc et Ligny-en-Barrois. Il se prolonge au Sud-Ouest par la **Côte des Bar** (Bar-sur-Aube, Bar-sur-Seine), dont les versants (« bar », en celtique, signifie « sommet ») sont recouverts par le vignoble champenois de l'Aube.

Paysage de Champagne aux alentours de Cramant

Le vignoble

Il couvre 31 000 ha situés en majeure partie dans le département de la Marne, mais aussi dans quelques cantons de l'Aube (6 000 ha) et de l'Aisne. L'essentiel de la production est constitué par le champagne.

Le climat est rigoureux, continental et la vigne, qui s'épanouit à mi-pente des versants calcaires, qui les protègent des vents humides, ne doit sa maturité qu'au sous-sol crayeux de la côte de l'Île-de-france. Celui-ci joue le rôle d'un régulateur hydrique (la craie assure un excellent drainage ou permet à l'eau de remonter pour alimenter les racines en surface) et thermique (elle s'échauffe rapidement au printemps, emmagasine la chaleur pour la nuit et renvoie le rayonnement solaire vers les ceps). Sa composition minérale confère finesse et arômes aux vins. Les meilleurs terroirs sont les plus crayeux : la **Montagne de Reims**, pays de coteaux sur la rive gauche de la Vesle, affluent de l'Aisne, la **vallée de la Marne** et la **Côte des Blancs**, au Sud d'Epernay jusqu'à Vertus. Les « **grands crus** » (communes où le raisin est acheté à son prix maximum) sont situés sur la Côte des Blancs et la Montagne de Reims.

Village dans les vignes

Particularités de « pays »

Le **pays d'Othe**, au Sud de la Champagne crayeuse, atteint par endroits plus de 300 m d'altitude. Les cisterciens de l'abbaye de Pontigny ont joué un grand rôle dans sa colonisation et son défrichement. Les hauteurs, couronnées de forêts, s'élèvent au-dessus des vallons quadrillés par les champs.

Les **thureaux**, ou buttes de grès, de **la Puisaye** ont résisté à l'érosion.

Le plateau de Langres et l'Argonne bornent la Champagne humide. Le **plateau de Langres** est une masse de calcaire très épaisse, s'élevant à plus de 500 m, couverte d'importants massifs forestiers. De nombreux cours d'eau, dont la Seine et la Meuse, y prennent leur source.

L'**Argonne**, inclinée vers l'Ouest, fait figure de cuesta. Elle est constituée d'une roche particulière : la **gaize**, sorte de grès verdâtre, dur, imperméable, dans lequel l'érosion a façonné crêtes et défilés étroits. Ces hauteurs humides (jusqu'à 360 m), aux sombres massifs de hêtres et de chênes, sont des terres d'élevage. La seule région active est la vallée de l'Aisne, couloir entre l'Argonne et la Champagne sèche, avec sa petite métropole : Sainte-Menehould.

LES CÉPAGES

Au nombre de trois exclusivement, ils sont bien adaptés au terroir et au climat champenois :

le **pinot noir** au raisin noir et jus blanc, grains serrés, donne du corps et de la puissance au vin (Montagne de Reims et Côte des Bar) ;

le **pinot meunier,** également noir à jus blanc, recherché pour son fruité, se caractérise par sa souplesse (vallée de la Marne) ;

le **chardonnay** à grappes blanches est réputé pour sa finesse et son arôme (Côte des Blancs).

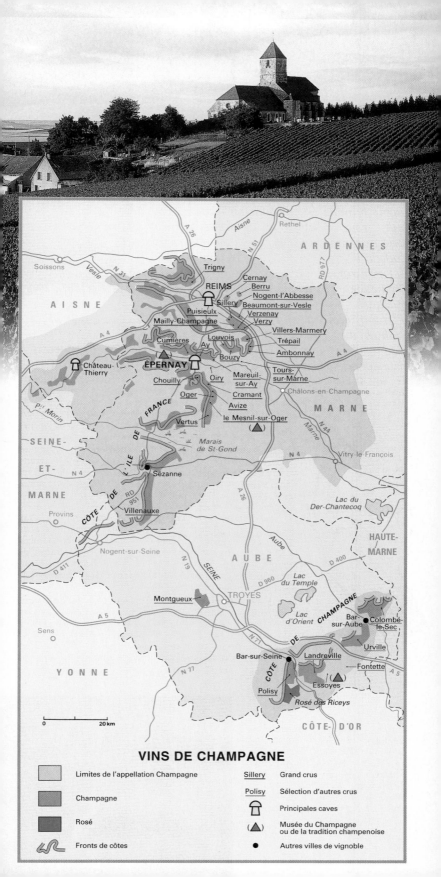

VINS DE CHAMPAGNE

	Limites de l'appellation Champagne	<u>Sillery</u> Grand crus
	Champagne	<u>Polisy</u> Sélection d'autres crus
	Rosé	Principales caves
	Fronts de côtes	(▲) Musée du Champagne ou de la tradition champenoise
		● Autres villes de vignoble

Map labels:

ARDENNES, AISNE, MARNE, SEINE-ET-MARNE, HAUTE-MARNE, AUBE, YONNE, CÔTE-D'OR

Soissons, Rethel, Trigny, REIMS, Cernay, Berru, Nogent-l'Abbesse, Sillery, Beaumont-sur-Vesle, Puisieulx, Verzenay, Mailly-Champagne, Verzy, Villers-Marmery, Cumières, Louvois, Trépail, Ay, Ambonnay, ÉPERNAY, Bouzy, Château-Thierry, Chouilly, Oiry, Mareuil-sur-Ay, Tours-sur-Marne, Châlons-en-Champagne, Oger, Cramant, Avize, le Mesnil-sur-Oger, Vertus, Marais de St-Gond, Sézanne, Vitry-le-François, Provins, Villenauxe, Lac du Der-Chantecoq, Nogent-sur-Seine, Montgueux, TROYES, Lac du Temple, Lac d'Orient, Bar-sur-Aube, Colombé-le-Sec, Sens, Urville, Bar-sur-Seine, Landreville, Fontette, Polisy, Essoyes, Rosé des Riceys

CÔTE DE L'ÎLE DE FRANCE, CÔTE DE CHAMPAGNE, CÔTE DES BAR

Rivers/roads: Aisne, Vesle, Marne, Seine, Aube, P.t Morin, A 26, N 51, RD 977, N 31, A 4, N 44, N 4, N 19, A 26, D 400, D 960, D 411, A 5, N 71, N 77

0   20 km

Les lacs

Encerclant l'auréole de la Champagne crayeuse, la gouttière étroite de la Champagne humide est un pays où l'eau est partout, troué d'étangs et de marécages ou strié de ruisseaux (Der, pays des étangs au Sud de l'Argonne), bocager, coupé de bois, de pâturages, de vergers de pommiers (Rethelois, Porcien, Thiérache), avec quelques belles futaies (forêts de Der, d'Orient, de Chaource) que défrichèrent les moines au Moyen Âge. La création des

Lac de la forêt d'Orient

grands réservoirs de la forêt d'Orient et du Der-Chantecoq a transformé le paysage.

Les lacs se prêtent au tourisme familial et offrent de nombreuses possibilités de loisir : ports de plaisance, stations nautiques, plages de sable surveillées, pratique de la voile et de la plongée, zone d'évolution pour les bateaux à moteur et le ski nautique, pêche de jour ou de nuit, sentiers de randonnées pédestres qui permettent de ne pas trop s'éloigner des rives.

Héron cendré

Le **lac du Der-Chantecoq**, à quelques kilomètres de Saint-Dizier et de Vitry-le-François, capte les eaux de la Marne, protégeant Paris des inondations, et les restitue du 1er juillet au 31 octobre. Il est donc à son plus haut niveau en juin et au plus bas en novembre. C'est le plus vaste d'Europe occidentale (4 800 ha ; 77 km de rives) ; il possède le plus grand port de plaisance en eau douce de France et six plages... Pays de prairies où paissent chevaux et bovins, de bois, d'étangs, le **Der** est une contrée originale, aux villages entourés de vergers, dont les maisons et les églises ont été construites en bois dans ce pays pauvre en pierre. Il fut longtemps le pays des bûcherons et des vanniers.

Le vaste parc naturel régional créé autour du **lac d'Orient** (2 500 ha), mis en eau en 1966, arrive aux portes de Troyes (avec, à son autre extrémité, le parc d'attraction de Nigloland, à côté de Bar-sur-Aube) ; le **lac du Temple** (2 300 ha) est le rendez-vous des pêcheurs et des canoéistes ; le **lac Amance**, plus petit (500 ha) est réservé aux activités motonautiques.

Le tour de ces lacs, par la route ou le train touristique, offre de beaux points de vue.

Ils constituent une excellente base d'observation de la nature, surtout lors du passage des grands oiseaux migrateurs, d'octobre à mars. Parmi les quelques 270 espèces observées, on compte 40 000 à 60 000 grues cendrées qui font une halte près du lac du Der-Chantecoq. La Maison de l'Oiseau et du Poisson est installée dans une ferme

Canard siffleur

typique du bocage champenois. Près de la réserve ornithologique aménagée dans la partie Nord-Est du lac d'Orient, un parc de vision animalier permet d'observer sangliers, cerfs et chevreuils.

La **forêt d'Orient**, aux terrains humides parsemés d'étangs, est un vestige de l'immense forêt de Der qui couvrait la région du pays d'Othe aux coteaux de St-Dizier. Le chêne pédonculé domine (Der vient du celtique « dervos » qui signifie « chêne »). Dans la **forêt du temple**, un sentier éducatif

Port du Mesnil-St-Père

permet de découvrir les différentes espèces d'arbres, leur utilisation et leur mode d'exploitation. Des sentiers de grande randonnée et des chemins de petite randonnée, des circuits balisés et répertoriés permettent promenades à pied et à bicyclette.

Les vallées fluviales (Aube, Marne, Seine) sont larges. Au Nord, les sols limoneux du **Perthois**, au confluent de la Marne et de l'Ornain, sont le terroir des grandes cultures. Des reliefs résiduels subsistent dans ces régions déprimées, tel le promontoire de **Brienne-le-Château**.

Les terres grasses, difficiles à travailler, ont servi de labours et sont destinées à la pâture et à l'élevage : dans le **Vallage**, entre Aube et Marne (les principales localités sont St-Dizier, Joinville et Wassy) et la **dépression préardennaise**, où paissent de beaux troupeaux de vaches et de chevaux de trait, à côté des cultures de céréales et de légumineuses.

La région de **Langres** est un château d'eau où la ligne de partage des eaux répartit les sources de la Saône, qui ira se jeter dans la Méditerranée, de la Marne (Manche), de la Meuse (mer du Nord). Quatre lacs-réservoirs ont été créés à la charnière du 19e s. et du 20e s. pour alimenter le canal de la Marne à la Saône. Le **lac de la Liez,** le plus grand des lacs, offrant de nombreuses possibilités nautiques, le **lac de la Mouche,** le plus petit, le **lac de Charmes** de forme très allongée et le **lac de la Vingeanne** dont un sentier permet d'en faire le tour. Tourisme bleu et tourisme vert se concilient aisément sur ces lieux de pêche et d'activités nautiques dans un cadre verdoyant. Lorsqu'en été, le niveau de l'eau baisse, les « queues » de réservoir se transforment en vasières et en roselières qui abritent une faune intéressante.

Aux confins du Nord-Est : l'Ardenne

La Meuse à Monthermé

Depuis la « pointe de Givet », l'Ardenne forme une sorte de triangle au bout de la France. Ses grands espaces et sa faible population contrastent avec les fortes densités des régions qui l'environnent. Aucune autoroute ne traverse, côté français, cette parcelle du grand ensemble belge et allemand, qui compte peu de grandes villes, mais de petites cités, souvent avec du charme, inscrites dans des paysages spectaculaires.

Les charmes de la nature

À la fin de l'ère primaire (de 550 à 220 millions d'années av. J.-C.), le **plissement hercynien** fait surgir un certain nombre de hautes montagnes parmi lesquelles l'**Ardenne**. Ce massif va être nivelé par l'érosion. Il atteint 502 m d'altitude à la **Croix de Scaille**, sur la frontière franco-belge, et se présente comme un plateau à peine ondulé de grès, de granit et de schistes, entaillé par la Meuse et la Semoy.

Sanglier

La **Meuse** se fraye un passage à travers des roches très dures, déplie ses méandres étroits, formant des isthmes, au pied de pentes sombres. Le caractère sinueux de la « vallée » s'explique par un phénomène que les géographes appellent : « surimposition ». Le fleuve coulait, à l'origine, sur un sol nivelé par l'érosion, ce qui a permis la formation de méandres qui ont conservé leur tracé lorsque les terrains durs du sous-sol ont subi un relèvement ; dans la pointe de Givet, elle emprunte des vallées élargies.

Les courbes douces de ce relief ancien sont tapissées d'une épaisse forêt de feuillus (chênes et hêtres) et de conifères (épicéas, mélèzes). Elle recouvre 70 % de l'Ardenne française ; mais la *« Silva Arduinna »*, évoquée par César, a été réduite au cours des siècles en taillis sous futaie par la pratique de l'**essartage**. Le musée de la Forêt de Renwez évoque les vieux métiers de la forêt ardennaise : bûcherons, charpentiers, scieurs de long, charbonniers, sabotiers.

Le climat est frais, semi-continental et marqué par l'altitude (7°-8° en moyenne) ; mais l'influence océanique qui se fait sentir est à l'origine de nuances nombreuses que l'on retrouve aussi bien dans le paysage que dans les saisons. Le feuillage d'automne ajoute une splendide parure ; l'hiver, enneigé, est parfois plus doux, avec des couchers de soleil couleur de forge. Les pluies abondantes font de l'Ardenne un véritable réservoir d'eau.

De nombreuses légendes sont nées dans cette région : les **Dames de Meuse** s'élèvent à 270 m, en à pic, au-dessus de l'eau ; le site du **Roc de la Tour** est le château du Diable et le **rocher des quatre-fils-Aymon** rappelle l'épopée chevaleresque où la forêt d'Ardenne sert de refuge aux proscrits.

Le tourisme apporte des ressources nouvelles à cette région qui préserve le calme de ses espaces sauvages au carrefour de l'Europe du Nord-Ouest.

Écluse sur la Meuse

L'Ardenne, du nom de la déesse celte « **Arduinna** » représentée chevauchant un sanglier, mérite mieux qu'une étape. Son patrimoine très divers laisse une large place à la découverte de la nature. Le bruissement de la Semoy, une plage de lac, la cueillette des myrtilles dans un sous-bois, la parure des digitales (toxiques), des bruyères et des genêts, les sentiers escarpés sillonnant la forêt ou la ligne des crêtes font oublier la vie citadine. L'Ardenne est une région de chasse. La « tenderie aux grives » consiste à les attirer avec les fruits du sorbier des oiseleurs, dans des pièges appelés « pliette », ou « ployette ». Le sanglier, emblème de l'Ardenne, se fraye son chemin à travers les broussailles, surtout la nuit, en groupe. Il est difficilement observable, mais tous les grands animaux du massif sont visibles au **parc de vision de Belval**.

Les points de vue sont nombreux sur la vallée de la Meuse et ses méandres, comme le **mont Malgré Tout** à Revin, la **Roche à Sept Heures** (évoquée dans *Un balcon en forêt* de Julien Gracq) qui domine Monthermé, la **Platale** au-dessus de la vieille ville de Fumay, entourée de vastes espaces forestiers (bois d'Haybes), la **Roche aux 7 villages** ou les **roches de laifour**. Sur les hauteurs règnent les **fagnes** (marais tourbeux). Le **lac de retenue des vieilles forges**, alimenté par les sources du plateau, enchâsse ses plages de sable et ses eaux fraîches dans un cadre de forêts. Des croisières sont organisées sur la **Meuse** ou des randonnées fluviales en barge flottante entre Mouzon et Stenay. Fumay est une escale tranquille où les plaisanciers côtoient les bateliers en route vers les Pays-Bas. Paradis des pêcheurs de truites, la **Semoy** enlace de ses boucles des promontoires rocheux et boisés.

L'Ardenne, une industrie traditionnelle

Terre sans agriculture, l'Ardenne française a réussi à conserver sa population. Le « paysan de la forêt » s'est spécialisé dans l'**ardoiserie**, le **textile**, la **métallurgie**. Nulle part plus que dans le travail de la forge familiale se retrouve l'âme de la petite entreprise ardennaise, la **« boutique »**. La population se concentre dans le bassin de la **Meuse**, au Nord du département. L'activité industrielle de la « vallée » est très ancienne et contraste avec le paysage forestier.

L'extraction de l'ardoise

L'**ardoise**, tirée d'une roche schisteuse, est exploitée depuis l'époque romaine. L'extraction, développée par les monastères (Signy, Bonnefontaine), est restée marquée, jusqu'au 20ᵉ s., par une faible évolution des techniques. Les mineurs du schiste, appelés **« escailleurs »** ou **« scailleteux »** (le mot « scaille » signifiant ardoise) descendaient, au moyen d'échelles, en freinant des mains et des pieds, parfois à une profondeur de 840 m. Un intendant du Hainaut, visitant les ardoisières fumaciennes à la fin du 18ᵉ s. décrit un *« pays privé de culture, où la condition de ces infortunés est très inférieure à celle des ramassis de mauvais sujets qu'on envoie aux galères. »* À **Fumay**, ancienne capitale de l'ardoise, les carreaux s'alignaient en murets le long des quais dans l'attente des bateaux. Les ardoises de **Rimogne** étaient exportées jusqu'en Australie, en Europe centrale, en Scandinavie. L'apogée de ces entreprises de taille souvent modeste se situe sous le Second Empire. L'électricité améliore les conditions de travail (pompes), mais le manque d'entretien durant la Première Guerre mondiale cause des dommages considérables. La concurrence d'autres sites de production et d'autres matériaux de couverture, surtout la tuile d'argile, aura raison des dernières ardoisières, obligées de fermer leurs portes en 1971, après huit siècles d'histoire.

Le textile et la métallurgie

L'essor de l'industrie drapière sedanaise remonte aux guerres de Religion. Sedan est protestante : les draps noirs de la « petite Genève » surpassent en réputation ceux de Hollande et d'Espagne ; le point de dentelle appelé **« point de Sedan »** est importé par les calvinistes. En 1685, la révocation de l'édit de Nantes affecta durement cette activité et la croissance ne reprit que dans la seconde moitié du 18ᵉ s., grâce à la mécanisation du travail de la laine. La réussite du **baron Ternaux** (1763-1833) amorce la concentration industrielle. Les fabriques accaparent la force de travail des campagnes environnantes. L'activité est intense sous la Restauration et la monarchie de Juillet, puis vient la machine à vapeur ; mais les guerres entraînent l'exode des industries textiles sedanaises (vers Castres notamment). La **manufacture royale de draps du Dijonval**, fondée en 1646, a poursuivi son activité jusqu'en 1958 et déploie une imposante façade du 18ᵉs. Elle abrite le musée des Anciennes Industries du Sedanais. La **manufacture du point de Sedan**, fondée à la fin du 19ᵉs., maintient la tradition en confectionnant des tapis de laine sur canevas de lin qui nécessitent chacun plus d'un mois de fabrication.

Maison de l'ardoise à Rimogne

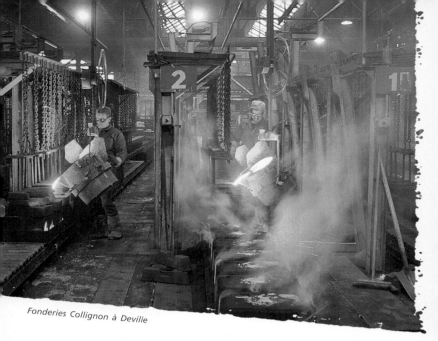

Fonderies Collignon à Deville

L'industrie de la **clouterie** fut introduite par les Liégeois dès le 13ᵉ s. Condamnée par la clouterie mécanisée d'Angleterre dans les années 1820, la clouterie manuelle, pratiquée pendant l'hiver et qui avait permis de sortir de la pauvreté, fut remplacée par la boulonnerie dans la région de **Bogny-sur-Meuse**, la ferronnerie à **Nouzon** (devenue Nouzonville), la fonderie à **Revin**. L'atelier du cloutier, la petite « boutique », où le chien, dans sa roue, actionnait le soufflet, a coexisté avec la grande entreprise métallurgique. Ces industries traditionnelles, qui connurent leur apogée à la veille de la Grande Guerre, suite au développement du chemin de fer, ont permis d'éviter l'exode rural. Elles ont souffert de la crise depuis 1970 ou ont disparu, mais la fonderie et le travail des métaux reste le premier secteur industriel de la région (la fonderie Citroën à Ayvelles, à côté de Charleville-Mézières, est la plus moderne de France). Certaines PME hautement spécialisées, ont gardé l'âme de la « boutique » et s'intègrent, avec d'autres secteurs, au réseau des équipementiers automobiles. Charleville-Mézières, Sedan, Givet se repositionnent dans la plasturgie.

Enfin l'usine Sommer implantée à Mouzon, est la dernière de France à produire du feutre industriel (musée). **Roger Sommer** (1877-1965), pionnier de l'aviation, donna une dimension européenne à l'entreprise fondée en 1880 par son père.

Tapisserie de Sedan

Bonneterie et coutellerie

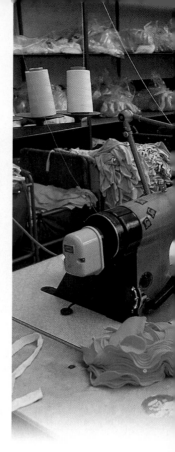

Bien que les métropoles comme Reims, Troyes, Châlons-en-Champagne, Langres, se tournent vers des industries diverses, l'industrie est dominée par les secteurs traditionnels que sont la métallurgie et le textile.

Bonneterie

Outre ses foires, la Champagne brille par son industrie textile dès le 13e s. : toiles de Reims, draps de Châlons et de Provins. Troyes est plutôt spécialisée dans le travail du cuir.

L'essor du 16e s. permet à la ville de développer ses activités textiles comme la draperie et le velours. Les premiers fabricants de bonnets et de bas tricotés à la main entrent en scène en 1505. Après une diminution de l'activité due aux guerres de la fin du règne de Louis XIV, la bonneterie transforme entièrement le paysage économique de Troyes.

En 1745, des métiers à fabriquer des bas sont installés à l'hôpital de la Trinité (aujourd'hui hôtel de Mauroy) afin d'utiliser la main-d'œuvre des indigents. Cette initiative est couronnée de succès. La manufacture de la Trinité est imitée et les « bas de Troyes » sont très demandés, entraînant une explosion du nombre des métiers. Un nouveau recul de l'activité, dans les années qui précèdent la Révolution, entraîne une diminution de moitié des salaires des ouvriers.

L'activité repart de plus belle pendant la première moitié du 19e s., marquée par des améliorations techniques, notamment l'introduction de métiers mécaniques qui permettent de fabriquer en série bonnets de coton, gilets, pantalons. La bonneterie concerne alors l'ensemble du département de l'Aube et représente le tiers de la production française.

Le petit village de **Fontaine-les-Grés**, avec ses rangées d'habitations, son église, la maison du patron, l'internat pour éduquer les ouvrières a été aménagé par la famille Doré (marque « DD ») et de nombreux ateliers sont implantés dans les villages des alentours. La bonnetière troyenne est un personnage mythique (70 % des effectifs sont encore féminins).

Coutellerie de Nogent : polissage d'une prothèse

À l'heure actuelle, la bonneterie, qui compte 250 entreprises, reste l'industrie dominante de Troyes et du département de l'Aube. Elle regroupe de nombreuses marques nationales : *Absorba, Petit Bateau, Lacoste* (la fameuse chemise est née dans les ateliers de Troyes et de Saint-Dizier), *Dior, Doré-Doré, Benetton*. Presque un million d'acheteurs, originaires, pour une bonne moitié, des départements limitrophes de l'Aube et de la partie Nord-Est de l'Hexagone, viennent chaque année dans les **magasins d'usine**

pour profiter des rabais de 30 à 50 % consentis sur les collections précédentes ou les fins de série des articles de sport ou de prêt-à-porter.

Un **musée de la Bonneterie** (hôtel de Vauluisant) présente des collections de bas, de machines, de métiers anciens et la reconstitution d'un atelier.

Coutellerie

La **vallée de la Blaise** est l'une des plus anciennes régions métallurgiques de France. Les moines de Clairvaux fondent leurs premières forges à Wassy en 1157. Les monastères ont favorisé l'apparition d'une industrie du fer fondée sur l'emploi de la force hydraulique. Les mines et les forges se multiplient dans les **forêts d'Othe**, du **Der**, de **Chaume** au cours des 13e et 14e s.

La coutellerie s'est développée à **Langres** au 14e s. De grandes maisons apparaissent dans cette ville au 17e s. ; mais, au siècle suivant, la tendance est au morcellement et à la dispersion des entreprises. Suite à des dissensions, la coutellerie langroise essaime le long de la Marne, du Rognon et de la Meuse.

Le bassin de **Nogent**, où s'installent de nombreux artisans, prend le pas sur Langres. La forge et l'estampage, la coutellerie fine et demifine, la ciselerie haut de gamme, l'instrumentation médico-chirurgicale, l'outillage à la main font vivre 6 000 personnes vers 1880, époque du plus grand dynamisme de la région. Malgré l'apparition de l'électricité et des forges industrielles, le travail reste familial et n'occupe pas plus d'une à trois personnes à la fois. Paris est le premier débouché (l'Amérique du Sud à l'exportation). Aujourd'hui comme hier, l'activité est très diversifiée et emploie 2 000 personnes. Quelques petits ateliers subsistent à Nogent, Biesles, Is-en-Bassigny.

Outre la bonneterie et la coutellerie, d'autres centres de tourisme technique peuvent se visiter dans la région : le pays baralbin (environs de Bar-sur-Aube) est l'occasion de visiter la **cristallerie de bayel**, créée au 17e s. par un maître verrier vénitien ; la fonderie d'art se perpétue à **Saint-Dizier**, depuis qu'Hector Guimard y créa les fontes ornementales de style Art nouveau en 1900. La **maison de l'Outil et de la Pensée ouvrière**, à Troyes, abrite une remarquable collection d'outils à usage manuel présentée par catégories ou par métiers.

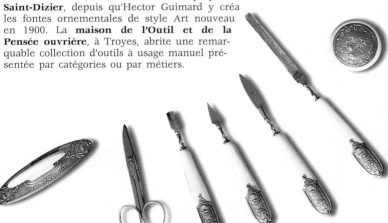

Maisons rurales traditionnelles

De gros villages sont perdus au milieu d'une mer de vignes... Les habitations basses s'alignent régulièrement le long des rues étroites, mais, si une porte cochère s'entrouvre, on aperçoit de vastes cours et une multitude de bâtiments au plan désordonné, abritant les pressoirs et le matériel nécessaire à l'entretien des vignes, aux vendanges et à la fabrication du champagne.

Dans la **Champagne sèche**, les habitations, regroupées autour des sources, forment de gros villages éloignés les uns des autres. On pénètre dans les fermes, par une porte cochère cintrée surmontée d'un petit bâtiment faisant souvent office de pigeonnier. Autour de la cour rectangulaire se répartissent le logis, côté rue, les granges, côté champs. Le rez-de-chaussée est habité et le grenier est au premier étage. Les maisons à haut toit sont construites en craie sur une assise de pierre, de brique ou de moellon. À l'Est et au Sud, les pans de bois font leur apparition.

Des fermes et hameaux isolés dans le bocage de la **Champagne humide** occupent l'espace entre les villages. L'architecture est à pans de bois entre lesquels sont intercalés du torchis, des carreaux de terre ou des briques de différentes couleurs (région de Troyes). Les toits ont une faible pente et forment auvent ; les combles aux très belles charpentes compensent l'absence de cave.

Les **églises à pans de bois** sont construites avec les mêmes matériaux robustes que les maisons et sont surmontées de flèches couvertes d'ardoises ou d'écailles de bois.

Dans les villages en longueur de l'**Argonne**, les maisons présentent un curieux mélange de matériaux. La façade est souvent en briques rouges et noires au rez-de-chaussée, alors que l'étage (grenier), en torchis, est protégé des intempéries par des lattes en chêne. Les toits de tuiles presque plats font saillie tout autour de la maison et surtout en façade.

Autour de Bar-sur-Aube, de Bar-sur-Seine, sur le **plateau de Langres**, dans la vallée de la Blaise, les villages apparaissent tout blancs sous les hauts toits de tuiles (les maisons étaient autrefois recouvertes de chaume ou de pierres de lave). Dans ces régions, le moellon calcaire est le matériau de prédilection, les pierres de taille n'étant utilisées que pour les encadrements de portes et de fenêtres.

Dans l'**Ardenne**, l'ardoise et le schiste triomphent partout : ardoises mauves de Fumey, ardoises bleues de Rimogne, pierre bleue de Givet. Les maisons construites dans ces matériaux durs sont sombres. Le toit, à l'origine couvert d'ardoises grossières et lourdes, les *« faisaus »*, est presque plat.

Malgré la proximité de Paris, de la Lorraine et de la Bourgogne, le meuble champenois garde une personnalité propre. Il est solide, travaillé dans des panneaux épais de chêne. La sculpture, sobre, est égayée par une ornementation simple, souvent florale. Les meubles plus raffinés (armoires, gaines d'horloge) sont fabriqués en noyer, plus fin pour les sculptures. L'**armoire** comprend deux portes et parfois un large tiroir à la base. Dans la région de Charleville, on

*Vieilles maisons
à Piney*

Appareillage
bas-champenois

trouve des armoires à
trois portes et à pieds
cambrés ; l'armoire
auboise est ornée d'une
croix de Malte sur les
panneaux. Le **buffet-
vaisselier** est le meuble
le plus typique des inté-
rieurs paysans. il est
fabriqué avec du bois
fruitier en Champagne,
du chêne dans l'Argonne
et l'Ardenne. Le **lit** est en
chêne ou en orme, souvent peint en gris clair ; il peut être encastré dans une
alcôve, complété par un vaisselier et placé à côté de la cheminée en pierre
blanche. Les **horloges** sont très hautes (2 m et plus) en cerisier ou en chêne
clair ; quelques-unes ont la forme d'une hotte s'évasant vers le haut. L'horloge
champenoise s'assortit au reste du mobilier et a souvent été fabriquée par le
même artisan. Les **tables** sont en chêne, rectangulaires, à plateau épais ; la
table de vigneron, ronde, à bascule, se range contre le mur. La **pompe** en
cuivre rouge, alimentant un évier de pierre, est très caractéristique. Les **pétrins**
ou **maies,** surtout ardennais, étaient nombreux : « *En Champagne, le pétrin
occupe la partie supérieure de la "maie", dont le dessus se retourne, formant planche
à pétrir ; le bas du meuble est occupé par deux petites armoires. La maie, à la fois
pétrin, huche et bahut, était le meuble principal des cuisines champenoises (Albert
Maumeuné) ».*

Intérieur
champenois

La table

Bien entendu, le champagne person-nalise nombre de recettes locales, mais d'autres préparations n'en sont pas tributaires, tels la potée champe-noise ou « joute », plat des vendangeurs, composée de jambon fumé, de lard, de saucisses, entourant un gros chou, la choucroute de Brienne-le-Château, les andouillettes de Troyes et les fameux pieds de porc de Sainte-Menehould, fort appréciés de Louis XVI.

Dans le pays d'Othe, la « petite Normandie », les pommiers, devenus rares, servent à fabriquer un **cidre** sec et pétillant. Chaque petite exploitation possède un vieux pressoir prêt à fonctionner à l'automne. Le cidre est consommé jeune (il se nomme alors « subille ») ou au printemps suivant, après avoir fermenté dans de gros tonneaux ouverts dans lesquels l'on a adjoint du sucre candi et quelques grains d'orge. Cette boisson est aujourd'hui réservée à une consommation familiale ou locale.

Biscuits roses de Reims

À l'écart des autres provinces, l'**Ardenne** a conservé une cuisine simple, robuste, hivernale. La salade de pissenlits est accompagnée de petits « **crétons** » chauds (morceaux de lard ; en Champagne, on parle de « **fritons** »). L'omelette au lard, au jambon ou aux morilles, la **bayenne** (lits de pommes de terre intercalés de couches d'oignons et d'ail), qui accompagne le ragoût de sanglier ou de biche, sont des plats courants. L'automne est la saison du **gibier** : noisette de marcassin, selle de chevreuil ou gigue sauce chasseur, civet de lièvre à l'ardennaise, « roussettes » (grives) rôties dans une feuille de sauge ou préparées en terrine avec du genièvre. Le **jambon cru des Ardennes** est traditionnellement fumé avec des branches vertes de genêt ou de genévrier, puis au feu de bois ordinaire pendant plus d'un mois. Le **boudin blanc de Rethel** complète la charcuterie et peut être dégusté à l'apéritif, coupé en tranches, ou en plat, nature ou assaisonné à l'oignon.

Les truites de la Semoy, les truites farcies ou mariées au jambon des Ardennes, les fritures de fretin de Meuse remplissent le chapitre « poisson », avec les **brochets** de rivière et d'étang (ceux du Der sont réputés) et les filets de sandre braisés ou mariés en sauce au champagne.

Au Sud de Troyes, une région s'est spécialisée dans l'élaboration de fromages crémeux et peu fermentés dont le plus fameux est le **chaource,** fabriqué depuis le 12ᵉ s. Onctueux, il peut être dégusté « frais », dès le cinquième jour après sa

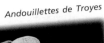
Charcuterie ardennaise

Andouillettes de Troyes

Chaource

Fromage de Langres

fabrication, ou « fait », vers le vingtième jour, couvert d'une fine moisissure blanche. Parmi les autres fromages provenant de Champagne et de l'Ardenne, citons le **langres** qui peut être affiné au marc de champagne ; le **maroille** de Thiérache qui se déguste au moment des vendanges ; le **rocroi**, qui présente l'avantage d'être à 0% de matière grasse.

Les pâtisseries ancestrales sont les **frivoles** ou **fiverolles**, beignets dégustés au moment du Carnaval ; la **dariole**, tartelette garnie d'un flan ; le **pain d'épice**, dont la recette remonte au 13ᵉ s. ; le **flan de Verzy**. Les **biscuits de Reims** à la belle couleur rose (ils peuvent être broyés en « terrine » sur un lit de crème anglaise), les **massepains**, les **croquignoles**, les **bouchons de Champagne** sont là pour accompagner le célèbre vin.

Les entremets et les pâtisseries des Ardennes sont nombreux : **vautes** et **tanti-molles**, crêpes rustiques dégustées en entrée ou au dessert ; **galettes au sucre** servies tièdes et accompagnant le café ; **gâteau mollet** que l'on mangeait en repas de noce ou qui contenait un petit anneau d'argent, promesse de fiançailles ; **gaudichon de Rethel** ; tarte aux myrtilles ; **ardoises** en chocolat et autres **rocaillons** de Sedan ; **petits animaux en sucre d'orge** rouge offerts lors de la St-Nicolas.

*Le baptême de Clovis, tapisserie du 16e s.
(Musée St-Rémi de Reims)*

Une histoire mouvementée

*Petit cheval romain
(Musée de Châlons-
en-Champagne)*

La préhistoire

● **10ᵉ millénaire av. J.-C.** – Le peuplement de la Champagne et des Ardennes s'effectue le long des rivières et atteint ensuite les plateaux. L'économie villageoise des agriculteurs sédentaires se substitue à l'économie de subsistance des grands chasseurs.
● **Néolithique (4500-2000 av. J.-C.)** – Les hommes défrichent la forêt, perfectionnent leur outillage et adoptent la céramique.
● **Âge du cuivre (2000-1800 av. J.-C.)** – L'usage des tombes collectives se répand : les dolmens et les **hypogées** (grottes artificielles creusées dans la craie) révèlent de vastes chambres funéraires.
● **Âge du bronze (1800-750 av. J.-C.)** – Au 13ᵉ s., une série d'invasions introduit l'incinération parmi les rites funéraires. Les cendres sont placées dans des urnes, elles-mêmes regroupées dans de vastes nécropoles, les « **champs d'urnes** ». Une riche aristocratie détient le monopole de la métallurgie, pratique le commerce et la guerre, tandis que la masse paysanne conserve un mode de vie néolithique.

Romains et barbares

● **Avant la conquête** – Le territoire actuel de la Champagne est occupé par plusieurs peuples : les lingons (Langres), les Rèmes (Reims), les Catalaunes (Châlons), les Tricasses (Troyes). Les **oppida** sur lesquels ils sont installés sont des sites naturels fortifiés qui jouent un rôle de capitale : Durocortorum (Reims), Andematunum (Langres).
● **58-51 av. J.-C.** – Conquête romaine. Les peuples les plus puissants de la région, les **Rèmes** et les **Lingons**, apportent un soutien indéfectible à **Jules César**. Cet appui leur vaut le titre d '« alliés du peuple romain » et leur épargne la sujétion à partir de 51.
● **Haut-Empire** – Sous Auguste (27 av. J.-C.-14 après J.-C.), la Champagne est intégrée à la province de **Belgique**. La plupart des villes actuelles deviennent d'importants nœuds routiers, surtout **Reims**. Dans les campagnes, un réseau de bourgades et de « **villae** » se met en place, comme la villa d'Andilly. L'agriculture atteint un haut niveau technique (utilisation d'une moissonneuse, le « **vallus** ») et l'artisanat, de la céramique à la verrerie, dont la région se fait une spécialité (Reims est la ville des oculistes), évolue très rapidement. Le thermalisme connaît, lui aussi, un vif succès.

- **69-70** – Troubles à la mort de Néron ; assemblée de Reims.
- **2ᵉ moitié du 3ᵉ s.** – Des **missionnaires** évangélisent la région : saint Bénigne à Langres, saint Savinien à Troyes, saint Memmie à Châlons et saint Sixte à Reims.
- **4ᵉ-5ᵉ s.** – La Champagne est confrontée aux vagues destructrices des **invasions germaniques**. En 366, le maître de cavalerie **Jovin** écrase les Alamans près de Châlons. Les évêques sont les défenseurs des cités, qui s'entourent d'enceintes fortifiées et dont la superficie est considérablement réduite.
- **451** – Bataille des **Champs Catalauniques** : défaite d'**Attila**.
- **476** – Chute de l'Empire romain d'Occident.

Mérovingiens et carolingiens

- **498 ? jour de Noël** – Loin de s'installer en masse, les **Francs** sont peu nombreux, comme l'ont montré les tombes « princières ». **Saint Remi** parvient à obtenir la conversion de **Clovis**. Son baptême rend le souverain acceptable pour l'aristocratie gallo-romaine. Les successeurs de l'évêque de Reims (mort vers 530) continuent de renforcer la fonction épiscopale.
- **511** – Mort de Clovis. La Champagne connaît une suite de partages. **Loup** (575-590) en est le premier duc, mais ce duché périclite ensuite pendant deux siècles.
- **774** – **Charles Martel** sécularise de nombreux biens d'Église, mais le métropolitain de Reims reçoit le titre d'archevêque.
- **Octobre 816** – Le **sacre de Louis Iᵉʳ le Pieux**, fils de Charlemagne, couronné empereur à Reims par le pape Étienne IV, est le point de départ d'une longue tradition de la monarchie française.
- **843** – Le **traité de Verdun** partage l'Empire carolingien entre les trois fils de Louis le Pieux. La Champagne fait partie de la France occidentale, séparée de la Lotharingie par la vallée de la Meuse. Le règne de Charles le Chauve correspond à une période assez faste. Les villes tiennent une grande place dans les échanges interrégionaux. La vie intellectuelle et artistique atteint son apogée à Reims sous les épiscopats d'Ebbon et d'Hincmar. La vie rurale, par contre, est moins bien connue en dépit des **polyptyques** (inventaires) laissés par quelques grandes abbayes.

- **Fin du 9ᵉ s.** – Les raids normands ouvrent une période incertaine, d'où émerge la société féodale. L'autorité des derniers Carolingiens est combattue par la famille de Vermandois, dont le chef, Herbert II (mort en 983), réussit à se tailler une principauté à partir de l'évêché de Reims.

Mausolée de Faverolle,
masque funéraire : silènes

Moyen Age

● **11ᵉ s.** – À la suite de mariages, la maison de **Blois** règne sur la Champagne. Premiers feudataires du royaume, les comtes de Champagne, également appelés comtes de France, doivent cette position plus à leur richesse qu'à leur puissance militaire.

● **25 juin 1115 – Saint Bernard** fonde l'**abbaye de Clairvaux**, l'une des quatre « abbayes filles » de **Cîteaux**, fondée en Bourgogne par le Champenois **Robert de Molesme** en 1098. À la même époque naît l'amour entre **Héloïse** et **Abélard** qui deviendra célèbre par la *Correspondance* qui en est restée. Saint Bernard, auteur du *Traité de l'amour de Dieu,* vouera une amitié sans défaut à Héloïse qui devient abbesse du **Paraclet** en 1129.

● **12ᵉ s.** – Les comtes de Champagne captent habilement le courant commercial entre l'Italie et les Flandres, source de revenus pour leur trésor, en assurant la protection des marchands et en leur accordant de multiples facilités, notamment juridiques. **Thibaud II** crée un monnayage de bon aloi. Six foires se déroulent sur la route Lagny, Provins, Troyes et Bar-sur-Aube, selon un calendrier précis, chacune durant environ deux mois. Il attire la draperie flamande sur la route Lagny, Provins, Troyes et Bar-sur-Aube. Les marchands de toutes nationalités s'y regroupaient en cités ou ligues sous la responsabilité d'un consul ou d'un capitaine. À l'initiative des changeurs italiens, les plus dynamiques, les opérations financières l'emportent progressivement sur le commerce lui-même : dans la seconde moitié du 13ᵉ s., les foires prennent l'aspect d'un grand marché des espèces et du change. La volonté royale de favoriser Paris, l'ouverture de la route atlantique, la guerre de Cent Ans leur portent un coup sévère au 14ᵉ s. En 1350, elles redeviennent de simples marchés régionaux.

● **1182** – L'archevêque de Reims **Guillaume aux Blanches Mains** dirige le gouvernement du royaume en l'absence du roi **Philippe Auguste** (1179-1223), son neveu, parti pour la croisade.

● **1210** – Début de la construction de la **cathédrale de Reims**.

Enluminure du 14ᵉ s. (musée Condé à Chantilly)

● **1234** – Le comte **Thibaud IV de Champagne** devient roi de Navarre et abandonne ses possessions de la Loire et de la Beauce à Saint Louis. Ses talents de trouvère assurent sa célébrité : il a composé une soixantaine de chansons amoureuses dont certaines adressées, dit-on, à la reine Blanche de Castille. La cour de Champagne est alors une des plus brillantes du royaume.

● **1284** – Le comté de Champagne est uni au domaine royal à la suite du mariage de la comtesse de Champagne et de Navarre, Jeanne, avec **Philippe le Bel**.

● **1337** – Début de la **guerre de Cent Ans**. Après la mort des trois fils de Philippe le Bel, les « **rois** maudits », les barons français préfèrent son neveu, Philippe VI de Valois, à son petit-fils, Édouard III d'Angleterre. Celui-ci conçoit le projet de se faire sacrer à Reims, mais la ville résiste et il doit lever le camp (11 janvier 1360). Les campagnes subissent d'incessants ravages dus aux bandes de pillards jusqu'en 1366, date de l'intervention de **Du Guesclin**. Deux raids anglais : celui de Jean de Lancastre en 1373 et celui de Buckingham en 1380 sont particulièrement dévastateurs pour le « plat pays ».

● **Début du 15ᵉ s.** – La rivalité entre **Armagnacs**, partisans de la famille d'Orléans, et les **Bourguignons**, partisans du duc de Bourgogne, allié des Anglais, rallume la guerre. La Champagne passe alors sous influence bourguignonne.

● **21 mai 1420** – Isabeau de Bavière, épouse du roi dément Charles VI, signe le **traité de Troyes**, qui prive le Dauphin de ses droits à la succession, et désigne son gendre, Henri V d'Angleterre, comme héritier du trône de France. Celui-ci entreprend la conquête du Nord de la France.

● **21 mai 1429** – La situation se renverse quand **Jeanne d'Arc** parvient à faire sacrer le Dauphin à Reims. Charles VII acquiert une légitimité indiscutable et se rend maître de la Champagne.

De la Renaissance à la Révolution

● **Fin 15ᵉ s.** – Le règne de Louis XI amorce la reconstruction. Jusqu'au milieu du 16ᵉ s., l'école troyenne de sculpture et de peinture sur vitrail est florissante.

● **1515-1559** – Les guerres contre la maison d'Autriche entraînent une succession de sièges et la destruction de **Vitry** par Charles Quint (1544).

● **1542** – Création de la généralité de **Châlons**, où un représentant du roi affirme l'autorité monarchique.

● **Fin du 16ᵉ s.** – Le **massacre de Wassy** (1562) est le premier signal des guerres de Religion en Champagne. Jusqu'à la Saint-Barthélemy (1572), les protestants semblent dominer la situation. Ensuite, la Ligue, dirigée par les **Guise**, très puissants dans la région, reprend le dessus. Peu à peu, les villes hésitantes se rallient à leur cause ; seules Langres et Châlons restent fidèles au roi. La prise de Paris et la conversion d'Henri IV dénouent la situation, mais c'est à Chartres et non à Reims – qui se soumet la dernière –, que le souverain est couronné le 27 février 1594.

● **1614-1642** – Le **duc de Bouillon**, prince de Sedan, se rebelle contre le gouvernement de Marie de Médicis. Trois interventions royales sont nécessaires pour soumettre la Lorraine et ses confins (1614-1634). La monarchie en profite pour annexer le **Barrois**. Deux ans plus tard, la guerre contre l'Espagne déclenche une nouvelle série de malheurs. En 1642, la principauté de **Sedan** est cédée à Louis XIII et rattachée à la Champagne.

Vitrail de St-Éloi dans l'église Ste-Madeleine à Troyes

● **19 mars 1643** – La mort de Richelieu puis celle de Louis XIII incitent les Espagnols à reprendre l'offensive en Champagne. Mais les troupes royales commandées par le jeune **duc d'Enghien** (futur Grand Condé) leur infligent une sévère défaite à **Rocroi**.

● **1648-1653** – La **Fronde** divise les grands. La France vit une période de troubles graves qui provoquent d'incessants passages de troupes. Les Espagnols campent à quelques lieues de Reims ; le duc de Lorraine tente de recouvrer son duché. La Champagne, exsangue, traverse les plus noirs moments de son histoire.

● **1654** – Le voyage du sacre de Louis XIV marque le début d'une amélioration, qui ne sera vraiment effective qu'à la signature du **traité des Pyrénées** (1659) avec l'Espagne qui rend Rocroi à la France.

● **Fin du 17ᵉ s.** – **Dom Pérignon**, moine de l'abbaye d'Hauvillers, améliore le procédé de fabrication du vin mousseux. L'extension du vignoble est stimulée au 18ᵉ s. par la production des vins champagnisés qui s'exportent facilement.

La bataille de Rocroi en 1643

De la Révolution à nos jours

● **1779-1784** – **Napoléon Bonaparte** étudie à l'école militaire de Brienne-le-Château.

● **1789-1791** – Le **18ᵉ s.** est un siècle réparateur. L'agriculture se relève ; l'industrie textile reprend vigueur pendant la seconde moitié du siècle ; la métallurgie connaît un rapide essor dans l'Ardenne et le Sud-Est (la généralité de Châlons arrive au 1ᵉʳ rang de la production métallurgique française). À côté des villes (Reims, Troyes, Sedan), une industrie rurale se développe dans les vallées. L'**industrialisation** élargit le fossé social entre riches et pauvres. L'opulence des nouvelles dynasties bourgeoises contraste avec l'existence précaire de milliers d'ouvriers à la merci de la moindre crise, comme celle de 1788 qui, à Troyes, mit 6 000 d'entre eux au chômage. La **Révolution** reçut donc, à ses débuts, un accueil favorable. Dans la nuit du 20 au 21 juin 1791, le roi **Louis XVI** décide de s'enfuir vers l'Est et de revenir à Paris à la tête d'une armée. Reconnus à Sainte-Menehould, le roi et sa famille sont arrêtés à **Varennes-en-Argonne**.

Le champagne et l'épopée napoléonienne

Le champagne, fantaisie coûteuse au 18ᵉ s. gagne du terrain. Florent-Louis Heidsieck, originaire de Westphalie, et la veuve Clicquot prospectent en Allemagne ; Moët exporte en Angleterre, notamment grâce à la contrebande. Sous l'Empire, les ventes de champagne grossissent régulièrement ; des maisons nouvelles naissent vers 1810. Les réquisitions et les pillages de 1814-1815 auront pour les négociants de vins une vertu publicitaire.

● **20 septembre 1792** – Les frontières sont menacées : les Prussiens, soutenus par les émigrés de l'« armée de Condé », occupent Verdun le 2 septembre puis franchissent les défilés de l'Argonne qui leur ouvrent la route de Paris. **Danton** donne une extraordinaire impulsion à la défense nationale et lance sa célèbre formule : « *Il nous faut de l'audace, encore de l'audace, toujours de l'audace, et la France est sauvée.* » Elle l'est en effet, dans sa Champagne natale, à **Valmy**, où Dumouriez arrête l'invasion prussienne.

Statue de Dom Pérignon

• **1814** – **Campagne de France** de Napoléon, qui revient à Brienne-le-Château pour lutter contre l'invasion des Alliés (Russes, Prussiens, Autrichiens). Son armée est composée en grande partie de très jeunes conscrits, les « **Marie-Louise** ». La Champagne, une fois de plus, souffre considérablement de la guerre. Les Alliés auront l'occasion de revenir en 1815, au lendemain de Waterloo. Plus de 350 000 soldats passèrent à Troyes ; la région fut occupée deux ans.

Arrestation de Louis XVI à Varennes

• **1856** – Napoléon III crée le **camp de Châlons**.

• **1870** – Guerre franco-prussienne. Prise dans une souricière à **Sedan**, l'armée française, malgré quelques exploits comme celui de **Bazeilles**, doit capituler le 2 septembre. 83 000 hommes sont faits prisonniers. Depuis le 26 août, les Prussiens occupaient Châlons, mais ils n'entrent à Reims que le 4 septembre, jour de la chute de l'Empire. Des groupes de francs-tireurs poursuivront isolément la lutte, provoquant parfois d'horribles représailles de la part de l'ennemi. Natif de l'Ardenne, le **général Chanzy** tente, à la tête de la IIe armée de la Loire rassemblée à la hâte par Gambetta, de renverser la situation au profit de la France.

Un Ardennais illustre

Né à Nouart, dans les Ardennes, en 1823, Chanzy, tenté par la carrière militaire, entra à Saint-Cyr en 1841 et exerça par la suite de nombreux commandements en Algérie. Élu député des Ardennes en 1871, Mac-Mahon le nomme gouverneur général de l'Algérie en 1873. Sénateur républicain inamovible en 1875, il est aussi président du conseil général des Ardennes. En 1879, il devient ambassadeur de France à Saint-Pétersbourg. En 1881, il retourne à la vie militaire comme commandant le 6e corps à Châlons et décède subitement le 5 janvier 1883.

• **28 janvier 1871** – L'armistice et la capitulation de Paris mettent fin au conflit. Le **traité de Francfort** (10 mai) rattache l'Alsace et une partie de la Lorraine à l'Empire allemand, ce qui rapproche la Champagne des frontières.

Le maréchal Joffre

● **1914** – Après avoir envahi la Belgique, les Allemands gagnent la bataille des frontières. **Von Kluck** fonce alors en direction de la Seine et, contrevenant aux ordres supérieurs, décide d'attaquer par l'Est plutôt que par l'Ouest. **Gallieni**, gouverneur militaire de la place de Paris, suggère à **Joffre**, qu'il seconde, d'attaquer von Kluck sur son flanc droit *(voir bataille de l'Ourcq dans le guide Vert Île-de-France)*. 600 taxis parisiens réquisitionnés conduisent au front 4 000 hommes qui renforcent les troupes de la garnison de Paris : c'est le fameux épisode des **taxis de la Marne**. Une brèche s'ouvre dans les armées allemandes, dans laquelle s'enfonce l'armée anglaise. Les Allemands, menacés d'être coupés, battent en retraite jusqu'à la vallée de l'Aisne où ils se retranchent.

● **Septembre 1914-mai 1918** – C'est la **guerre des tranchées** pendant laquelle se poursuit une lutte épuisante et sanglante. Chacun des hauts commandements cherche la percée décisive ; de nombreuses offensives sont montées de part et d'autre. La plus importante en Champagne est l'offensive française (septembre 1915) dans la région de Souain.

● **Juillet-novembre 1918** – Les Allemands font une percée en juin 1918, mais **Foch** reprend l'initiative dans cette seconde bataille de la Marne. Pressés de toutes

La bataille de Bazeilles

parts, les Allemands se replient. Le 26 septembre, Foch déclenche une offensive générale qui aboutira à la défaite allemande et à l'**armistice de Rethondes** (11 novembre 1918).

● **1940** – Après la drôle de guerre qui avait duré tout l'hiver, le 10 mai, les Allemands envahissent les Pays-Bas et la Belgique. La Wehrmacht fait porter son effort principal sur les **Ardennes**, région réputée impénétrable où l'effet de surprise jouera à plein. Elle enfonce sans peine le front français et franchit la Meuse à Sedan, le 14 mai au soir. Dans la brèche ainsi formée, malgré la résistance, sur l'Aisne, de la 14e division d'infanterie aux ordres du général de Lattre de Tassigny, les Allemands peuvent avancer sans obstacle et courent vers la mer, qu'ils atteindront huit jours plus tard.

● **1944** – Libération de la Champagne.

● **7 mai 1945** – L'Allemagne capitule et signe l'Armistice à Reims.

● **1966** – Naissance de **Charleville-Mézières**, résultat de la fusion de 5 communes, devenue préfecture du département.

● **1966-1991** – La mise en eau des **lacs réservoirs d'Orient** (1966), du **Der-Chantecoq** (1974) et **du Temple** (1991), destinés à réguler les cours respectifs de la Seine, de la Marne et de l'Aube, constitue un atout touristique et ajoute un magnifique espace de loisirs à une région située à l'écart des grands axes. Le **Parc naturel régional de la forêt d'Orient** est créé en 1970.

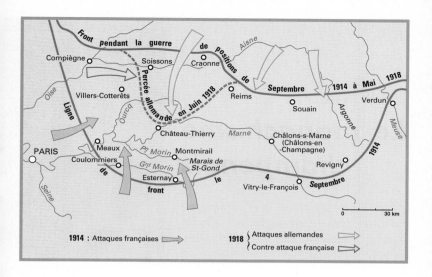

● **1970** – Mort du **général de Gaulle**, dans sa retraite familiale de **Colombey-les-deux-Églises**. – Il repose dans le cimetière près de l'église.

● **1976** – Création du **Parc naturel régional de la Montagne de Reims**.

● **1982** – Inauguration à **Troyes** du **musée d'Art moderne** abritant la donation Lévy.

● **1995-1996** – Mise en service de la centrale nucléaire **Chooz B**. Le 1 500ᵉ anniversaire du baptême de Clovis est célébré à Reims, en présence du pape **Jean Paul II**.

● **11 août 1999** – L'**éclipse totale de soleil** est visible à Reims.

Les taxis de la Marne

La capitale comptait à la veille du conflit 10 000 taxis immatriculés G2, G3 ou G7. Leur intervention fut symbolique, la plupart des troupes de renforts étant arrivée par train ou en camions. Mais ils permirent aux 4 000 hommes du 103ᵉ régiment de la 7ᵉ division d'infanterie de se reposer de la marche forcée qu'ils avaient effectuée, dans la journée du 7 septembre, entre Paris et Gagny. C'est, parmi les G7, qui ne laissaient qu'une place à côté du conducteur, que Galliéni, gouverneur militaire de la place de Paris, réquisitionna 1 100 chauffeurs.

Le maréchal Gallieni

Taxis de la Marne à Paris, 1916

Le monachisme champenois

Avec la Bourgogne, la Champagne fut un des hauts lieux du monachisme médiéval. Les premières fondations monastiques remontent au 6ᵉ s., à l'initiative de saints évangélisateurs ou de princes. Toutefois, l'élan principal vint de Luxeuil où saint Colomban, le missionnaire irlandais, avait fondé un monastère doté d'une règle qui fut très généralement adoptée dans la France du Nord.

Bible dite de Saint Bernard

Le rayonnement de l'école de Reims – Plusieurs abbayes fleurissent à l'époque mérovingienne. Ces monastères et leurs ateliers de copistes jouent un rôle essentiel dans le renouveau artistique et culturel des temps carolingiens. Le **psautier dit d'Utrecht** est écrit et illustré entre 820 et 830 dans le scriptorium de l'**abbaye d'Hautvillers**, d'où sortent les plus remarquables productions de l'Empire. Les Rémois sont les auteurs d'un splendide recueil d'Évangiles conservé à la bibliothèque d'Épernay, d'où le nom d'**Évangéliaire d'Épernay**. Le rayonnement d'Hautvillers perdure sous Charles le Chauve et l'école de Reims, continue à produire de prestigieux manuscrits et de splendides pièces d'orfèvrerie comme le « **talisman de Charlemagne** », conservé au palais du Tau. L'influence de l'école de Reims se fait encore sentir aux 10ᵉ et 11ᵉ s. jusqu'en Angleterre, puis elle décline au profit des foyers nouveaux du Saint Empire romain germanique et de l'abbaye royale de St-Denis.

Le développement du monachisme au 11ᵉ s. – Après l'an 1000, une étonnante ferveur religieuse s'empare de l'Europe occidentale. En Champagne, les monastères développent leurs possessions. Ils sont presque tous adeptes de la règle bénédictine et dépendent, pour certains d'entre eux, de la grande fédération de **Cluny**, forte de plus de 1 000 maisons et 10 000 moines. Mais l'opulence clunisienne conduit les abbayes de l'Ordre à délaisser le travail manuel et le travail intellectuel au profit d'une magnificence démesurée.

C'est un moine champenois connu sous le nom de **Robert de Molesme** qui jette les bases de la réforme en créant en 1075 à Molesme, près des Riceys, une abbaye qui devint un foyer de vie monastique. En 1098, Robert se met en quête

d'un lieu d'extrême isolement et de pauvreté. C'est la fondation du « nouveau monastère » de **Cîteaux**, en Bourgogne, qui va devenir en quelques décennies le chef d'ordre d'une congrégation de plus de 350 monastères implantée dans toute l'Europe.

Ce succès est dû aux « abbayes filles » à qui **Étienne Harding**, le 3e successeur de Robert de Molesme, confie le développement des cisterciens. **Bernard de Fontaine**, jeune noble bourguignon de 25 ans, crée, le 25 juin 1115, dans la « claire vallée du val d'Absinthe », le monastère de **Clairvaux** qui assura le plus grand nombre de filiations et sera le centre du monde religieux occidental jusqu'à la mort de son créateur en 1153. La Champagne conserve des vestiges de la douzaine d'abbayes cisterciennes qui subsistèrent jusqu'à la Révolution, telles que Auberive, Igny, Signy, Trois-Fontaines, la Chalade et Morimond.

Le modèle du monastère cistercien – **Saint Bernard** définit d'une façon intransigeante et fait appliquer à la lettre la règle de saint Benoît. Il impose à ses moines de Clairvaux – et par extension à tous les moines de l'ordre cistercien –, des conditions de vie rigoureuses.

L'emploi du temps d'une journée est réglé avec une précision méthodique depuis le lever entre 1h et 2h du matin. Les offices divins occupent 6 à 7 heures quotidiennes et le reste du temps est partagé entre le travail manuel, le travail intellectuel et les lectures pieuses. Chef de la communauté, l'abbé vit parmi ses moines, dont il partage les repas. Il est assisté d'un prieur, qui le remplace en son absence.

Évangile d'Ebbon, atelier d'Hautvillers (milieu 8e-10e s.) conservée à la bibliothèque municipale d'Épernay.

Trois catégories de personnes vivent à l'abbaye : les **moines** prient et effectuent un travail de copiste ; les **convers** se chargent des travaux des champs, aidés par des **oblats**, laïcs qui participent à la prière et travaillent à vie pour le monastère en échange du gîte et du couvert.

La Règle attache une grande importance au travail de la terre, si bien que **Clairvaux** ne tarde pas à devenir un centre agricole de premier plan, à la tête du mouvement de défrichement et de colonisation. Le système d'exploitation repose sur les **granges**, fermes isolées qui comprenaient, outre les bâtiments d'exploitation, un dortoir, un réfectoire, un chauffoir et une chapelle. Le vestige le plus remarquable est le cellier de Colombé-le-Sec. Aux activités agricoles s'ajoute bientôt l'exploitation de **mines** et de **forges** qui formèrent un bassin industriel au Nord-Ouest de Chaumont et firent de l'abbaye le premier producteur de fer en Champagne au 18e s. Les forges de Clairvaux (à 2 km de l'abbaye) existent toujours, à l'emplacement créé par les moines, et sont sans doute de la plus ancienne usine française en activité ininterrompue depuis presque neuf siècles.

ABC d'architecture

Architecture religieuse

Plan-type d'une église

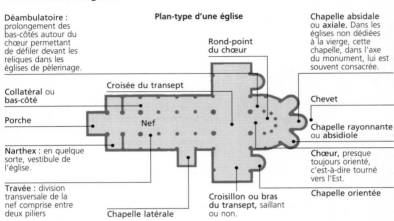

Déambulatoire : prolongement des bas-côtés autour du chœur permettant de défiler devant les reliques dans les églises de pèlerinage.

Collatéral ou bas-côté

Porche

Narthex : en quelque sorte, vestibule de l'église.

Travée : division transversale de la nef comprise entre deux piliers

Croisée du transept

Nef

Chapelle latérale

Rond-point du chœur

Croisillon ou bras du transept, saillant ou non.

Chapelle absidale ou axiale. Dans les églises non dédiées à la vierge, cette chapelle, dans l'axe du monument, lui est souvent consacrée.

Chevet

Chapelle rayonnante ou absidiole

Chœur, presque toujours orienté, c'est-à-dire tourné vers l'Est.

Chapelle orientée

Coupe d'une église

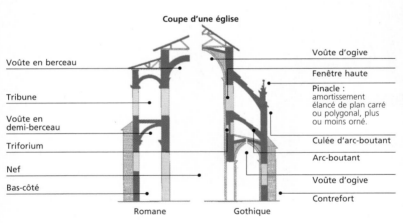

Voûte en berceau

Tribune

Voûte en demi-berceau

Triforium

Nef

Bas-côté

Romane

Gothique

Voûte d'ogive

Fenêtre haute

Pinacle : amortissement élancé de plan carré ou polygonal, plus ou moins orné.

Culée d'arc-boutant

Arc-boutant

Voûte d'ogive

Contrefort

Mézières – Basilique Notre-Dame-de-l'Espérance (15e s.)

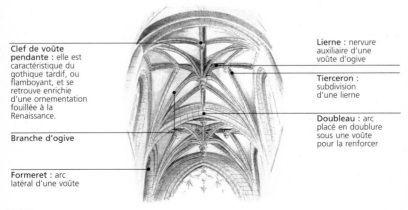

Clef de voûte pendante : elle est caractéristique du gothique tardif, ou flamboyant, et se retrouve enrichie d'une ornementation fouillée à la Renaissance.

Branche d'ogive

Formeret : arc latéral d'une voûte

Lierne : nervure auxiliaire d'une voûte d'ogive

Tierceron : subdivision d'une lierne

Doubleau : arc placé en doublure sous une voûte pour la renforcer

Mouzon – Intérieur de l'abbatiale (1195-vers 1240)

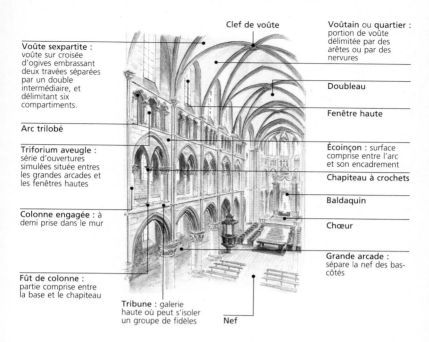

Clef de voûte

Voûtain ou quartier : portion de voûte délimitée par des arêtes ou par des nervures

Voûte sexpartite : voûte sur croisée d'ogives embrassant deux travées séparées par un double intermédiaire, et délimitant six compartiments.

Doubleau

Fenêtre haute

Arc trilobé

Écoinçon : surface comprise entre l'arc et son encadrement

Triforium aveugle : série d'ouvertures simulées située entres les grandes arcades et les fenêtres hautes

Chapiteau à crochets

Baldaquin

Colonne engagée : à demi prise dans le mur

Chœur

Grande arcade : sépare la nef des bas-côtés

Fût de colonne : partie comprise entre la base et le chapiteau

Tribune : galerie haute où peut s'isoler un groupe de fidèles

Nef

Reims – Chevet de la cathédrale (1211-1260)

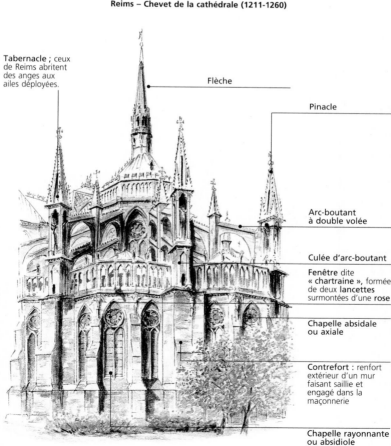

Tabernacle ; ceux de Reims abritent des anges aux ailes déployées.

Flèche

Pinacle

Arc-boutant à double volée

Culée d'arc-boutant

Fenêtre dite « chartraine », formée de deux lancettes surmontées d'une rose

Chapelle absidale ou axiale

Contrefort : renfort extérieur d'un mur faisant saillie et engagé dans la maçonnerie

Chapelle rayonnante ou absidiole

N.-D.-de-l'Épine – Façade de la basilique (1420-vers 1530)

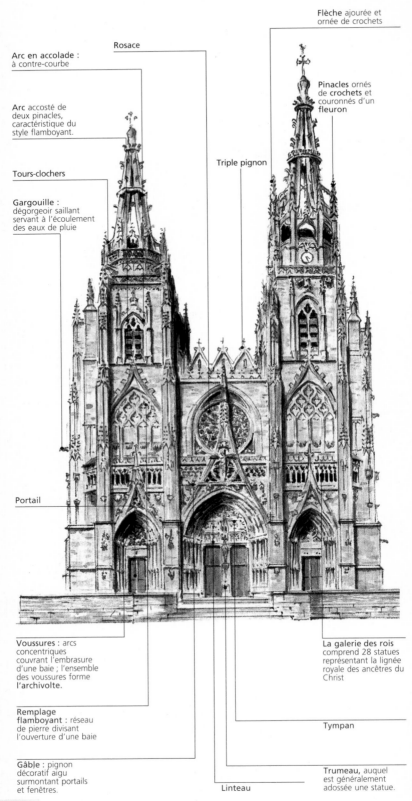

Flèche ajourée et ornée de crochets

Rosace

Arc en accolade : à contre-courbe

Pinacles ornés de **crochets** et couronnés d'un fleuron

Arc accosté de deux pinacles, caractéristique du style flamboyant.

Triple pignon

Tours-clochers

Gargouille : dégorgeoir saillant servant à l'écoulement des eaux de pluie

Portail

Voussures : arcs concentriques couvrant l'embrasure d'une baie ; l'ensemble des voussures forme **l'archivolte.**

La galerie des rois comprend 28 statues représentant la lignée royale des ancêtres du Christ

Remplage flamboyant : réseau de pierre divisant l'ouverture d'une baie

Tympan

Gâble : pignon décoratif aigu surmontant portails et fenêtres.

Trumeau, auquel est généralement adossée une statue.

Linteau

74

Mobilier d'église

Reims – Orgue de la cathédrale (18e s.)

Le **buffet,** meuble qui renferme les tuyaux, devient monumental à l'époque baroque et s'orne de figures, de putti, de cariatides.

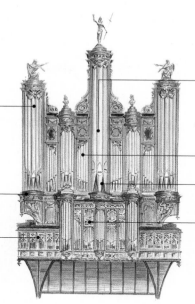

Grand buffet

Plate-face : rangée verticale de tuyaux qui peuvent être groupés en **tourelles** polygonales ou circulaires

Jeu : groupe de tuyaux

Montre : ensemble des grands tuyaux de façade

Massif : soubassement qui porte l'échaffaudage des tuyaux

Tribune d'orgue

Petit buffet ou positif, suspendu en encorbellement.

Villemaur-sur-Vanne Jubé de l'église (16e s.)

Sablière

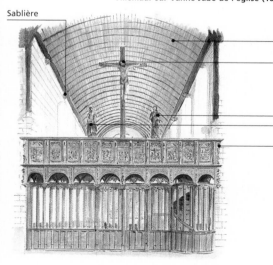

Couvrement en charpente

Crucifix

Saint Jean

Mater Dolorosa

Tribune ; elle accueillait les choristes.

Le **jubé** avait pour fonction de séparer le chœur (réservé aux clercs) de la nef centrale (où se tenaient les fidèles). La plupart des jubés ont disparu au 17e s. : ils cachaient l'autel.

Hautvilliers – Stalles de l'abbaye (18e s.)

Dorsal

Miséricorde : petite console permettant de prendre appui, une fois le siège relevé (« per misericordiam » : par compassion).

Parcloses, jouées, miséricordes sont souvent sculptées de petites figures à la verve réaliste, les **drôleries.**
Parclose : cloison séparant deux stalles.

Jouée : cloison fermant la rangée des stalles

Architecture civile

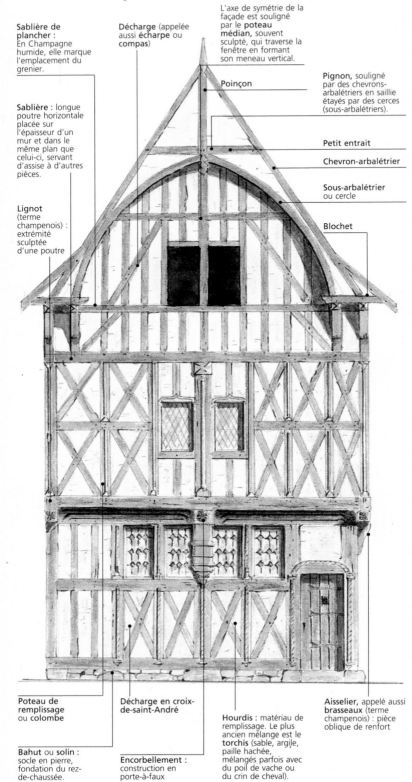

Sablière de plancher :
En Champagne humide, elle marque l'emplacement du grenier.

Décharge (appelée aussi **écharpe** ou **compas**)

L'axe de symétrie de la façade est souligné par le **poteau médian**, souvent sculpté, qui traverse la fenêtre en formant son meneau vertical.

Poinçon

Pignon, souligné par des chevrons-arbalétriers en saillie étayés par des cerces (sous-arbalétriers).

Sablière : longue poutre horizontale placée sur l'épaisseur d'un mur et dans le même plan que celui-ci, servant d'assise à d'autres pièces.

Petit entrait

Chevron-arbalétrier

Sous-arbalétrier ou cercle

Lignot (terme champenois) : extrémité sculptée d'une poutre

Blochet

Poteau de remplissage ou **colombe**

Décharge en croix-de-saint-André

Hourdis : matériau de remplissage. Le plus ancien mélange est le **torchis** (sable, argile, paille hachée, mélangés parfois avec du poil de vache ou du crin de cheval).

Aisselier, appelé aussi **brasseaux** (terme champenois) : pièce oblique de renfort

Bahut ou **solin :** socle en pierre, fondation du rez-de-chaussée.

Encorbellement : construction en porte-à-faux

76

Joinville – Château du Grand-Jardin (1533-1546)

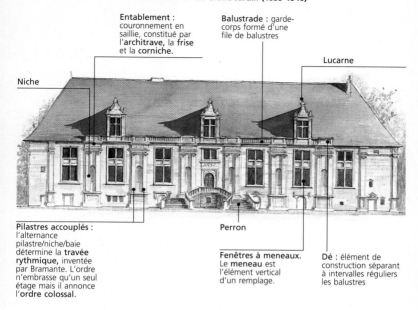

Entablement : couronnement en saillie, constitué par l'**architrave**, la **frise** et la **corniche**.

Balustrade : garde-corps formé d'une file de balustres

Lucarne

Niche

Pilastres accouplés : l'alternance pilastre/niche/baie détermine la **travée rythmique,** inventée par Bramante. L'ordre n'embrasse qu'un seul étage mais il annonce l'**ordre colossal.**

Perron

Fenêtres à meneaux. Le **meneau** est l'élément vertical d'un remplage.

Dé : élément de construction séparant à intervalles réguliers les balustres

Architecture militaire

Rocroi – Place forte (1675)

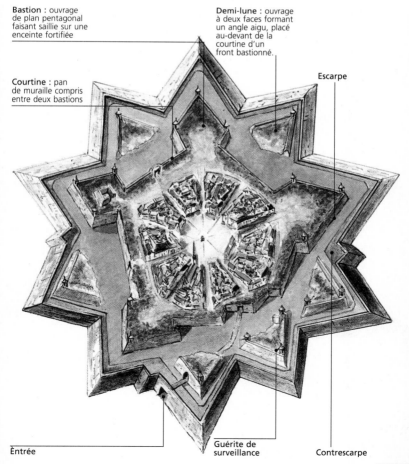

Bastion : ouvrage de plan pentagonal faisant saillie sur une enceinte fortifiée

Demi-lune : ouvrage à deux faces formant un angle aigu, placé au-devant de la courtine d'un front bastionné.

Escarpe

Courtine : pan de muraille compris entre deux bastions

Entrée

Guérite de surveillance

Contrescarpe

L'art

Malgré une histoire tumultueuse, cause d'innombrables destructions, la région de Champagne-Ardenne a conservé un patrimoine artistique considérable.

Art gallo-romain

Du passé urbain antique ont subsisté : la **porte Mars**, arc de triomphe orné de scènes de la vie agricole célébrant la prospérité romaine, et un **cryptoportique** à **Reims**, une porte à **Langres**. Les fouilles archéologiques ont mis au jour une villa avec toutes ses structures (notamment des thermes) à **Andilly-en-Bassigny**. Outre cela, les musées de Troyes, de Reims, de Nogent-sur-Seine et de Langres présentent des collections très complètes (céramique, verrerie, statuaire, objets usuels, etc.).

Art mérovingien

Souvent méconnu, l'art mérovingien est relativement bien représenté en Champagne et dans les Ardennes par les éléments d'un abondant **mobilier funéraire** retrouvé dans une multitude de nécropoles locales, telle la tombe princière de Pouan, dont le contenu est conservé au musée archéologique de **Troyes**.
L'orfèvrerie arrive en tête des arts de cette époque. Elle consiste en des bijoux tels que les **fibules,** les boucles de ceinture, les plaques de garniture de bouclier, les poignées d'épée, etc. L'armement montre également la grande maîtrise technique de la métallurgie mérovingienne. Les **armes** les plus répandues étaient : l'épée longue à double tranchant, la francisque (hache de jet dissymétrique) et le scramasax, sorte de sabre droit à un seul tranchant.
À côté du travail des métaux, spécialité germanique, la sculpture tenait une grande place. Les principales réalisations, outre la décoration des églises, portaient sur les **sarcophages**, dont les plus caractéristiques offrent un décor en faible relief de motifs géométriques. Ceux d'**Isle-Aumont** montrent l'évolution, du 5e au 8e s., de cet art funéraire.

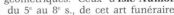

Église St-Étienne à Vignory

Art roman

L'architecture romane en Champagne n'a pas eu le temps de se développer, car elle fut très vite relayée par l'art gothique. Les porches en appentis sont courants dans cette région, d'où leur surnom de « **porche champenois** ».
Une période de reconstruction succède aux invasions normandes et hongroises. À l'Est, l'Empire germanique des Ottons exerce une forte influence sur les conceptions artistiques de son temps. Les nombreux sanctuaires construits au 9e s. ont tous disparu, sauf le chœur de l'**abbaye d'Isle-Aumont**.
Les églises des débuts du 11e s. ont souvent l'allure de grandes basiliques charpentées à

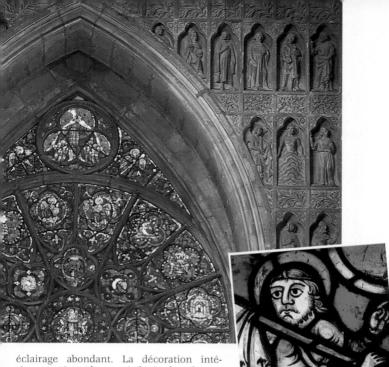

Vitrail du 12ᵉ s. du Trésor de la cathédrale de St-Étienne à Châlons-en-Champagne

éclairage abondant. La décoration intérieure, très sobre, privilégie les formes géométriques. Trois édifices champenois se rattachent à ce style : **Montier-en-Der** (reconstruite en 1940), **Vignory** et **St-Remi de Reims**. St-Étienne de Vignory a conservé son aspect primitif qui en fait un des monuments les plus remarquables de la région. À St-Remi de Reims, malgré l'hétérogénéité de l'édifice, l'art roman fait une large part au décor sculpté (chapiteaux en stuc à feuillages, figurés ou historiés).

Les découvertes de la **salle capitulaire de l'abbaye St-Remi**, du **cloître de Notre-Dame-en-Vaux** à Châlons-en-Champagne, du **portail de St-Ayoul** à Provins laissent penser que les monastères romans possédaient de beaucoup plus grandes richesses.

Art gothique (12ᵉ-16ᵉ s.)

L'art gothique, né en Île-de-France au 12ᵉ s., s'est développé aussitôt dans la riche Champagne voisine avec l'édification de l'**abbatiale de Mouzon**, de **Notre-Dame-en-Vaux** à Châlons-en-Champagne, de **St-Quiriace** à Provins, de l'**abbatiale d'Orbais** où l'architecte Jean d'Orbais éleva un chœur remarquable qui lui servit de modèle pour la cathédrale de Reims. Les chœurs de **Notre-Dame de Montier-en-Der** et de **St-Remi à Reims** offrent une particularité : des colonnes, placées à l'entrée des chapelles rayonnantes, reçoivent les ogives de celles-ci et du déambulatoire.

Les **13ᵉ** et **14ᵉ s.** sont l'âge d'or des grandes cathédrales, comme **Notre-Dame de Reims**. Servis par une pierre calcaire au grain très fin et facile à tailler, les ateliers de Reims, surtout productifs au 13ᵉ s., créent des chefs-d'œuvre, dont le fameux « **Ange au sourire** », qui ornent les porches de la cathédrale. **St-Amand-sur-Fion**, les cathédrales de Châlons et surtout **St-Urbain** de Troyes montrent l'aboutissement des recherches de l'architecture gothique, dont la décadence s'amorce avec l'apparition du **style flamboyant** ; la surabondance du décor sculpté tend alors à masquer les lignes essentielles des monuments. En Champagne, la **basilique Notre-Dame de l'Épine** en est le meilleur exemple. Pendant ces deux siècles, marqués par la guerre de Cent Ans, se développe la mode des **gisants** et des **sépulcres** représentant en général un groupe entourant le Christ au corps raide et pitoyable.

Statue de sainte Marthe à Sainte-Madeleine de Troyes

Art Renaissance (16ᵉ s.)

En Champagne, la Renaissance ne trouve que peu de résonance dans l'architecture religieuse, sauf dans la région de Troyes où l'on peut admirer des façades et des porches décorés de cartouches, de corniches, de frontons, etc. Le portail de **St-Maurille de Vouziers** et l'extraordinaire façade de **Rembercourt-aux-Pots** sont les principaux témoignages architecturaux de cette époque.

La sculpture connaît une période exceptionnelle à **Troyes** dans la première moitié du 16ᵉ s., période de transition entre le gothique et la Renaissance. Le **maître de Chaource** est l'auteur de la **Sainte Marthe** de l'église Ste-Madeleine de Troyes, de la **Pietà de Bayel** et de la remarquable **Mise au tombeau** de Chaource. À la même époque Jean Gailde réalise l'extraordinaire **jubé flamboyant de Ste-Madeleine**. Les tendances italiennes commencent à faire leur apparition avec la **Vierge au raisin** de St-urbain de Troyes.

Parallèlement à l'essor de la sculpture se développe une « industrie » de la peinture sur verre grâce aux commandes des donateurs. L'utilisation de cartons, reproduits à plusieurs exemplaires, explique en partie la richesse en vitraux des petites églises de l'Aube. Dans le premier tiers du siècle, on assiste à une explosion des couleurs, particulièrement spectaculaire dans les fenêtres hautes de la **cathédrale de Troyes**.

À partir de 1540, le maniérisme s'impose. Le **château de Joinville** et les **hôtels Renaissance** à **Troyes** et à **Reims** manifestent le retour aux formes antiques. Les églises sont envahies par les statues de **Dominique Florentin**, élève du Primatice, qui s'installe à Troyes et fait à son tour quelques disciples, dont François Gentil.

Vitrail de Notre-Dame-en-Vaux à Châlons-en-Champagne

Les maîtres verriers utilisent de plus en plus la grisaille sur verre blanc rehaussée de jaune d'argent et de sanguine. Le décor architectural est inspiré par l'école de Fontainebleau ; cependant, les peintres troyens conservent la représentation traditionnelle en registres. Au 17ᵉ s., prolongeant une grande tradition, **Linard Gontier** revient à la polychromie avec une nouvelle technique d'émaux sur verrières à fond blanc qui donne des coloris éclatants. Il est le maître de la composition monumentale avec des œuvres comme le **Pressoir mystique** de la cathédrale de Troyes. Il fut aussi un exceptionnel miniaturiste et portraitiste grâce à son habileté à utiliser la sanguine et la grisaille.

Art classique (17ᵉ-18ᵉ s.)

L'architecture classique dans les Ardennes a donné un chef-d'œuvre du style Henri IV-Louis XIII avec la **place Ducale de Charleville** qui présente de nombreuses analogies avec la place des Vosges à Paris.

Le 18ᵉ s. embellit les villes, parfois au prix des destructions d'édifices anciens. À Reims, la **place Royale** constitue un exemple typique de ces grandes places à la française s'ordonnant autour de la statue du monarque. L'**hôtel de ville** et l'ancien **hôtel de l'Intendance** de Châlons-en-Champagne témoignent du rayonnement de Paris.

Ancien hôtel des Intendants de Champagne à Châlons-en-Champagne

Architecture militaire

Zone frontière, la région des Ardennes a conservé quelques fortifications dont l'impressionnant **château de Sedan**, le plus grand d'Europe, qui fut construit du 15ᵉ s. au 18ᵉ s.

Vitrail de Chagall à la cathédrale de Reims

La plupart des **églises fortifiées de la Thiérache** se trouvent dans l'Aisne. Elles ont été transformées à la fin du 16ᵉ s. et au 17ᵉ s. pour servir de lieu de refuge dans une région frontière entre la France, les Pays-Bas espagnols et l'Empire germanique que bouleversaient les guerres incessantes.

Sur la frontière du Nord et des Ardennes, **Vauban** avait mis en place deux lignes de places fortes assez rapprochées les unes des autres (le « Pré carré »). Son système se caractérise par des bastions que complètent des demi-lunes, le tout étant environné de profonds fossés. L'un des plus beaux exemples de ses réalisations est la place forte de **Rocroi**.

Décidée par le ministre de la Guerre Paul Painlevé et son successeur André Maginot, à partir de 1925, la **ligne Maginot** comprend un ensemble d'ouvrages en béton placés au sommet ou à flanc de coteaux, sur toute la frontière Nord-Est. Le fort de **Villy-la-Ferté** en est un exemple. Malheureusement cette formidable ligne défensive fut privée de ses troupes d'intervalle au moment crucial, ce qui rendit vaine sa résistance de mai-juin 1940.

Art moderne (20ᵉ s.)

Le début du 20ᵉ s. a meurtri et enrichi la Champagne. Les vitraux de la cathédrale de Reims, endommagés pendant la guerre, ont été restaurés ou refaits par la dynastie des maîtres verriers **Simon**. Elle réalise également, en 1974, les vitraux, aux merveilleuses tonalités de bleu, dessinés par **Marc Chagall**. Le peintre japonais **Léonard Foujita**, baptisé dans la cathédrale, évoque son expérience mystique dans la petite chapelle élevée grâce au mécénat de la maison Mumm. À **Troyes**, une importante donation, en 1976, réunit un exceptionnel ensemble de dessins et de peintures fauves qui illustrent l'un des premiers mouvements de l'art moderne. Des sculptures monumentales évoquent l'œuvre de **Gaston Bachelard** à Mailly-Champagne (la terre), Lusigny-sur-Barse (l'eau), Langres (l'air). L'**horloge du Grand Marionnettiste**, automate de 10 m de haut de Jacques Monestier, met en scène, chaque heure, un épisode de la légende des quatre fils Aymon et rappelle la vocation de capitale de la marionnette de Charleville-Mézières. Claude Vasconi a signé le vaisseau de verre et d'aluminium du **Centre des congrès de Reims** (1994).

Cathédrale St-Étienne à Châlons-en-Champagne

SAINCTVS PHILIPPVS

**Villes
et sites**

Arcis-sur-Aube

Arcis vit naître et grandir Danton. L'homme politique venait y respirer la sérénité lorsque la révolution devenait étouffante. Autre célébrité de passage à Arcis : Napoléon, il participa à sa postérité en y connaissant une défaite cuisante lors de sa campagne de France le 20 mars 1814. Voici au moins deux raisons pour y faire une halte.

La situation
Cartes Michelin n°s 61 pli 7 ou 241 pli 33 — Aube (10). Sur la route des grands lacs de Champagne, Arcis est sur la N 77 entre Châlons et Troyes. L'A 26 passe à proximité immédiate de la ville. 🛈 *Hôtel de ville, 10700 Arcis-sur-Aube,* ☎ *03 25 37 80 36.*

Le nom
Il est dérivé du latin *arx* qui signifie forteresse. Il ne reste aujourd'hui que la tour d'enceinte de l'ancien château fort. Le château reconstruit au 17e s. abrite la mairie.

Les gens
2 854 Arcisiens. Enfant, le jeune Georges-Jacques Danton, déjà en rébellion contre l'ordre établi, préférait boire le lait à la source, directement au pis de la vache paisiblement occupée à paître dans le pré. Un jour, un taureau ne supporta plus que l'on tétât sans vergogne le pis de sa Marguerite préférée. Il vit rouge et l'encorna. L'adulte conserva de ce biberon mouvementé son légendaire profil.

Portrait de Georges Danton, conservé au musée Carnavalet à Paris (France, 18e s.).

comprendre

Après la terrible retraite de Russie et l'invasion du territoire national par les nations alliées, en janvier 1814, l'empereur tente de sauver la situation de janvier à mars 1814. Les défaites le contraindront à abdiquer le 6 avril après une dernière bataille acharnée qui aboutit à l'entrée des alliés dans la capitale le 31 mars et à la déchéance de l'Empereur devant le Sénat le 2 avril.

◄ **Une défaite de Napoléon** — Extrait des Mémoires du général comte de Ségur : « Il était dix heures. Ney, Oudinot et Sébastiani, avec toute l'infanterie et la cavalerie, s'ébranlèrent. En peu d'instants, le rideau ennemi, qui couvrait les pentes, fut déchiré ; mais, parvenus sur la crête, un spectacle imposant les consterna. C'était toute l'armée alliée, avec ses réserves et ses souverains, plus de 100 000 hommes. Ils appelèrent l'Empereur, poursuit Ségur. Derrière une nuée de troupes légères, protégés par une artillerie formidable, leurs yeux exercés lui montrèrent, autour d'eux et de toutes parts, l'horizon chargé d'ennemis. C'était, de l'Est à l'Ouest, sur un vaste demi-cercle une multitude de masses noires et mouvantes, d'où jaillissait, aux rayons du jour, le reflet des armes. D'instant en instant, ces têtes de colonnes profondes, marchant à grands espaces, et se rapprochant de plus en plus entre elles et de notre position, resserraient l'enceinte. Et néanmoins Napoléon, s'opiniâtrant encore, niait l'évidence. Il leur répondait : "Que c'était une vision ; que ce qu'ils apercevaient à droite ne pouvait être que la cavalerie de Grouchy. Ce mouvement, s'écria-t-il, serait trop leste ; c'était une manœuvre trop hardie pour des Autrichiens ! Je les connais ; ils ne se lèvent pas si vite, et si matin !". C'était pourtant bien l'aile gauche de Schwarzenberg », constate Ségur. L'Empereur avait installé son quartier général au château où il passa la nuit, épuisé par cette journée chargée. Le champ de bataille se trouve sur la N 77 en venant de Troyes.

visiter

Place de la République
En dehors du fait qu'il soit un enfant du pays, l'audace du célèbre conventionnel méritait bien une statue : au milieu de la place, c'est une œuvre de Longepied (1888). ▶

Église — Détruite en grande partie en juin 1940, elle a conservé son élégant portail de style gothique flamboyant (1503). L'intérieur est éclairé par une double rangée de baies.

L'ÉLOQUENCE AU SERVICE DE LA RÉVOLUTION
Georges-Jacques danton naît à Arcis-sur-Aube le 28 octobre 1759. Orphelin de père (celui-ci était procureur) très jeune, il fait ses études à Troyes, puis à Arcis où il lit beaucoup, et s'installe ensuite à Paris pour étudier le droit. Lorsque la Révolution éclate, il est avocat. Servi par son éloquence fougueuse, Danton se fait remarquer au club des Cordeliers. après la chute de la royauté (10 août 1792), il dirige le gouvernement et participe à la création du Tribunal révolutionnaire et du Comité de Salut public. Après avoir tenté de s'entendre avec les Girondins, Danton travaille à leur chute ; mais Robespierre guette son vieil adversaire qui fait désormais partie des indulgents, c'est-à-dire de ceux qui veulent en finir avec la Terreur et signer la paix avec l'ennemi. Sur un rapport de Saint-Just, Danton et ses amis (Fabre d'Eglantine, Camille Desmoulin et Hérault de Séchelles) sont arrêtés. Traduits devant le Tribunal révolutionnaire, ils se défendent si bien que la Convention vote un décret mettant hors des débats tout prévenu qui insulterait la justice. Après une parodie de procès, ils montent sur l'échafaud le 6 avril 1794.

alentours

Lhuître *(13 km au Nord-Est par la D 441)*
Ce bourg dont le nom d'origine celtique signifie le village au bord de l'eau se trouve dans la vallée de la Lhuitrelle.

Église — Cet édifice est né d'un pèlerinage à sainte Tanche, jeune vierge et martyre qui, après sa décapitation, aurait porté sa tête dans ses mains jusqu'au lieu de sa sépulture. D'imposantes dimensions (50 m de long), l'église présente une nef, très élevée, marquant l'apogée du style gothique flamboyant. *Possibilité de visite guidée sur demande.* ☎ 03 25 37 04 27.
À l'intérieur, intéressantes statues du 16e s., parmi lesquelles, au revers de la façade, celle de sainte Tanche. Dans le transept, un retable en pierre de la même époque représente le *Portement de Croix*, la *Crucifixion* et la *Résurrection*. ▶

Dampierre *(21 km au Nord-Est d'Arcis-sur-Aube)*
Dès le Moyen Âge, les seigneurs de Dampierre furent de puissants vassaux des comtes de Champagne.

Derrière le majestueux châtelet, porte d'entrée flanquée de quatre tourelles en poivrière, on aperçoit le château de Dampierre.

Château — De la forteresse moyenâgeuse au donjon puissant, il ne reste qu'un châtelet, porte d'entrée flanquée de quatre tourelles poivrières datant du 15ᵉ s. On le voit s'élever au-delà d'une superbe grille de fer forgé du 18ᵉ s. et l'on aperçoit, derrière, le château bâti au 17ᵉ s., d'une ordonnance parfaitement classique. Le tsar Alexandre Iᵉʳ y séjourna le 23 février 1814.

Église — Ce monument du 16ᵉ s. a conservé un élégant chœur du début du 13ᵉ s. Elle abrite le tombeau de Pierre de Lannoy, qui fut baron de Dampierre, mort en 1523.

L'Argonne ★

Le passé s'est parfois acharné à marquer certains endroits de son empreinte douloureuse. L'Argonne en fait tristement partie. Difficile ici d'oublier le cauchemar de la Première Guerre mondiale. Et pourtant aujourd'hui, avec ses belles forêts, ses paysages vallonnés, ses villages aux saveurs authentiques, cette région est réellement un havre de paix agréable à parcourir.

La situation
Cartes Michelin nᵒˢ 56 plis 19, 20 ou 241 plis 18, 22, 23 — l'Argonne est partagée en 3 départements : Ardennes (08), Marne (51) et Meuse (55). Ce massif, dont la plus grande largeur entre Clermont et Ste-Menehould ne dépasse pas 12 km, atteint 308 m d'altitude au Sud de Clermontil. Il représentait jadis un obstacle sérieux à la circulation.

Le nom
Étymologiquement, Argonne, Argonna, de l'Argoat breton qui signifie le pays des bois.

Les gens
En 1792, Dumouriez arrêta les troupes prussiennes à la sortie des défilés de l'Argonne. Durant la guerre de 1914-1918, le front s'installa pendant 4 ans sur la ligne Four-de-Paris, Haute-Chevauchée, Vauquois, Avocourt, coupant l'Argonne en deux. Le souvenir demeure donc, celui des milliers de soldats tombés sur le champ de bataille lors de différents affrontements.

AVIS DE PASSAGE
Les vallonnements de l'Argonne constituent les voies de passage qui ont servi de couloirs d'invasion : défilés des Islettes, de Lachalade, de Grandpré baptisés les « Thermopyles de France ».

circuit

L'ARGONNE *(77 km — 1 journée)*

Clermont-en-Argonne
Sur le flanc d'une colline boisée dont le sommet (alt. 308 m) est l'un des points culminants de l'Argonne, Clermont affiche un certain cachet au-dessus de la vallée de l'Aire. Ancienne capitale du comté du Clermontois, la ville était dominée par un château fort entouré de remparts. Elle fit successivement partie de l'Empire germanique, de l'évêché de Verdun, du comté de Bar, du duché de Lorraine, avant de passer à la France en 1632. Louis XIV l'attribua au Grand Condé. Le château fut rasé après la Fronde.

◀ **Église St-Didier** — Du 16ᵉ s., elle possède deux portails Renaissance. De la terrasse, derrière l'église, vue sur l'Argonne et la forêt de Hesse. *Visite sur demande préalable.* ☎ 03 29 87 41 20.

Les voûtes du transept et du chœur de l'église St-Didier, de style gothique flamboyant, sont particulièrement ouvragées. Remarquez aussi les vitraux modernes et un « miroir de la Mort », bas-relief du 15ᵉ s.

La façade Ouest de l'église est surmontée d'une statue de saint Didier, placée dans une niche.

Chapelle Ste-Anne — Cet édifice abrite une Mise au tombeau du 16ᵉ s., composée de six statues dont le groupe des trois Marie, de pierre peinte. *Accès par le chemin qui passe à droite de l'église. S'adresser à l'Office de tourisme.* ☎ *03 29 88 42 22.*

Suivre une allée conduisant à l'extrémité du promontoire : vue sur la forêt d'Argonne et la vallée de l'Aire *(table d'orientation).*

Quitter Clermont-en-Argonne par la D 998, en direction de Neuvilly-en-Argonne. À Neuvilly, prendre la D 946. Sur la droite, à Boureuilles, la D 212 conduit à Vauquois. À l'entrée de Vauquois, prendre à gauche le chemin goudronné d'accès à la butte. Laisser la voiture et gravir le sentier qui conduit au sommet de la butte.

Butte de Vauquois

Les bélligérents de la Première Guerre mondiale se disputèrent cette butte. Pour en témoigner, un monument marque l'emplacement de l'ancien village détruit. Un

> **LAQUELLE DES TROIS ?**
> Reconnaîtrez-vous la très belle Marie-Madeleine attribuée à Ligier Richier ou à un sculpteur de son école ?

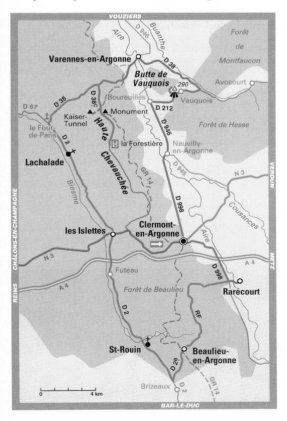

petit chemin, suivant la ligne de crêtes d'où vous verrez la forêt de Hesse, la butte de Montfaucon et la vallée de l'Aire, domine plusieurs cratères de mine profonds de 30 m. Le terrain est bouleversé aux alentours et l'on peut encore y voir les restes de barbelés et de chevaux de frise.

Rejoindre la D 38 qui mène à Varennes-en-Argonne.

Varennes-en-Argonne *(voir ce nom)*
Poursuivre par la D 38 puis tourner à gauche dans la route de la Haute-Chevauchée.

Haute-Chevauchée
C'est un des hauts lieux de la guerre 1914-1918. De violents combats s'y déroulèrent. Aujourd'hui, agréable promenade dans la forêt, cette route mène au « **kaiser-tunnel** » et au cimetière militaire de la Forestière. Dans les sous-bois, de part et d'autre de la route, des tranchées et des boyaux sont encore visibles. *De juil. à fin août : visite guidée (3/4h) w.-end et j. fériés 15h-18h. 20F.*

Revenir à la D 38, poursuivre jusqu'à Four-de-Paris, puis prendre la D 2 vers Lachalade.

Lachalade

Le village est dominé par l'imposante silhouette d'une ancienne abbaye cistercienne. Les bâtiments monastiques *(propriété privée)*, dont il subsiste deux ailes, furent reconstruits au 17e s. L'**église** du 14e s. ne comporte plus que deux travées, d'où ses curieuses proportions, les trois premières ont été détruites lors d'un incendie au début du 17e s.

Continuer vers les Islettes.

Les Islettes
Ce fut un bourg très actif connu pour ses tuileries, verreries et surtout faïenceries.

La D 2 traverse Futeau et entre dans la forêt de Beaulieu.

Ermitage de St-Rouin

Saint Roding (ou Rouin) était un moine irlandais du 7e s. Retiré en Argonne, il fonda un monastère auquel succéda l'abbaye de Beaulieu. Dans un beau site forestier a été aménagée une « cathédrale de verdure ». Un bâtiment solitaire, l'abri des pèlerins, accueille le visiteur, puis, sous la voûte des arbres apparaît une chapelle moderne en béton conçue par le RP Rayssiguier, disciple dominicain de Le Corbusier. Les vitraux multicolores ont été créés par une jeune artiste japonaise.

Poursuivre sur la D 2 puis tourner à gauche vers Beaulieu-en-Argonne.

Beaulieu-en-Argonne
Ancien siège d'une importante abbaye bénédictine, ce village très fleuri s'allonge sur une butte d'où vous aurez de belles vues sur le massif forestier. De l'ancienne abbaye subsistent quelques murs et surtout un **pressoir★** du 13e s. tout en chêne (la vis est en charme) dans lequel les moines pouvaient presser 3 000 kg de raisin donnant 1 600 l de jus. *De mars à fin nov. : 9h-18h.*

L'ermitage de St-Rouin, perdu au milieu de ce beau site forestier, fait l'objet d'un pèlerinage vers la mi-septembre.

De Beaulieu-en-Argonne prendre la route forestière qui longe le bâtiment du pressoir (sur la gauche), poursuivre jusqu'au carrefour des 3 Pins ; continuer tout droit, puis prendre à droite la direction de Rarécourt.

Rarécourt
Sur la route à droite après le pont sur l'Aire.

Musée de la Faïence — Dans une maison forte du 17ᵉ s., il présente plus de 800 pièces de faïences et terres cuites régionales (Islettes, Lavoye, Waly, Rarécourt...) des 18ᵉ et 19ᵉ s. ⑂ *De fin juin à fin août : 10h30-12h, 14h-18h30. 25F.*

Rejoindre Clermont-en-Argonne par la D 998.

Bar-sur-Aube

Le négoce, toujours le négoce ! Si au Moyen Âge, Bar-sur-Aube était célèbre pour ses foires, aujourd'hui, la ville met en avant son champagne dont le vignoble s'étale sur les coteaux avoisinants.

La situation
Cartes Michelin nᵒˢ 61 pli 19 ou 241 pli 38 — Aube (10). Traversée par la N 19, Bar-sur-Aube est le point de départ de la Côte des Bar, route touristique du champagne. ⊟ *Pl. de l'Hôtel-de-ville, 10200 Bar-sur-Aube, ☎ 03 25 27 24 25.*

Le nom
Le nom dériverait du mot celte *Barr* qui signifie sommet.

Les gens
6 705 Baralbins ou Barsuraubois à votre choix. La région a rendu hommage au philosophe **Gaston Bachelard** né ▶ à Bar-sur-Aube (1884-1962).

se promener

Ceinturée de boulevards établis sur l'emplacement des remparts disparus, la ville a conservé quelques belles maisons anciennes. Ici, un hôtel du 18ᵉ s., là une demeure du 16ᵉ. Encore une du 18ᵉ. Et ce n'est pas fini... N'hésitez donc pas à y faire un tour.
Partir de la place de l'Hôtel-de-Ville.

Hôtel de ville
Il occupe une partie de l'ancien couvent des Ursulines construit en 1634 pour l'éducation des jeunes filles.

Rue d'Aube
Aux nᵒˢ 16 et 18 (actuellement hôtel de la poste), demeure du 18ᵉ s. aux beaux balcons en fer forgé où Jeanne de Valois de St-Rémy connut le comte de la Motte, son futur mari.
Au nᵒ 15, maison 18ᵉ s. Au nᵒ 32, garde-corps de balcon fin 18ᵉ s. Au nᵒ 33, hôtel fin 16ᵉ s. Au nᵒ 44, maison Renaissance avec porte en plein cintre dont les pilastres supportent un fronton triangulaire à denticules.
Prendre à gauche la rue Jeanne-de-Navarre.

Église St-Maclou
Cette ancienne chapelle du château des comtes de Bar du début du 11ᵉ s. présente une façade classique du 18ᵉ s., inspirée de la porte du « grand cloître » de Clairvaux. Son clocher du 12ᵉ s. était le donjon du château. On voit encore l'emplacement de la herse.

Des sculptures monumentales ont pour thèmes les éléments qui ont inspiré les essais de Gaston Bachelard : la terre à Mailly-Champagne ; l'eau à Lusigny-sur-Barse ; l'air à Langres (tour St-Ferjeux) ; le feu, non réalisée.

CONSPIRATION
Le cardinal de Rohan, afin d'entrer dans les bonnes grâces de la reine Marie-Antoinette, intrigua pour acquérir un somptueux collier. Il choisit comme intermédiaire la comtesse de la Motte. Cette dernière, manipulée par Cagliostro, récupéra le bijou au profit de son amant. Suite à cette burlesque aventure, le cardinal se révéla insolvable et l'**affaire du collier** éclata, discréditant la reine à la veille de la Révolution.

Le long de la façade et sur le bas-côté droit de la nef, l'église présente une curieuse galerie couverte d'une charpente, sorte de halle, d'où son nom de « Halloy ».

Contourner l'église par la droite.

Au niveau du chevet, un occulus permettait de voir le saint sacrement notamment la nuit.

Poursuivre par la rue Mailly.

On passe devant le portail ouvragé de la sous-préfecture, ancien grenier à sel.

Traverser la rue Nationale, principale rue animée et commerçante.

Au n° 14, la **chapelle St-Jean** (11ᵉ et 12ᵉ s.), désaffectée, appartint à la commanderie de l'ordre de St-Jean.

Prendre la rue St-Jean puis à gauche la rue du Général-Vouillemont.

Cellier aux Moines

L'ancienne maison de ville des moines de Clairvaux abrite un beau cellier voûté d'ogives du 12ᵉ s.aujourd'hui aménagé en restaurant. Au bout de la rue du G.-Vouil-

carnet pratique

OÙ DORMIR

VALEUR SÛRE

Moulin du Landion – *10200 Dolancourt - 9 km NO de Bar-Sur-Aube par N 19 dir. Troyes -* ☎ *03 25 27 92 17 - fermé 1ᵉʳ déc. au 15 fév. -* 🅿 *- 16 ch. : 340/460F -* ☐ *50F - restaurant 99/325F.* Dans cet ancien moulin à colombages, tout est calme et douceur. Les chambres s'ouvrent sur un parc paysagé. Les baies vitrées de la salle à manger à deux niveaux surplombent la grande roue à aubes et le cours d'eau. Belle piscine d'été.

OÙ SE RESTAURER

À BON COMPTE

Le Cellier Aux Moines – *R. Gén. Vouillemont -* ☎ *03 25 27 08 01 - fermé dim. soir, lun. soir et mar. soir - 96/165F.* Sous les ogives du 12ᵉ s.,

il fait bon s'attabler dans ce restaurant pour découvrir une cuisine bien tournée à prix sages. Le cellier aux moines fut le quartier général des vignerons locaux lors de la révolte de 1912 qui permit à la région de la côte des Bar de conserver son appellation champagne.

Toque Baralbine – *18 r. Nationale -* ☎ *03 25 27 20 34 - fermé 3 au 23 janv., dim. soir et lun. sf j. fériés - 99/280F.* Laissez-vous tenter par la devise affichée de ce restaurant du centre-ville qui vous promet bonheur, finesse et plaisir... Vous y dégusterez des produits frais du terroir cuisinés avec finesse dans un cadre classique et sobre.

VISITE DE CAVES

Breuzon – *10200 Colombé-le-Sec,* ☎ *03 25 27 02 06.*

Cellier St-Vincent – *52330 Argentolles,* ☎ *03 25 02 58 05.* Il regroupe les vignerons de Rizaucourt et d'Argentolles, exposition sur les travaux de la vigne et du vin.

Drappier – *Grande-Rue, 10200 Urville,* ☎ *03 25 27 40 15.* Caves du 12ᵉ s.

Dumont – *10200 Champignol-lez-Mondeville,* ☎ *03 25 27 45 95.*

Clément – *10200 Colombé-le-Sec,* ☎ *03 25 92 50 71.*

SPÉCIALITÉS

Les caisses de Bar, une des spécialités de la ville, sont de délicieuses meringues rondes avec des amandes effilées à l'intérieur.

lemont, vue sur le chevet de l'église St-Pierre, dont le toit d'une seule volée recouvre les chapelles absidiales. *10h-15h, 18h-21h. Fermé en fév. Gratuit.* ☎ *03 25 27 08 01.*

Église St-Pierre★

Elle fut construite en plusieurs étapes à l'emplacement d'une ancienne église dont on aurait conservé le sol : chose curieuse et inhabituelle, il faut descendre huit marches pour accéder à la nef. Le maître-autel provient de l'abbaye de Clairvaux, l'orgue de celle de Remiremont. Une cinquantaine de pierres tombales marquent l'emplacement des sépultures de seigneurs locaux et de riches commerçants. La statue de la *Vierge au Bouquet* (fin du 15ᵉ s.) en pierre polychrome est représentative de l'école troyenne

Bibliothèque

Rue St-Pierre, nᵒ 13. Elle est installée dans l'hôtel de Brienne, début 17ᵉ s.
Contourner la bibliothèque pour admirer la façade Renaissance avec ses fenêtres à meneaux.
Prendre à gauche la rue Thiers qui a conservé des maisons à pan de bois (très vieille poutre sculptée au nᵒ 8).
Traverser à nouveau la rue Nationale et prendre les petites rues de la Paume et du Poids pour regagner la place de l'Hôtel-de-ville.

alentours

Chapelle Ste-Germaine *(4 km au Sud-Ouest de la ville)*
Sortir par la D 4. À 3 km, prendre à gauche, dans un virage, un chemin en forte montée où laisser sa voiture.
Ce chemin, que l'on prend à pied, aboutit à une chapelle de pèlerinage élevée pour Germaine, vierge martyrisée à cet emplacement par les Vandales en 407. Après cette chapelle et en contournant la maison, on parvient à une table d'orientation : échappées sur Bar-sur-Aube, la vallée, Colombey-les-Deux-Églises et sa croix de Lorraine, les forêts des Dhuits et de Clairvaux.

Nigloland *(9 km au Nord de Bar-sur-Aube par la N 1)*
De Troyes, navettes courriers de l'Aube, renseignements ☎ *03 25 71 28 42.*
🎡 Roulez jeunesse... Le petit train emmène en balade petits et grands. Les amateurs de sensations fortes s'en donneront à cœur joie en prenant le Gold Mine Train ou en descendant la rivière canadienne. Plus d'émotions encore avec la navette de l'espace. Ne manquez pas non plus le ciné-show sur écran à 180° ou le spectacle de la troupe des niglo (automates électroniques) dans le théâtre du village canadien. Pour voir le parc de plus haut, faites un tour en ballon. Des boutiques et des points de

---

À PIED
🚶 Pour les marcheurs, après le pont sur l'Aube, prendre la rue Pierre-Brosselette puis tout droit en longeant le lycée et grimper par le sentier aménagé sous une futaie (1/2h) pour atteindre la chapelle.

C'EST UN HÉRISSON...
qui piquait et qui voulait qu'on le caresse... Nigloland est le pays du hérisson. Dans la langue des gens du voyage, niglo signifie hérisson. Donc logiquement, Nigloland est le pays du hérisson.

Au gré des méandres, agréable promenade en famille sur la rivière enchantée de Nigloland.

restauration sont bien sûr à votre disposition. &. *Avr.-juil. : 10h30-18h (dernière entrée 2h av.) ; août : 10h-21h ; sept.-oct. : w.-end 10h30-17h30. 78F (enf. : 68F).* ☎ 03 25 27 94 52.

Soulaines-Dhuys

18 km au Nord de Bar-sur-Aube par la D 384
À pied, vous n'avez qu'à suivre les traits blancs et jaunes pour découvrir ce charmant village traversé dans toute sa longueur par la Laine. Ici, pas d'écheveau mais plutôt une tuilerie artisanale de la Croix Callée (qui fabrique des pavés à décor médiéval). Vous trouverez aussi de jolies maisons à pans de bois (dont une du 13e s.), des jardins potagers, une chapelle St-Jean avec son avancée également à pans de bois, une église du 16e s., la résurgence de la Dhuys près du moulin banal.

Agence nationale pour la gestion des déchets radioactifs (ANDRA)

25 km au Nord. Prendre la D 384 jusqu'à soulaines puis la D 24 en direction d'Épothémont. La route traverse la forêt de Soulaines. 1 km après La Ville-aux-Bois, à un carrefour, tourner à gauche. Doit-on avoir peur des déchets radioactifs ? Le centre de l'Aube, en exploitation depuis janvier 1992, est là pour vous donner une explication tout en vous rassurant. Il est conçu pour recevoir l'ensemble des déchets faiblement et moyennement radioactifs à vie courte, produits en France. Dans le bâtiment d'accueil : expositions, maquettes animées, bornes interactives et espace radioactivité. *Visite guidée sur demande préalable (2h) tlj sf w.-end 9h-12h, 14h-17h (mai-oct. : visite supp 14h30 et 16h30 dim. et j. fériés). Bâtiment d'accueil : 9h-12h, 13h30-18h. Gratuit. Pièce d'identité.* ☎ 03 25 92 33 04.

circuit

LE PAYS BARALBIN *(55 km — environ 2 h)*
Sur cette route, des paysages variés où les coteaux couverts de vignes alternent avec les bois et les vallées.
Quitter Bar-sur-Aube par la N 19 à l'Est, puis la D 396 à droite à la sortie de la ville.

Bayel
Créée en 1666 par le maître verrier vénitien Jean-Baptiste Mazzolay, la cristallerie de Bayel est célèbre pour sa prestigieuse production.
Cristallerie — Dans des fours chauffés à 1 450°, un mélange de sable, de chaux, de soude et de plomb permet d'obtenir, au bout de douze heures de cuisson, une matière prête à travailler. Moulées ou soufflées, les pièces sont toutes faites à la main. *Visite guidée (1h1/2) tlj sf dim. à 9h30 ou 11h, sam. sur demande. Fermé de mi-juil. à mi-août, dernière sem. déc., j. fériés. 25F.*

Écomusée du centre Mazzolay — Pour les personnes qui ne peuvent visiter l'usine, le centre aménagé dans trois petites maisons ouvrières *(entrée par l'Office de tourisme)* permet de découvrir, grâce à des maquettes, l'origine du verre et ses différents composants, le processus de fabrication ainsi que les différentes techniques d'ornementation comme le guillochage, la gravure... &. *9h30-13h, 14h-18h, dim. et j. fériés 14h-18h. Fermé 1er janv., 1er mai, dernière sem. déc. 25F.*

Église — Bayel recèle dans sa modeste église une **Pietà**★ du 16e s. La simplicité de l'attitude, le réalisme des traits, la perfection du modelé et l'harmonie des plis du vêtement dénotent l'intervention du maître de Chaource.
Rejoindre la D 396 en direction de Clairvaux, au bout de 1,5 km tourner à droite vers Baroville, puis vers Arconville par la D 70.
La route traverse la forêt de Clairvaux et les vignobles du champagne de l'Aube. Entre Baroville et Arconville, vous pourrez voir à l'Est jusqu'au plateau de Langres.

PRATIQUE
Pour une promenade plus attractive, demander le dépliant au point accueil touristique, ☎ 03 25 92 28 33 ou à l'Office du tourisme de Troyes.

Du savoir-faire de cet artisan, naîtra un verre joliment décoré.

VIDÉO
Afin de compléter votre visite, vous pourrez visionner un film (17 mn) sur la cristallerie, la ville de Bayel et ses environs.

Cette Piéta du 16ᵉ s., en pierre polychrome, orne l'autel du bas-côté droit de l'église de Bayel.

Prendre la D 101 vers Clairvaux.

Clairvaux *(voir ce nom)*
Prendre la D 12, puis à gauche la route forestière du Val St-Bernard (2 km).

Fontaine St-Bernard
Une halte a été aménagée dans un site ravissant. On a longtemps cru être à l'emplacement d'origine de l'abbaye en 1115.

Traverser la D 396 et rejoindre Colombey-les-Deux-Églises par Outre-Aube, Longchamp-sur-Aujon, puis la D 15 et la D 23.

La forêt des Dhuits, où se promenait souvent le général de Gaulle, possède de belles futaies de hêtres et de chênes. Il n'est pas rare de voir des cerfs et des sangliers.

Colombey-les-Deux-Églises *(voir ce nom)*
Quitter Colombey-les-Deux-Églises par la N 19 vers Bar-sur-Aube et, 2 km plus loin, prendre à droite la D 235.

Entre Rouvres-les-Vignes et Colombé-le-Sec, le vignoble champenois de l'Aube.

Colombé-le-Sec
Ce village possède un curieux lavoir qui daterait du 12ᵉ s. L'église, très remaniée au 16ᵉ s., conserve de l'époque romane un linteau décoré d'une croix grecque entourée d'un agneau pascal et d'un loup.

Après Colombé-le-Sec, on passe devant la belle **ferme du Cellier** (16ᵉ s.) construite au-dessus d'un cellier cistercien du 12ᵉ s. qui était une dépendance de l'abbaye de Clairvaux *(voir ce nom). Visite guidée (1h) sur demande préalable.* ☎ *03 25 27 88 17.*

Revenir à Bar-sur-Aube par la D 13.

Bar-sur-Seine

Si vous scrutez à travers une coupe de champagne, n'oubliez pas que vous êtes dans sa capitale auboise, vous verrez se glisser entre les bulles, des paysages champêtres et colorés, des hommes en haut-de-forme, tout l'univers du peintre Renoir, en villégiature à quelques kilomètres de Bar.

La situation
Cartes Michelin nᵒˢ 61 plis 17, 18 ou 241 plis 41, 42 — Aube (10). Au Sud-Ouest de Troyes sur la N 71. S'étendant sur la rive gauche de la Seine à un endroit où la vallée se rétrécit, la ville est adossée à une ligne de coteaux.
🖪 *33 r. Gambetta, 10110 Bar-sur-Seine,* ☎ *03 25 29 94 43 .*

carnet pratique

OÙ DORMIR

À BON COMPTE

Chambre d'hôte Le Prieuré – *1 pl. de l'Église - 10260 Fouchères - 10 km au NO de Bar-sur-Seine par N 71 - ☎ 03 25 40 98 09 - ⊟ - 5 ch. : 200/250F.* Sur une exploitation agricole en activité (bovins), cet ancien prieuré a belle allure avec ses deux tours du 11ᵉ s. et son aile de style Renaissance. Au calme, les grandes chambres peuvent aussi accueillir les familles.

Chambre d'hôte Capitainerie de Saint Vallier – *R. du Pont - 10110 Bourguignons - 3 km au N de Bar-sur-Seine par N 71 - ☎ 03 25 29 84 43 - ⊟ - 5 ch. : 200/330F.* Cette ancienne maison éclusière ne vous laissera pas indifférent, sa propriétaire a privilégie l'accueil, l'art et la culture. Le grand jardin fleuri et ombragé fait oublier la proximité de la route. Chambres confortables et personnalisées.

Val Moret – *10110 Magnant - 9 km au NE de Bar-sur-Seine près échangeur autoroute - ☎ 03 25 29 85 12 - ◪ - 30 ch. : 200/295F - ⊑ 40F - restaurant 83/215F.* Les chambres simples et fonctionnelles de cette grande bâtisse moderne et fleurie, style « motel », vous dépanneront agréablement. Bonne insonorisation et bon rapport qualité/prix. Cuisine traditionnelle sans prétention.

OÙ SE RESTAURER

À BON COMPTE

Aux Berges de l'Ource – *10360 Essoyes - 17 km au SE de Bar-sur-Seine par N 71 et D 67 - ☎ 03 25 29 60 42 - 56F.* La terrasse ombragée de ce modeste restaurant, au bord de la rivière, est une invitation à la détente. L'unique menu du jour est aussi simple que bon marché. Cette maison, à la bonne franquette, abrite aussi le café du village.

VALEUR SÛRE

Parc de Villeneuve – *1 km de Bar-sur-Seine par rte de Dijon - ☎ 03 25 29 16 80 - fermé 25 oct. au 13 nov., vac. de fév., dim. soir, lun. soir et mer. - 190/490F.* Le charme d'une escale étoilée.... Entre Champagne et Bourgogne, cette belle maison de maître entourée d'un grand parc vous servira fruits de mer de Bretagne et légumes du sud. Accompagnés de vins et champagnes de la région... quand même !

VISITE DE CAVES

Dans les villages, les vignerons et négociants vous accueilleront pour vous parler avec passion de l'élaboration du champagne.
Cheurlin et Fils – *13 r. de la Gare, 10250 Gyé-sur-Seine, ☎ 03 25 38 20 27.*
René Jolly – *10 r. de la Gare, 10110 Landreville, ☎ 03 25 38 50 91.*
Marcel Vezien – *68 Grande-Rue, 10110 Celles-sur-Ource, ☎ 03 25 38 55 04.*
Jean-Paul Richardot – *10110 Loches-sur-Ource, ☎ 03 25 29 71 20.*

La devise
Sur la maison Renaissance, un cartouche mentionne l'inscription « Mieux vaut un peu avec justice que gros revenu sans équité », devenue depuis la devise de la ville.

CÉLÈBRE BARSÉQUANAISE
Jeanne de Navarre est née en janvier 1273 à Bar-sur-Seine. Fille d'Henri III, dernier comte de Champagne, elle épouse Philippe IV le Bel. Ce mariage permet le rattachement du comté à la couronne de France en 1285.

Les gens
3 630 Barséquanais. Ne pas les confondre avec les Bar-suraubois : ce n'est pas la même rivière qui coule à leurs pieds !

se promener

Cette ville a gardé en son cœur ses maisons anciennes des 16ᵉ et 17ᵉ s., symboles de sa prospérité d'antan.
Laisser la voiture sur le parking Allée Porte de Troyes, établi sur les anciens fossés des fortifications non loin de l'église.

Église St-Étienne
Cette église du 16ᵉ s. présente un mélange gothique et Renaissance. L'**intérieur**★ est intéressant par ses vitraux et verrières en grisaille, caractéristiques de l'école troyenne du 16ᵉ s. Dans le croisillon Sud, quatre bas-reliefs illustrant la vie de saint Étienne sont attribués à Dominique Florentin. Dans le croisillon Nord, les panneaux d'albâtre évoquant la vie de la Vierge et les statues de sainte Anne et saint Joseph sont l'œuvre de François Gentil.

Traverser la place et prendre à gauche la cour de la Mironne puis un petit passage couvert qui conduit à la **rue de la République**.

AGENDA
Un marché se tient tous les vendredis matin sur la place du même nom perpétuant ainsi la tradition depuis 1229.

En briques et à colombage, la Maison Renaissance présente de beaux pilastres en bois sculptés.

À gauche du passage, belle maison de pierre. En face, la plus grande maison de Bar a été le casino de la ville. Sur la droite, le passage de la Poste présente des maisons à colombage aux poutres sculptées.

Maison Renaissance — *17 rue de la République*. À l'angle de la maison, une petite niche abrite saint Roch et son chien.

Tourner à droite dans l'avenue Paul-Portier. À l'angle de ces deux rues s'élève l'une des plus vieilles maisons dite de l'Apothicaire (15e s.).

Au passage regarder à droite, au bout de la rue Lagesse, une maison appelée maison du charron, pseudonyme dû à la charpente qui donne l'effet d'une roue.

Prendre la rue des Fossés créée sur l'emplacement d'anciens fossés, puis tourner à droite dans la **rue de la Résistance**. Remarquer au n° 118 les pilastres d'ordre corinthien de la chapelle de la Passion fondée au 12e s. Au n° 135 de la **Grande-Rue**, derrière le portail, un escalier de pierre (173 marches) mène à flanc de coteau à l'ancien château dont il subsiste la **tour de l'Horloge** ou ▶ tour du Lion reconstruite en 1948.

Au pied de la tour, beau panorama sur les toits de la ville dominée par la masse de l'église, la forêt et le vignoble.

alentours

Rumilly-lès-Vaudes

13 km au Nord-Ouest de Bar-sur-Seine par la N 71, puis la D 85 après Fouchères.

Église — Bel édifice du 16e s. au grand portail richement sculpté ; à l'intérieur magnifique **retable★** de 1533 et quelques vitraux de la fin du 16e s. dont certains du maître troyen Linard Gontier. *Possibilité de visite guidée. M. Daunay.* ☎ *03 25 40 92 14.*

Château — Cette construction du 16e s. cantonnée de tourelles était la demeure d'un riche marchand de Troyes.

Ce retable en pierre polychrome est l'une des œuvres à voir dans l'église de Rumilly-lès-Vaudes.

circuit

LE BARSÉQUANAIS *(56 km — environ 2h)*

La vigne fut cultivée très tôt sur les coteaux aubois. Détruit par le phylloxéra à la fin du 19e s., le vignoble fut progressivement reconstitué. Entre 1905 et 1927, les viticulteurs de l'Aube durent lutter pour obtenir l'appellation champagne ; de rudes affrontements eurent lieu en 1911.

Quitter Bar-sur-Seine par la D 4 et poursuivre par la D 167 qui passe par Merrey-sur-Arce.

Un peu plus loin, tourner à droite vers Celle-sur-Ource, village viticole, puis prendre à gauche la D 67 vers Essoyes.

La route traverse le charmant bourg de **Landréville** aux rues étroites. L'église et sa tour sont du 12e s.

Essoyes

Auguste Renoir (1841-1919) avait acheté une maison dans le village natal de sa femme. Il venait y passer chaque été en famille et le peint souvent.

Atelier — Photos, documents, objets personnels du peintre y sont rassemblés. À l'étage, l'atelier revit chaque été grâce à un jeune artiste choisi par l'association Renoir.

Cimetière — C'est là que reposent Auguste Renoir, sa femme Aline Charigot ainsi que leurs trois fils, Pierre (comédien), Jean (cinéaste) et Claude (céramiste). *Mai-sept. : 14h-18h30 ; d'oct. à déb. nov. : w.-end et j. fériés 14h-18h30. 10F.* ☎ *03 25 38 56 28.*

Maison de la Vigne — Sur la place du village, dans les anciennes écuries du château, un musée expliquant l'élaboration du champagne depuis le cep jusqu'à la mise en bouteilles a été aménagé. &. *Pâques-Toussaint : 14h30-18h30. 15F.* ☎ *03 25 29 64 64.*

Prendre la D 79 vers le Sud, puis aussitôt à droite la D 117 à travers la forêt et enfin la D 17.

Mussy-sur-Seine

Mussy a conservé quelques maisons anciennes des 15e et 16e s. Appelé autrefois « Mussy-l'Évêque » car les évêques de Langres y avait leur château d'été, villégiature aujourd'hui occupée par la mairie.

Église St-Pierre-ès-Liens — Édifiée à la fin du 13e s., elle frappe par ses vastes dimensions. Son abside présente de grandes analogies avec St-Urbain de Troyes. Elle abrite le *Saint Jean Baptiste,* haut de 2 m, dans la chapelle des fonts baptismaux ; le tombeau du 14e s. avec les gisants des fondateurs de l'église. *Juil.-sept. : w.-end (ap.-midi) ; oct.-juin : s'adresser à la mairie.* ☎ *03 25 38 40 10.*

Musée de la Résistance — Dans une pièce sont réunis quelques souvenirs évoquant le maquis de Grancey en 1944. *De mi-juin à déb. août : visite guidée du maquis ; visite du musée toute l'année sur demande préalable auprès de M. Philippe. 10F.* ☎ *03 25 38 40 24.*

Poursuivre au Sud-Ouest par la D 17.

Après avoir traversé la forêt, la route arrive en vue des coteaux couverts de vignobles des Riceys. Au cours de la descente vers les Riceys, on distingue bien les trois villages dominés chacun par son église Renaissance.

Les Riceys *(voir ce nom)*

Aux Riceys, prendre au Nord la D 452, puis la D 207 qui passe par Polisot, village entouré de vignes et de bois.

Rejoindre Bar-sur-Seine par la N 71.

Portrait de Renoir par Maurice Denis exécuté à Cagnes en février 1913.

L'ASSOCIATION RENOIR
Créée en 1986 à l'initiative de Claude Renoir et de sa femme, elle a pour but de favoriser le travail de jeunes artistes, en leur accordant une bourse. L'œuvre du lauréat est exposée l'année suivante à la maison de la Vigne.

BALADE PICTURALE
🚶 4 circuits de randonnée balisés (entre 3 et 14 km) autour d'Essoyes permettent de revoir les sites qui ont inspiré Renoir.

Parc de vision de **Belval** ★

Avant, ces 600 ha de bois, de prairies et d'étangs étaient le domaine de moines augustins. Aujourd'hui, le parc appartient à la fondation de la maison de la chasse et de la nature, créée en 1964 à l'initiative de François Sommer, fils du pionnier de l'aviation. Ne pensez pas entrer dans un zoo... Le parc n'accueille que les animaux ayant vécu ou vivant sur ces terres depuis des siècles. Donc vous l'aurez compris, pas de singe, encore moins d'éléphant ! Ici, nos amies les bêtes sont chez elles et vivent en semi-liberté.

La situation
Cartes Michelin n°s 56 plis 9, 10 ou 241 pli 14 — Ardennes (08). Au cœur de la forêt ardennaise de Belval, le parc fait partie du vaste massif forestier des Dieulets.

Le nom
Il vient du latin *Bella Vallis*, belle vallée.

Les gens
À Belval est né J.-J. Herbulot, qui a dessiné en 1952 le vaurien. Nombre de jeunes apprentis marins ont fait leur armes sur ce petit dériveur.

visiter

&. *De mai à fin août : tlj sf mar. et mer. 12h30-18h, dim. et j. fériés 10h30-18h. 30F.* ☎ *03 24 30 01 86.*

◉ Un circuit forestier en automobile d'environ 6 km permet d'observer les animaux en semi-liberté dans de très vastes enclos : sangliers, daims, cerfs, chevreuils, mais aussi mouflons, bisons, ours, élans qui avaient disparu de ces contrées. Ils sont surtout visibles en fin de journée. Sur les étangs s'ébattent des canards, des colverts et des hérons.

> **À VOS JUMELLES !**
> Des aménagements facilitent l'observation des animaux. Ainsi des stationnements sont autorisés sur les parkings prévus pour de petits parcours pédestres et pour accéder à des miradors.

Vallée de la **Blaise**

Sans le savoir, vous vous êtes sûrement déjà assis sur un banc, extasié devant une fontaine ou une statue en fonte en provenance de cette vallée dont la nature simple et candide comble les contemplatifs. Suivez la Blaise, elle vous conduit, à travers prairies et vallons boisés, sur les traces de Voltaire.

> **BANCS PUBLICS**
> C'est dans cette région que se fabrique le mobilier urbain de nombreuses villes : statues, fontaines, bancs, candélabres...

La situation
Cartes Michelin n°s 61 Est du pli 19 ou 241 pli 38 — Haute-Marne (52). Admirer les villages à flanc de coteau ou au bord de la Blaise avec leurs belles maisons en pierre blanche. *Voir les Offices du tourisme de St-Dizier ou de Wassy.*

Le nom
Vient de Blésia, probablement un hydronyme prélatin.

Les gens
Comme le miel attire les ours, la Blaise attire les pêcheurs ! Les truites sont si nombreuses que leur capture est limitée à 6 par jour.

itinéraire

DE JUZENNECOURT À ST-DIZIER

85 km — 3h. Suivre la D 133 qui traverse la forêt de l'Étoile.

Lamothe-en-Blaise

Ce village à flanc de coteau est situé en lisière de la belle forêt domaniale du Plachet.

Poursuivre par la D 2 qui passe au bas du village de Daillancourt avec ses belles maisons en pierre blanche.

Cirey-sur-Blaise

Cirey occupe un site plaisant au creux de la vallée. De 1733 à 1749, **Voltaire** fit de longs séjours à « Cirey la félicité » dans le château de son amie la marquise du Châtelet qu'il avait baptisée la « divine Émilie ». Il y faisait des expériences de physique avec cette femme passionnée par les sciences. C'est à Cirey qu'il apprit sa cruelle disgrâce : Émilie le trompait avec le poète Saint-Lambert.

Château — Il présente un pavillon Louis XIII, seule partie réalisée d'un ambitieux projet, et l'aile du 18ᵉ s. construite par Mme du Châtelet et Voltaire. On y pénètre par un **portail** de style rocaille, dessiné par Voltaire lui-même, orné d'emblèmes maçonniques. À l'intérieur, on visite la bibliothèque, la chapelle, la cuisine Louis XIII, des pièces de réception décorées de tapisseries et, sous les combles, le petit théâtre de Voltaire d'une simplicité touchante. *De juil. à mi-sept. : visite guidée (3/4h) 14h30-18h30 ; mai-juin : dim. et j. fériés 14h30-18h30. 30F (-10 ans : gratuit).*

Doulevant-le-Château

Entouré de belles forêts, Doulevant est connu pour ses ateliers de ferronnerie et de fonte. L'église des 13ᵉ-16ᵉ s. présente un beau portail Renaissance.

À Doulevant, prendre la D 60 vers Soulaines-Dhuys et à la sortie de Villiers-aux-Chênes à droite la D 229.

Voltaire composa à Cirey plusieurs de ses œuvres dont les tragédies d'*Alzire* et de *Mahomet*.

Le château de Cirey-sur-Blaise garde une fière allure sur son promontoire dominant la Blaise.

Sommevoire

Niché dans un vallon où la Voire prend sa source, ce village connut son essor métallurgique au 19ᵉ s. En 1847, Antoine Durenne rachète une fonderie et oriente sa production vers la fonte d'art (luminaires, fontaines, vases, statues religieuses). Aujourd'hui subsiste une entreprise qui produit du mobilier urbain et des fontes d'art.

Le Paradis — Il renferme des modèles monumentaux en plâtre avec des animaux fantastiques, des vierges, des motifs décoratifs reflétant les œuvres d'artistes éminents tels que Bartholdi, Carrier-Belleuse, Klagmann. *Août : tlj sf lun. 14h30-18h30 ; juil. et sept. : w.-end et j. fériés 14h30-18h30. 15F.* ☎ *03 25 55 61 70 ou 03 25 55 71 46.*

Intérieur du Paradis.

Église St-Pierre — Désaffectée, elle sert de lieu d'exposition pour les fontes réalisées à Sommevoire. *Mêmes conditions de visite que le Paradis.*

Revenir à Doulevant.

Dommartin-le-Franc

Des ateliers de fonderie fonctionnaient naguère dans ce village. L'ancien **haut fourneau,** construit en 1834, a été restauré et sert de lieu d'exposition sur la métallurgie ancienne et la fonte d'art. *De juil. à fin sept. : w.-end 14h30-18h30 (de mi-juil. à fin août : tlj sf mar. 14h30-18h30). 20F.* ☎ *03 25 05 00 41.*

Montreuil-sur-Blaise

De son passé industriel, Montreuil qui comptait au 17ᵉ s. forges et hauts fourneaux a conservé une belle roue à aube de 1890.

Suivre la D 2 jusqu'à Wassy et St-Dizier (voir ces noms).

Bourbonne-les-Bains ⚭ ⚭

À en croire les panneaux à l'entrée et à la sortie de la ville, celui qui arrive avec des béquilles repart sautillant comme la gazelle au vent léger, grâce à la vertu des eaux chaudes de Bourbonne. Ça vaut le coup d'essayer, vous ne risquez qu'une petite entorse à votre budget vacances.

La situation

Cartes Michelin nᵒˢ 62 plis 13, 14 ou 242 pli 33 — Haute-Marne (52). L'église au sommet d'une butte, l'établissement thermal au bas ; entre les deux, à mi-pente, la Grande-Rue commerçante. **🛈** *34 pl. des Bains, 52400 Bourbonne-les-Bains,* ☎ *03 25 90 01 71.*

carnet d'adresses

À l'entrée de la ville.

Le nom

Bourbonne dérive étymologiquement de *Borvo*, dieu gaulois. Les Gallo-Romains s'adressaient au dieu bouillonnant des eaux thermales, connu non seulement à Bourbonne mais aussi à Bourbon-Lancy, Bourbon-l'Archambault, en espérant qu'il les guérisse...

Les gens

2 764 Bourbonnais. Des personnalités sont venues en cure à Bourbonne : Auguste Renoir, Paul Guth, Raimu, Claude Autant-Lara, ainsi que Just Fontaine, Michel Platini qui se libéra de ses béquilles à la fin de la cure.

séjourner

LES SOURCES

Trois sources chaudes coulent en permanence :
— source St-Antoine ou puisard romain, les thermes actuels,
— source Matrelle, petit temple sur la place des thermes,
— source Patrice dans l'ancien hôpital militaire.

Quartier thermal

L'établissement thermal a été entièrement rénové en 1978 : baignoires avec hydromassages, douches, piscines de rééducation sont aux normes européennes. L'ancien hôpital militaire thermal, le premier construit en France dès 1732, abrite aujourd'hui le centre Borvo, un hôtel et un centre d'animations (conférences, spectacles, activités diverses...) surnommé le « clocheton ». Le **parc des Thermes, le parc d'Orfeuil** forment l'écrin indispensable au repos, à la promenade et à la détente.

La Ville Haute

Elle occupe le sommet de la colline. De l'ancien château féodal du début du 16e s. subsiste la porterie qui marque l'entrée du parc du château. Installé dans les dépendances, le **musée** présente des vestiges gallo-romains et des peintures du 19e s. de René-Xavier Prinet (1861-1946), Georges Freset (1894-1975) et Horace Vernet *(Prise de Constantine)* et en été des expositions temporaires. ♿ *De mai à fin oct. : mar., jeu., ven., certains dim. Fermé 1er mai, 14 juil. 10F. ☎ 03 25 90 14 80.* Le **« château »,** belle demeure construite à l'emplacement de l'ancien château fort, a été légué à la ville par un curiste reconnaissant, Chevandier de Valdrome. Aujourd'hui, la mairie s'y est installée. Vue agréable sur la ville basse et la profonde vallée de l'Apance. L'**église N.-D. de l'Assomption** du début du 13e s. abrite une belle Vierge en marbre du 14e s. pleine de grâce et de finesse.

L'**Arboretum de Montmorency**, conçu à l'anglaise, compte 250 essences différentes dont 90 sortes de résineux et 95 espèces de feuillus.

PARCOURS DE SANTÉ

🔲 À **Serqueux** (4 km de Bourbonne), un sentier très vallonné serpente à travers la forêt de feuillus et de sapins. Aire de pique-nique et point de vue sur la vallée de l'Apance.

alentours

Abbaye de Morimond
16 km au Nord-Ouest de Bourbonne-les-Bains
Cette abbaye cistercienne est la 4ᵉ fille majeure de Cîteaux, fondée en 1115. Favorisée par sa position géographique aux confins de la Champagne et de la Lorraine, elle fut la « tête de pont » du développement de l'ordre cistercien vers les pays germaniques (213 abbayes dépendaient de Morimond au 13ᵉ s.).
Il ne reste, dans un vallon sauvage, que quelques vestiges de la porterie et la chapelle Ste-Ursule, ancienne chapelle des étrangers, remaniée au 17ᵉ s. et récemment restaurée. Aller jusqu'à l'étang, le site est chargé de mystère.

À la sortie de la ville.

circuit

LE VIGNOBLE
27 km — 1h. Quitter Bourbonne-les-Bains au Sud-Est par la D 417.

Villars-St-Marcellin
Construit sur les coteaux de l'Apance, le village est dominé par l'**église** du 12ᵉ s., restaurée au 19ᵉ. Dans la crypte mérovingienne, sarcophage de pierre du 8ᵉ s. dit de saint Marcellin.

Prendre la petite route au Sud-Ouest pour rejoindre la D 460 à Genrupt et poursuivre jusqu'à Montcharvot. Tourner à droite dans la D 130 vers Coiffy.

Coiffy-le-Haut
Coiffy est surtout connu pour son vignoble qui produit un vin de qualité sous le nom de « vins de pays des coteaux de Coiffy ». À la fin du siècle dernier, le vignoble, constitué de cépage gamay, disparut suite au phylloxéra et au développement ferroviaire qui facilita l'arrivée des vins du Midi de la France. Sous l'impulsion d'une association, 8 ha furent replantés en 1983 avec des cépages nobles : le pinot noir et le gamay pour le vin rouge et le chardonnay, l'auxerrois et le pinot gris pour le vin blanc. Du village, beaux points de vue sur le vignoble et les vallées encaissées. Il reste quelques murailles de l'ancienne forteresse du 13ᵉ s.

> **AVIS AUX ŒNOLOGUES**
> 18 ha de vignoble !
> Ne manquez pas la dégustation dans le caveau ouvert de mars à octobre tous les jours de 14h30 à 18h,
> ☎ 03 25 84 80 12.

Coiffy-le-Bas
Le village, séparé de Coiffy-le-Haut par quelques rangées de vignes a conservé quelques vieilles maisons dont la mairie (porte du 16ᵉ s. et échauguette).

Suivre la D 158 puis la D 26.

Parc animalier de la Bannie
⊙ Dans un parc de plus de 100 ha évoluent cerfs, daims, biches, mouflons dans un milieu naturel. Nombreuses variétés d'oiseaux en volières. *De juin à mi-oct. : tlj sf ven. 14h-18h, dim. 11h30-18h30 ; mars-mai : tlj sf ven. 14h-17h, dim. 11h30-18h30 ; de mi-oct. à fin fév. : tlj sf ven., dim., j. fériés 14h-16h (fév. et oct. : fermeture à 17h). Gratuit.* ☎ 03 25 90 14 77.

Rejoindre Bourbonne par la D 158.

Brienne-le-Château

Napoléon Bonaparte s'éduqua au métier de soldat dans la prestigieuse école militaire de Brienne. Ses petits camarades se moquant de son physique ingrat et de son français approximatif, il s'y forgea la force de caractère qui lui servit bien au-delà de sa légitime défense du moment. On imagine que lorsqu'il revint dans cette ville quelque trente ans plus tard, certains de ces écoliers durent raser les murs… Si vous souhaitez aujourd'hui marcher sur les traces de ce grand homme, Brienne vous tend les bras.

PAILLE AU NEZ
De petite taille, le teint pâle, parlant médiocrement le français, Napoléon se sentait peu à l'aise au milieu de ses camarades qui l'avaient surnommé « la Paille au Nez » en raison de son bizarre prénom qu'il prononçait Napoillonné, à l'italienne. Cependant son air sombre, son attitude fière, son caractère susceptible en imposaient déjà.

La situation
Cartes Michelin n⁰ˢ 61 plis 8, 18 ou 241 pli 38 — Aube (10). En plaine, légèrement en retrait de l'Aube, la localité est incluse dans le Parc naturel régional de la Forêt d'Orient. 🛈 *6 r Henri-Dunant, 10500 Brienne-le-Château,* ☎ *03 25 92 64 13.*

Le nom
Les commentaires de César mentionnent une peuplade, *les Brarrovics.* Dès l'époque gauloise, une forteresse est construite sur une butte à côté du château actuel.

Les gens
3 752 Briennois. Napoléon fut « élève du roi » à l'École militaire de Brienne de 1779 à 1784.

comprendre

Napoléon et Brienne — Le jeune Corse avait 9 ans lorsqu'il entra à l'École, tenue par des religieux minimes. Son père lui avait obtenu une bourse après avoir justifié de la noblesse de la famille Bonaparte.
Les élèves portaient un habit bleu avec parements, veste et culotte rouge (statue de Bonaparte en costume d'élève devant l'hôtel de ville). La discipline n'était pas stricte, mais ils ne devaient rien recevoir de l'extérieur. Les visites étant autorisées, Napoléon put revoir son père, accompagné de Lucien, le 21 juin 1784.
Le futur empereur excellait dans les exercices militaires et en mathématiques. Malgré sa faiblesse en français et en latin, il fut mis sur la liste des élèves capables de passer à l'École militaire de Paris avec cette appréciation : « Monsieur de Buonaparte (Napoléon), né le 15 août 1769. Taille de 4 pieds, 10 pouces, 10 lignes. Bonne constitution ; excellente santé ; caractère soumis. Honnête et reconnaissant, sa conduite est très régulière. Il s'est toujours distingué par son application aux mathématiques ; il sait passablement l'histoire et la géographie ; il est faible dans les exercices d'agrément. Ce sera un excellent marin. » Le 22 octobre 1784, une lettre signée du roi le reconnaît cadet gentilhomme.
La campagne de France ramènera une dernière fois Napoléon à Brienne à la fin de janvier 1814. Avec une armée composée surtout de conscrits, sachant à peine tenir un fusil, l'Empereur y attaque Prussiens et Russes qu'il refoule sur Bar-sur-Aube.

Cette gravure de N.-T. Charlet représente Napoléon au collège de Brienne.

MÉMOIRE D'ÉMIGRÉ
« **P**our ma pensée, Brienne est ma patrie ; c'est là que j'ai ressenti mes premières impressions d'homme. » Napoléon à Sainte-Hélène.

visiter

Musée Napoléon
◀ Dans l'ancienne École militaire, ce musée présente quelques souvenirs de la vie de l'Empereur et évoque les divers épisodes de la campagne de France.

Dans la chapelle est exposé le **Trésor des Églises** des communes situées dans le parc de la Forêt d'Orient : sculpture, peinture et particulièrement orfèvrerie religieuse dont une cinquantaine de vases sacrés. *D'avr. à fin oct. : tlj sf mar. 10h-12h30, 14h-18h. Fermé j. fériés. 20F.* ☎ 03 25 92 82 41.

Hôtel de ville

L'empereur léguera à la ville de son adolescence une somme de 1 200 000 francs dont une partie servit à construire l'hôtel de ville. Inauguré en 1859, il porte au fronton une effigie de Napoléon dans un médaillon surmonté d'un aigle.

Église

Elle présente une nef du 14ᵉ s. et un chœur à déambulatoire du 16ᵉ s. éclairés par des vitraux Renaissance d'une iconographie originale. Bénitier du 16ᵉ s. en forme de cloche, fonts baptismaux et grilles de chœur du 18ᵉ s. *De juil. à fin août : possibilité de visite guidée dim. et j. fériés 15h-18h.*

Halles

Un marché se tient sous la belle charpente du 13ᵉ s. supportant un grand toit à pans couvert de tuiles.

Château★

On ne visite pas. Imposant, le château couronne de sa masse blanche la colline qui domine Brienne. Il a été bâti de 1770 à 1778, maintenant occupé par le Centre psychothérapique départemental.

Passant devant l'hospice du 18ᵉ s., une allée monte à la grille d'honneur : **vue** sur le château, de sobre architecture Louis XVI.

alentours

Brienne-la-Vieille

1 km au Sud de Brienne-le-Château par la D 44. C'était autrefois le premier port de flottage du bois pour l'approvisionnement de Paris. Les grumes provenant des forêts d'Orient, du Temple, de Clairvaux étaient acheminées sur des chariots. Là, réunies en radeaux ou brêles, elles étaient mises à flotter sur l'Aube puis la Seine et guidées par des mariniers jusqu'à Paris.

Écomusée — Géré par le Parc naturel régional de la Forêt d'Orient, il comprend la **Boutique** (ancien atelier de forge, charronnage et maréchalerie ayant conservé son installation et son outillage datant de 1903), la **Maison des jours et des champs** (collection d'outils et de matériel agricole montrant l'évolution des techniques entre 1850 et 1950) et la **Maison de l'eau** qui sera installée dans le moulin après les travaux de restauration. *Mai-sept. 10h-18h, w.-end et j. fériés 14h-18h ; oct.-avr. : 14h-17h, w.-end et j. fériés sur demande. 25F.* ☎ 03 25 92 95 84.

Cet ancien moulin où sera installée « la Maison de l'eau » se reflète dans les eaux paisibles de l'Aube.

Rosnay-l'Hôpital

9 km au Nord par la D 396. Sur les bords de la Voire, une « motte », jadis fortifiée, porte l'**église Notre-Dame** du 16ᵉ s. En longeant l'édifice par la gauche, on parvient à l'escalier qui descend dans une vaste **crypte** du 12ᵉ s. mais refaite au 16ᵉ s. comme l'église haute. *De juil. à fin août : dim. et j. fériés 15h-17h, lun.-sam. : clé remise contre pièce d'identité.* ☎ 03 25 92 40 67 ou 03 25 92 45 20.

Châlons-en-Champagne ★★

Centre administratif et militaire, la cité a gardé son aspect bourgeois avec des hôtels des 17ᵉ et 18ᵉ s., le charme de quelques maisons à pans de bois restaurées et de vieux ponts enjambant le Mau et le Nau. Châlons mérite une étape et surprendra plus d'un visiteur.

La situation

Cartes Michelin nᵒˢ 56 plis 17, 18 ou 241 plis 25, 26 — Marne (51). Aucune difficulté pour accéder à Châlons située en pleine champagne crayeuse. La ville est sillonnée par le Mau et le Nau, canaux formés par de petits bras de la Marne. 🛈 *Quai des Arts, 51000 Châlons-en-Champagne,* ☎ 03 26 65 17 89.

Le nom

Longtemps connue sous le nom de Châlons-sur-Marne, la ville a retrouvé le nom historique qu'elle portait jusqu'au 18ᵉ s., à savoir Châlons-en-Champagne. Le chef-lieu du département tire son nom de la peuplade gauloise des Catalauni dont il était la capitale.

Les gens

Agglomération 61 452 Châlonnais. C'est à **Nicolas Appert** (1749-1841), né à Châlons, que l'on doit le procédé de conservation des produits alimentaires.

comprendre

Attila, roi des Huns — En 451, Attila, chef d'un puissant empire d'Europe centrale et orientale, franchit le Rhin et entre en Gaule. Après avoir brûlé Metz, le « fléau de Dieu » se dirige vers Reims, Troyes, Sens et Paris où se produit le « miracle de sainte Geneviève ». Assiégeant Orléans, l'armée des Huns décide de battre en retraite devant l'armée du général romain Ætius composée pour l'essentiel de contingents germaniques, dont des Francs. Attila repart, mais est obligé de livrer bataille en juin 451. Le choc est terrible : les plaines sont jonchées de cadavres, le roi wisigoth Théodoric est tué, Ætius est vainqueur. Pour des raisons inconnues, Attila préfère la fuite. La Gaule est délivrée de la menace barbare, d'où l'importance donnée à ces fameux champs Catalauniques.

Les champs Catalauniques : une victoire sur Attila — Dénommés ainsi car situés sur le territoire des Catalauni, active cité gallo-romaine évangélisée par saint Memmie au 4ᵉ s., les champs Catalauniques restent une énigme quant à leur localisation exacte.

Plusieurs hypothèses ont été avancées dont la plus courante est celle du site de Moirey (qui viendrait de « campus Mauriacus ») à Dierrey-St-Julien, à l'Ouest de Troyes. En fait, il semblerait que la bataille (ou les batailles) se soit déroulée en plusieurs endroits dans un vaste périmètre, entre Châlons et Troyes.

La « principale ville de Champagne » — Au Moyen Âge, la ville fut érigée en comté administré par ses évêques ; grands vassaux de la couronne, ils assistaient le roi dans les cérémonies du sacre.

carnet pratique

Classée Ville d'Art, Châlons-en-Champagne met à la disposition des visiteurs des guides agréés par les Monuments historiques.

OÙ DORMIR

À BON COMPTE

Hôtel Bristol – 77 av. P.-Sémard - ☎ 03 26 68 24 63 - fermé vacances de Noël - 🅿 - 24 ch. : 230/280F - 🍽 30F. Besoin de repos sur la route entre Troyes et Épernay…? Les chambres spacieuses et simples de cet hôtel moderne et familial, à l'extérieur de Châlons vous dépanneront.

VALEUR SÛRE

Aux Armes de Champagne – 51460 L'Épine - 8,5 km au NE de Châlons-en-Champagne par N 3 - ☎ 03 26 69 30 30 - fermé 8 janv. au 12 fév., dim. soir et lun. de nov. à mars - 🅿 - 37 ch. : 420/790F - 🍽 70F - restaurant 230/525F. Accordez-vous sérénité et plaisir ! Face à la basilique Notre-Dame de l'Épine, les chambres de cette auberge fleurie et cossue sont toutes personnalisées. La table étoilée où officie un jeune chef a les accents du Sud. Produits frais du potager.

Hôtel le Pot d'Étain – 18 pl. République - ☎ 03 26 68 09 09 - 27 ch. : 270/320F - 🍽 35F. Dans la fraîcheur des chambres claires et la chaleur du bois et du cuir, vous passerez ici un séjour convivial et serein. Avec le plaisir des petits-déjeuners croustillants…

Hôtel Angleterre – 19 pl. Mgr-Tissier - ☎ 03 26 68 21 51 - fermé 11 juil. au 4 août, vacances. de Noël, sam. midi et dim. - 🅿 - 18 ch. : 450/590F - 🍽 75F - restaurant 170/450F. À deux pas de la superbe façade gothique de Notre-Dame-en-Vaux, voici un bel hôtel traditionnel et sans luxe. Les chambres, insonorisées et climatisées, sont joliment meublées. Cuisine fine au goût du jour pour cette table étoilée.

OÙ SE RESTAURER

À BON COMPTE

Salon de Thé Philippe Génin – 27 pl. de la République - ☎ 03 26 21 46 63 - fermé vac. de fév., de Pâques, en août et lun. - 60/80F. La vitrine de cette maison champenoise restaurée est une véritable invitation à la gourmandise. Salades, tourtes et pâtisseries vous permettent de faire un en-cas en toute simplicité.

Le Chaudron Savoyard – 9 r. des Poissoniers - ☎ 03 26 68 00 32 - fermé sam. midi et lun. - 98/110F. Ne vous fiez pas à la façade de style champenois, ici la cuisine est vouée à la région savoyarde. Pour déguster ces préparations, choisissez la salle du bas aux poutres apparentes ou celle de l'étage à l'atmosphère plus montagnarde.

VALEUR SÛRE

Pré St-Alpin – 2 bis r. Abbé-Lambert - ☎ 03 26 70 20 26 - fermé dim. soir - 130/225F. Une cuisine agréable à savourer dans une superbe maison de maître 1900 qui a conservé son charme bourgeois raffiné. Deux salles sous verrière décorée, inondées de lumière, une autre avec boiseries. À l'étage, deux salles Belle Époque aux jolis voilages bleus outremer.

Ferme-auberge des Moissons – 8 rte Nationale - 51510 Matougues - 12 km à l'O de Châlons par rte d'Epenay (RD3) - ☎ 03 26 70 99 17 - fermé janv., 15 au 31 août, ouv. sam. soir et dim. midi - réserv. obligatoire - 120F. Poulets, canards, lapins et dindes élevés à la ferme feront la joie des connaisseurs de bonne chère. Après ce solide repas, ne manquez pas la visite du petit musée agricole et découvrez les petits secrets de la bergerie, du potager et de l'élevage.

OÙ BOIRE UN VERRE

La Bourse – Pl. de la République, ☎ 03 26 65 18 04. Ouv. tlj 8h-23h. Boiseries en acajou, sièges recouverts de velours rouge ou noir, cuivres rutilants et de nombreux miroirs font de ce café l'un des lieux les plus chics et les plus agréables de la ville. Vaste terrasse sur la place la plus fréquentée de Châlons-en-Champagne.

Au Bureau – Pl. de la République. Ouv. tlj à partir de 18h. Pub chic à la tenue impeccable dont le bar, large et rutilant, est pris d'assaut dès 20h. Ce n'est que justice : c'est le seul établissement de la ville qui propose des soirées à thème (concerts, retransmission d'événements sportifs…) en fin de semaine.

LOISIRS

Promenades sur l'eau – Quai des Arts, ☎ 03 26 65 17 89. Juin-sept. : lun.-mar., jeu.-ven. 14h30-18h30. Ces promenades en barque sur le Mau et le Nau permettent de découvrir sous un angle insolite de nombreux sites et monuments châlonnais.

Ambiance nocturne, place de la République.

La généralité de Châlons, instituée en 1542, était issue du démembrement de la grande généralité d'outre-Seine. Toutefois, la suprématie de Châlons remonte aux guerres de Religion. Alors que les autres villes se rangeaient du côté de la Ligue, elle resta fidèle au roi. En récompense, Henri III la considéra en mars 1589 comme « la principale ville de Champagne ». À partir de 1637, l'intendant de Champagne réside à Châlons et l'Assemblée provinciale s'y réunit en 1787. Le découpage départemental en 1789 ne fit que confirmer ◄ Châlons dans ses fonctions de chef-lieu de la Marne.

se promener

QUARTIER DE LA PRÉFECTURE
Partir de la place Foch dominée par l'hôtel de ville et le côté Nord de l'église St-Alpin.

Hôtel de ville
Il a été construit par Nicolas Durand de 1772 à 1776. Le hall d'entrée orné de 28 colonnes mène au grand escalier. Le grand salon ou salle des mariages est rythmé de pilastres de style Louis XVI. Une plaque rappelle que le soldat inconnu américain y fut désigné en 1921.

Prendre la rue d'Orfeuil qui porte le nom du dernier intendant de Champagne.

Bibliothèque
Elle occupe une belle demeure du 17e s., hôtel des Dubois de Crancé, gouverneurs de la ville. Elle a été surélevée d'un étage au 19e s. Au cours de la visite, on peut voir les boiseries du 18e s., de belles reliures et des manuscrits. *Visite guidée (1h) mar. et ven. 9h-12h, 13h30-18h, mer. 9h-18h, jeu. 14h-18h, sam. 9h-12h, 13h30-17h30. Fermé j. fériés. Demande préalable une semaine av. auprès de Mlle Husson.* ☎ 03 26 69 38 51.

S'avancer dans le **passage Henri-Vendel**. Au fond de la cour ancien portail de l'église St-Loup ; dans le passage, nombreuses plaques de fonte ou taques.

Revenir à la rue d'Orfeuil et poursuivre par la rue de Chastillon.

À l'angle de la rue Croix-des-Teinturiers et de la rue de Chastillon : jolie maison de style Art nouveau construite en 1907.

Rue de Chastillon
Appelée jusqu'à la fin du 19e s. rue de la Bassinerie, les artisans y travaillaient. Les numéros pairs étaient occupés par des gens aisés tandis qu'aux numéros impairs résidaient les manuels. Au n°2, l'hôtel particulier de 1738 abrite la Chambre de commerce et d'industrie et possède un beau portail de la fin du 16e s. Au n° 10, la Chambre régionale de commerce est installée dans un immeuble en brique et pierre. Aux n°s 14 et 16, maisons à pans de bois.

Prendre à gauche la rue de Jessaint qui traverse le Mau.

Couvent Ste-Marie
On découvre d'abord la façade arrière de l'ancien couvent du 17e s. de la congrégation Notre-Dame. Cette façade donnant sur le Mau est décorée de moellons de craie et de briques rouges. La façade sur cour est rythmée de pilastres cannelés. *Visite extérieure uniquement.*

Traverser la rue Carnot et prendre la rue de Vinetz.

Par un passage en pente, on accède à la place du Forum de l'Europe représentée en mosaïque bleue. Elle est entourée par des bâtiments anciens (galerie et

CHÂLONS-EN-CHAMPAGNE

façade à pans de bois du **couvent de Vinetz**) et modernes (Archives départementales), bel exemple d'intégration urbaine.

Revenir à la rue Carnot.

Préfecture

C'est l'ancien hôtel des Intendants de Champagne, bâti de 1759 à 1766 sous la direction des architectes J.-G. Legendre et Nicolas Durand. Réalisé sous le règne de Louis XV, cet édifice marque déjà le style Louis XVI par son architecture sobre et par son décor de guirlandes.

Rouillé d'Orfeuil, intendant de 1764 à 1789, y vécut ; **Marie-Antoinette** devait revenir en ces lieux, triste et humiliée, à la suite de l'échec de la « fuite de Varennes ».

Cette magnifique tourelle du 16ᵉ s. habille avec élégance les murs fortifiés du château du Marché.

Porte Ste-Croix

Rouillé d'Orfeuil fit édifier en 1770, par Nicolas Durand, cette porte triomphale. Elle fut dédiée, à son arrivée en France, à Marie-Antoinette venue épouser le futur Louis XVI. Appelée alors « porte Dauphine », elle est restée inachevée, sans sculpture sur l'une des faces.

LE JARD

Ancienne prairie, possession de l'évêque, le Jard se prêtait aux rassemblements de foules. Saint Bernard, venu en février 1147, y a peut-être prêché, mais plus probablement le pape Eugène III venu consacrer la cathédrale, en octobre de la même année. Dessinée au 18ᵉ s., la promenade est traversée par l'avenue du Maréchal-Leclerc. On y distingue trois sections :

le **Petit Jard**, jardin paysager de style Napoléon III, avec une horloge florale, est aménagé à l'emplacement des anciens remparts. Il s'étend le long du Nau que coupe la « porte d'eau » du **château du Marché**, ouvrage fortifié, dont il subsiste une tourelle du 16ᵉ s. Le **Grand Jard**, vaste esplanade plantée de marronniers, aménagée au 18ᵉ s. Il est fermé au Nord par les bâtiments de l'École normale. De la passerelle le reliant au Jardin anglais, passant par-dessus le canal latéral à la Marne, ne manquez pas les vues sur la cathédrale et la préfecture. On peut y voir un beau kiosque à musique du 19ᵉ s. Le Jardin anglais, dessiné en 1817, est bordé par la Marne.

visiter

Cathédrale St-Étienne★★

Elle était complétée avant la Révolution par un cloître s'étendant à l'emplacement du square actuel. Les fastes de deux mariages princiers s'y déroulèrent au 17ᵉ s. : celui de Philippe d'Orléans, frère de Louis XIV, avec la princesse Palatine et celui du Grand Dauphin avec Marie-Christine de Bavière. *Visite sur demande auprès de l'Office de tourisme.*

Extérieur — La face Nord est d'un gothique très pur : la nef est rythmée par de hauts contreforts supportant des arcs-boutants à double volée et par d'immenses verrières aux fines lancettes ; le bras du transept, percé d'une rose au dessin harmonieux, est flanqué d'une tour dont la base romane est une survivance de la cathédrale précédente, incendiée en 1230. À l'Ouest, portail du 17ᵉ s., grand et massif.

Intérieur — Il atteint près de 100 m de long, et offre un aspect imposant bien que le chœur manque un peu de profondeur. La nef haute de 27 m, inondée de lumière, donne une sensation d'élégante légèreté avec son triforium élancé que surmontent les vastes baies. Les deux travées les plus proches de la façade ont été élevées en 1628, mais dans un style gothique strict.

Quelques œuvres d'art sont réparties dans le transept et le chœur : majestueux maître-autel à baldaquin du 17ᵉ s., attribué à Jules Hardouin-Mansart ; autour du chœur, superbes dalles funéraires gothiques.

Dans la chapelle du déambulatoire, à l'extrême droite : peinture sur bois, primitif français du 15ᵉ s., montrant la consécration de la cathédrale par le pape Eugène III. Dans la chapelle suivante, on peut admirer un *Christ aux liens* du 16ᵉ s. et un *Christ au tombeau*, bas-relief du 17ᵉ s.

Trésor — Dans la salle basse de la tour, il comprend trois précieux vitraux du 12ᵉ s., restaurés, parmi lesquels une Crucifixion entourée de scènes bibliques et la découverte des reliques de saint Étienne, rehaussée d'un bleu lumineux. Il abrite une cuve baptismale du

Statue de St-Memmie qui fut le premier évêque de Châlons.

Ce vitrail de la cathédrale St-Étienne illustre la fuite en Égypte.

12ᵉ s., sculptée d'une Résurrection des morts ; un fragment de la natte de jonc de saint Bernard ; la mitre et le brodequin épiscopal (12ᵉ s.) de saint Malachie, ami de saint Bernard. *Visite guidée sur demande auprès de l'Office de tourisme.*

Église Notre-Dame-en-Vaux★
Cette ancienne collégiale a été édifiée vers 1150 dans le style roman, mais les voûtes, le chœur et le chevet construits dans le style gothique primitif datent de la fin du 12ᵉ s. et du début du 13ᵉ s. *Tlj sf w.-end 10h-12h, 14h-18h.*
L'édifice a fière allure. L'austère façade romane à deux tours surmontées de flèches couvertes de plomb se reflète dans les eaux du canal du Mau ; le chevet à déambulatoire et les chapelles rayonnantes sont mis en valeur par deux tours romanes *(se placer de l'autre côté de la place Mgr-Tissier pour admirer l'élévation de l'ensemble).* Le porche Sud, du 15ᵉ s., précède un portail roman aux statues-colonnes mutilées à la Révolution mais dont les chapiteaux, épargnés, sont intéressants. Carillon de 56 cloches.
Au Nord de l'église, un jardin *(non accessible)* marque l'emplacement de l'ancien cloître.
Pénétrer dans l'église par la porte Sud (accueil Notre-Dame).
Dans le transept Nord, fragments de la dalle funéraire de Jean Talon (1626-1694), intendant de la Nouvelle France.
La nef est éclairée par une harmonieuse série de ▶ **vitraux★** champenois. Les plus beaux, du 16ᵉ s., ornent le bas-côté gauche. *Le remonter, en partant du portail Ouest :*
2ᵉ travée : la légende de saint Jacques, du verrier picard Mathieu Bléville, raconte la bataille de 1212 qui opposa les Chrétiens aux Maures.
3ᵉ travée : Dormition et Couronnement de la Vierge.
4ᵉ et 5ᵉ travée : Légendes de sainte Anne et Marie ; Enfance du Christ.
6ᵉ travée : la *Compassion de la Vierge* est illustrée par une *Descente de Croix*, une *Pietà* et *Marie-Madeleine* (1526).
Contourner l'église par l'un des côtés pour gagner la rue Nicolas-Durand où se trouve l'entrée du musée du cloître de N.-D.-en-Vaux. En face de l'entrée, la **maison Clémangis**, fin 15ᵉ s., sert de salle d'expositions.

Musée du cloître de Notre-Dame-en-Vaux★
Il abrite de remarquables sculptures provenant d'un cloître roman, dont les premières fouilles importantes remontent à 1960. Des débris sculptés, trouvés à

VERRES TEINTÉS
La cathédrale conserve un intéressant ensemble de vitraux★ permettant de suivre l'évolution de l'art des maîtres verriers du 12ᵉ s. au 16ᵉ s. :
1ʳᵉ travée à gauche : vitrail (13ᵉ s.) des Mégissiers, corporation des pelletiers.
croisillon gauche : vitraux (13ᵉs.) illustrant deux prophètes et les deux donateurs et plus loin Saint Étienne et Pierre de Hans.
7ᵉ travée à droite : vie et baptême du Christ (vitrail début 16ᵉ s.).
6ᵉ travée à droite : saints et saintes avec la Vierge et l'Enfant (vitrail du 15ᵉ s.).

EFFET DE STYLE
L'intérieur★★ impressionne par ses proportions harmonieuses et la sobriété de son ordonnance. Dans la nef, on remarque la différence de style entre les piliers à chapiteaux romans, soutenant de vastes tribunes, et les voûtes d'ogives gothiques. Le chœur est un exemple du style champenois.

Châlons, suscitent les premières recherches effectuées à l'appui de documents d'archives : un plan, daté de 1752, montre le tracé d'un cloître, juste à côté de N.-D.-en-Vaux. Bâti au 12e s., il avait été démoli en 1759 par les chanoines eux-mêmes, pour construire leurs maisons canoniales. Les fouilles dans le sol et les maisons avoisinantes ont permis de recréer en partie ce merveilleux cloître.

Une grande salle présente, parmi les pièces de valeur, des colonnes sculptées ou baguées et une série de **55 statues-colonnes**★★ : les plus belles représentent des prophètes, de grandes figures bibliques ou des saints (Moïse, Daniel, saint Paul au visage d'une intense spiritualité), des personnages de l'Ancien Testament et du Moyen Âge (rois de Juda, chevaliers).

Remarquer un groupe de chapiteaux relatant des épisodes de la vie du Christ et de la légende des saints. Sur les quatre faces d'un même chapiteau se suivent : la Présentation au temple, la Fuite en Égypte, le Baptême du Christ et la Résurrection de Lazare. Sur un autre se déroule le festin des noces de Cana. *Tlj sf mar. 10h-12h, 14h-17h (avr.-sept. : fermeture à 18h). Fermé 1er janv., 1er mai, 1er et 11 nov., 25 déc. 25F.* ☎ *03 26 64 03 87.*

Paysage en hiver de Josse de Momper, peintre et graveur flamand (1580-1638).

Musée municipal

Au rez-de-chaussée : collection de divinités hindoues (16e-17e s.) ; gisant de Blanche de Navarre, comtesse de Champagne, par maître Fromond (1252) ; tête de Christ (15e s.) du jubé de Notre-Dame-en-Vaux ; trois retables en bois polychrome dont celui de la Passion sculpté vers 1500 provenant du Mesnil-lès-Hurlus ; tête de saint Jean Baptiste en marbre blanc par Rodin.

Au premier étage, dans la salle d'archéologie : fouilles de la région, du paléolithique au 17e s., et notamment l'époque gauloise (tombes à char). Dans la galerie de peinture, des tableaux allant du 14e s. au 20e s. : *Paysage d'hiver* par Josse de Momper (16e s.), *Portrait de Cazotte* par Perronneau (18e s.), *Autoportrait* de Nonotte (18e s.), *Parc du château de St-Cloud* par Daubigny et des toiles du Châlonnais Antral (20e s.).

Une salle d'ornithologie contient près de 3 000 oiseaux presque tous vivant en Europe. Dans la dernière salle : mobilier (16e-20e s.), tapisseries (15e-17e s.). *Tlj sf mar. 14h-18h, dim. 14h30-18h30. Fermé j. fériés. 15F.* ☎ *03 26 69 38 53.*

Église St-Alpin

Entourée de maisons au Nord et à l'Est, cette église construite du 12e au 16e s. mélange les styles gothique flamboyant et Renaissance. Les chapelles du bas-côté droit sont éclairées par des verrières Renaissance, magnifiques compositions en grisaille, formant perspectives : voir notamment *Saint Alpin, évêque de Châlons, devant Attila* (1re chapelle), *L'empereur Auguste devant la Sibylle de Tibur* (3e chapelle) et *Saint Jean Baptiste* (6e chapelle)

Maquette du palais Longchamp à Marseille par le docteur Mohen.

et, dans le transept Sud, la *Multiplication des pains* et le *Miracle de Cana*. Les précieux vitraux (15ᵉ s.) du déambulatoire ont été restaurés. *Visite sur demande auprès de l'Office de tourisme ou du presbytère.* ☎ *03 26 64 18 30.*

Musée Garinet
Dans cet ancien hôtel du Vidame, en partie gothique, on trouve un intérieur bourgeois du 19ᵉ s. aux peintures du 14ᵉ au 19ᵉ s. parmi lesquelles la *Flagellation* attribuée à Preti et dans le salon rouge une toile de Cabanel *(Ruth flânant dans les champs de Booz)*. *Tlj sf mar. 14h-18h. Fermé j. fériés. 10F.* ☎ *03 26 69 38 53.*

Église St-Loup
Façade néo-gothique de 1886. Du 15ᵉ s., elle abrite un triptyque de l'*Adoration des Mages*, attribué à Van Eyck *(2ᵉ travée à gauche)*, une statue de saint Christophe, bois polychromé du 16ᵉ s. *(3ᵉ travée à droite)*, une peinture de Vouet (17ᵉ s.), la *Mort de Marie-Madeleine (au-dessus de la porte de la sacristie)*. *Visite sur demande auprès du presbytère.* ☎ *03 26 64 18 30.*

Église St-Jean
Accès par la rue Jean-Jacques-Rousseau.
Par un parvis surélevé, on accède à la partie occidentale reconstruite au 14ᵉ s. Au bas-côté Sud a été accolée au 15ᵉ s., une petite chapelle dite des « Arbalétriers ». Sa nef romane, couverte d'un berceau lambrissé, s'ouvre sur un chœur surélevé, à chevet plat. Vitraux du 19ᵉ s.

Musée Schiller-et-Goethe
Ses collections proviennent pour l'essentiel d'un don fait à la France en 1952 par la baronne de Gleichen-Russwurm, veuve d'Alexander von Gleichen-Russwurm, lui-même arrière-petit-fils du poète allemand Schiller. Elles comprennent des porcelaines de Meissen et de Wedgwood, du mobilier, des vêtements ayant appartenu à l'écrivain. Quelques pièces concernent Goethe, ami de Schiller. Dans la dernière salle, statue en bronze d'Ernest Dagonet : *La Marseillaise. Juil.-août : tlj sf mar. 14h-18h, dim. 14h30-18h30 ; sept.-juin : sam. 14h-18h, dim. 14h30-18h30. Fermé j. fériés. 10F.* ☎ *03 26 69 38 53.*

alentours

Basilique N.-D.-de-l'Épine★★ *(8 km à l'Est par la N 3)*
Cette basilique, aux dimensions de cathédrale, est tout au long de l'année, le siège de grands pèlerinages depuis la découverte au Moyen Âge, par des bergers, d'une statue de la Vierge dans un buisson d'épines enflammé. Des pèlerins illustres sont venus vénérer l'image miraculeuse : Charles VII, Louis XI et ce bon roi René d'Anjou que le prodige inspira sans doute lorsqu'il fit exécuter au 15ᵉ s. par Nicolas Froment, le triptyque du Buisson Ardent, aujourd'hui à la cathédrale d'Aix-en-Provence.

> **MINIATURES**
> Au 2ᵉ étage a été rassemblée une collection d'une centaine de maquettes représentant surtout des églises et des cathédrales de France.

S'élevant sur une légère éminence, la basilique s'aperçoit de fort loin. Du début 15e s. et progressivement agrandie et complétée, elle présente une façade de style gothique flamboyant, « brasier ardent et buisson de roses épanouies » (Paul Claudel) ; les chapelles rayonnantes sont du début du 16e s.

Extérieur — La façade est percée de trois portails surmontés de gâbles aigus dont le plus haut porte un crucifix. Elle est couronnée de flèches : celle de droite, haute de 55 m, présente une couronne mariale à fleurs de lis ; celle de gauche, arasée en 1798 pour permettre l'installation d'un télégraphe Chappe, a été rétablie en 1868. Se placer à peu de distance des portails pour découvrir une perspective ascendante sur l'étagement fantastique des pinacles, des clochetons et des gargouilles. La galerie des rois comprend 28 statues représentant la lignée royale des ancêtres du Christ.

Le portail du croisillon Sud est orné de draperies sculptées analogues à celles du portail principal de la cathédrale de Reims ; de part et d'autre sont fixés des anneaux utilisés autrefois pour attacher les chevaux. Une inscription gothique s'adresse aux voyageurs : « Bonnes gens qui ici passez, priez Dieu (pour les trépassés). » Son linteau porte diverses scènes sculptées relatant la vie de saint Jean Baptiste.

Intérieur — D'un style très pur, il exprime sans exubérance la perfection de l'architecture gothique. Le chœur est clos par un élégant **jubé** de la fin du 15e s. dont l'arcade droite abrite la statue vénérée de Notre-Dame (14e s.) et par une clôture de pierre, gothique à droite, Renaissance à gauche. Sur le jubé, une poutre (16e s.) porte le Christ en croix entre la Vierge et saint Jean.

Dans le bras gauche du transept se trouve un puits qui aurait été utilisé lors de la construction de la basilique. En contournant le chœur par la gauche, on observe dans le déambulatoire un **tabernacle-reliquaire** de structure gothique, mais de décor Renaissance, complété par un minuscule oratoire où les fidèles pouvaient toucher les reliques, dont un fragment de la Vraie Croix. Plus loin, une chapelle abrite une belle **Mise au tombeau**, du 16e s., de l'école champenoise.

Monument de la ferme Navarin *(30 km au Nord par D 977)*

Au point culminant (alt. 92 m) du plateau, lieu principal de la bataille de Champagne, ce monument commémore les combats d'octobre 1914 et de septembre 1915.

L'œuvre montre trois soldats. L'un évoque le **général Gouraud,** commandant de la 4e armée, un autre le lieutenant **Quentin Roosevelt,** fils du président Theodore Roosevelt, tué en 1918 dans le Tardenois. Le général Gouraud est inhumé dans la crypte.

Gargouille de la basilique.

CARRÉ BLANC !
Les curieuses et très réalistes **gargouilles★**, étonnèrent Hugo et Huysmans eux-mêmes : tout autour de la basilique, elles symbolisent les vices et les esprits mauvais, chassés du sanctuaire par la présence divine. Elles ont subi des restaurations au 19e s. au cours desquelles on élimina celles jugées trop « obscènes ».

« Vin du diable » connu depuis le 10ᵉ s., déjà à l'honneur au temps des foires de Champagne aux 12ᵉ et 13ᵉ s., le « saute-bouchon » fait un bond hors des frontières à la Renaissance. Dire que jusqu'au 17ᵉ s., ce petit vin généralement rouge, se tenait encore tranquille, malgré ses quelques bulles ! Mais au 18ᵉ s., c'est l'effervescence : Ruinart en 1729, Fourneaux qui deviendra Taittinger en 1734, Moët en 1743, Cliquot en 1772, Mumm en 1827... Reims et Épernay coulent depuis des jours heureux et les touristes ne se lassent pas de parcourir ces belles routes dans la Marne.

La situation

Cartes Michelin nᵒˢ 56 plis 14 à 17 ou 237 plis 21 à 23 — Aisne (02), Aube (10) et Marne (51). Pour les informations touristiques, s'adresser aux comités départementaux du tourisme ou sur place aux différents offices de tourisme.

Le nom

Le mot champagne désigne aussi bien la région que le célèbre breuvage.

Les gens

Selon la tradition, c'est à un moine bénédictin inspiré, **Dom Pérignon**, qui étudia de près la vinification et dirigea le phénomène de double fermentation, que l'on doit le champagne d'aujourd'hui. D'ailleurs « Bon vin le matin sortant de la tonne, Vaut bien le latin qu'on dit en Sorbonne. »

> **BOIRE ET SÉDUIRE**
> Très prisé des rois et de l'aristocratie européenne, le champagne est selon la marquise de Pompadour « le seul vin qui laisse la femme belle après boire ».

circuits

Outre les circuits décrits ci-après, il existe également la route touristique du Champagne dans l'Aube appelée Côte des Bars. Reportez-vous à Bar-sur-Aube (pays baralbin) et à Bar-sur-Seine (barséquanais).

☐1 MONTAGNE DE REIMS★★ *(voir ce nom)*

☐2 CÔTE DES BLANCS★★

D'Épernay à Vertus, la Côte des Blancs est ainsi nommée parce qu'elle est plantée de vignobles à raisin blanc (presque exclusivement le cépage chardonnay). Ses crus, d'une finesse élégante, sont utilisés dans l'élaboration des cuvées de prestige et dans la réalisation du « blanc de blancs ».

La plupart des grandes marques de champagne y possèdent des vignes et des vendangeoirs ; certains vignobles privilégiés sont même pourvus d'un système de chauffage destiné à les préserver des gelées.

En avant de cette falaise calcaire se détachent les buttes témoins comme le mont Saran (239 m) et le mont Aimé (240 m).

À flanc de coteau s'égrènent les villages, aux rues tortueuses, le long desquelles s'ouvrent les hauts portails des maisons vigneronnes.

> **LA MONTAGNE DE L'ÎLE-DE-FRANCE**
> Comme la Montagne de Reims, la Côte des Blancs est un élément de la « côte de l'Île-de-France », chère aux géographes ; à l'exception d'une couronne boisée, ses versants, regardant plein Est, sont entièrement couverts de vignes.

D'Épernay au Mont Aimé *(28 km — environ 2 h)*

L'itinéraire, en balcon ou à mi-côte, offre de jolies vues, proches ou lointaines, sur le vignoble et les immensités de la plaine de Châlons.

Quitter Épernay au Sud-Ouest par la D 951 et la route de Sézanne jusqu'à Pierry.

Pierry

Château de Pierry — La visite de cette demeure du 18ᵉ s. permet de découvrir les salons de réception, les petits appartements, la salle-musée du pressoir et les celliers créés vers 1750.

> ▶ **J**acques Cazotte, l'auteur du « Diable amoureux », guillotiné en 1792, a vécu dans la maison occupée aujourd'hui par la mairie.

carnet pratique

La meilleure période pour parcourir la région se situe en général fin sept.-déb. oct., au moment des vendanges.

FÊTES

Le dernier jour des vendanges est considéré comme un événement : c'est le **Cochelet** dont le nom viendrait du mot coquelet, coq. Un grand repas réunit vignerons et vendangeurs.

Le 22 janv., jour de la fête de saint Vincent, patron des vignerons, des cortèges parcourent les différents bourgs viticoles. La fête se termine par un banquet traditionnel. C'est à Épernay qu'a lieu, tous les deux ans en mai, le Salon international des techniques champenoises (VIT'Eff).

CIRCUITS

Les circuits sont jalonnés de panneaux blancs portant l'inscription « route touristique du champagne » accompagnée de son logo et signalant les différents points d'accueil :
– Massif de St-Thierry,
– Montagne de Reims,
– Vallée de la Marne,
– Côte des Blancs et Coteaux du Sézannais,
– Côte des Bar, le Barséquanais et le pays Baralbin.
Des haltes chez les vignerons, des maisons de champagne et les coopératives sont signalées.
Une route touristique du champagne, jalonnée par des panneaux, sillonne de nombreux villages. Des haltes chez des vignerons, maisons de champagne et coopératives sont signalées.
Certains négociants-éleveurs, viticulteurs, caves coopératives ont signé une charte garantissant la qualité de l'accueil. Une enseigne spécifique « Route touristique du Champagne - Accueil » à l'entrée de leur propriété permet de les identifier.

CAVES

Outre les grandes caves citées à Reims et à Épernay, voici quelques adresses, parmi tant d'autres, sélectionnées pour leur installation :

Serge Pierlot – *10 r. St-Vincent, 51150 Ambonnay,* ☎ *03 26 57 01 11. Lun.-ven. 9h-12h, 14h30-18h, sam. 9h-12h, 14h30-18h, dim. 9h-12h.* Dans sa boutique située au fond d'une venelle, Serge Pierlot

expose un pressoir du 18e s. et les outils ancestraux de la vigne et du vin. Dégustation et vente.

Soutiran-Pelletier – *12 r. St-Vincent, 51150 Ambonnay,* ☎ *03 26 57 07 87. Lun.-ven. 8h30-12h, 13h-18h, sam. 8h-12h, 14h30-18h.* Dans ce village typique, la maison Soutiran-Pelletier propose une visite des pressoirs, de la cuverie et des caves, ponctuée d'explications sur les techniques utilisées pour la vinification. Dégustation et vente.

Breton et Fils – *12 r. Courte-Pilate, 51270 Congy,* ☎ *03 26 59 31 03. Ouv. tlj 9h-11h, 14h-16h30. Fermé le 3e dimanche de mai, Noël et le Jour de l'an.* Ce propriétaire-récoltant vous fera visiter ses caves typiquement champenoises et, si le temps le permet, peut-être aurez-vous la chance (ou l'audace) de découvrir son domaine viticole en ULM - la passion des fils Breton. Dégustation et vente.

Forget-Chemin – *15 r. Victor-Hugo, 51500 Ludes,* ☎ *03 26 61 12 17.* Vigneron depuis quatre générations, ce propriétaire-récoltant agrémente la dégustation de ses produits par une initiation à l'œnologie. Dégustation et vente.

Beaumont des Crayères – *64 r. de la Liberté, 51530 Mardeuil,* ☎ *03 26 55 29 40. Lun.-ven. 8h-12h, 13h30-18h, sam. 8h-12h, 14h-17h, dim. 10h-12h, 14h-18h.* Ce musée champenois présente notamment la plus grosse bouteille de champagne au monde. Dégustation et vente.

Jean Milan – *6 rte d'Avize, 51190 Oger* ☎ *03 26 57 50 09. Lun.-sam. 9h30-12h, 14h-18h. Juil.-sept. : lun.-sam. 9h30-18h.* La visite des celliers et des installations se poursuit par une dégustation de grands crus 100% chardonnay avec démonstration de sabrage. Vente.

Vve Olivier & Fils – *10 rte de Dormans, 02850 Trelou-sur-Marne,* ☎ *03 23 70 24 01. Lun.-ven. 9h-12h, 14h-17h, sam. 9h-12h. L'après-midi sur rendez-vous.* Cette propriété admirablement située offre un très vaste panorama sur la vallée de la Marne. Un film vidéo et une visite commentée des installations - où subsiste un pressoir traditionnel - vous expliqueront tout des procédés de fabrication du champagne. Dégustation et vente.

MUSÉES

Consacrés à la vigne et au vin, ils permettent de retracer l'histoire et de découvrir les techniques de fabrication du champagne :
le Musée municipal à Épernay
le usée de la Tradition champenoise (maison de Castellane) à Épernay,
le musée du Champagne (maison Launois) au Mesnil-sur-Oger,
le Varocien, musée de la Vigne et du Vin à Fossoy
la maison de la Vigne à Essoyes.

Où DORMIR

À BON COMPTE

Chambre d'hôte Ferme du Grand Clos – R. Jonquery - 51170 Ville en Tarnedois - ☎ 03 26 61 83 78 - 🖃 - 4 ch. : 220/290F. Dans cette ancienne ferme en pierres du pays, les grandes chambres, entièrement rénovées, disposent d'un coin salon. Accueil chaleureux et prix très raisonnables en font une bonne adresse sur la route des vins de champagne.

Chambre d'hôte les Botterets – 7 r. du Fort - 51190 Oger - ☎ 03 26 57 94 78 - 🖃 - 6 ch. : 220/260F. Deux maisons villageoises traditionnelles, dont un ancien vendangeoir, abritent des chambres d'hôte récemment rénovées. Certains regretteront un aménagement manquant un peu de cachet, les autres aimeront l'authenticité de l'accueil.

Dans Pierry, prendre à gauche la D 10.

Cette route procure des vues à gauche sur Épernay et la vallée de la Marne.

Cuis

L'église romane est placée sur une terrasse, au-dessus du village.

De la D 10, perspectives sur la Montagne de Reims.

L'entrée de Cramant est signalée par sa bouteille géante de plus de 8 m.

Cramant★

Le bourg occupe un site agréable sur une avancée de la côte. Le célèbre cru, produit par le cépage blanc « chardonnay », a acquis une renommée universelle.

Avize

Célèbre par son cru, Avize forme dans son lycée viticole les futurs vignerons champenois. L'église est du 12e s., mais le chœur et le transept sont du 15e s. Au-dessus de la localité, à l'Ouest, promenade offrant une vue étendue.

Oger

Titulaire d'un « premier cru de la Côte Blanche », Oger possède aussi une église des 12e-13e s. à haute tour carrée et chevet plat percé d'un triplet.

Musée du Mariage et de ses Traditions★ — Les coutumes du mariage de 1880 à 1920 sont évoquées par des objets curieux ou insolites dont une collection de **globes de mariées**. Les bouquets ou couronnes fabriqués à la main par des boutonneuses, étaient d'une grande diversité ornementale : fleurs en papier, en carton, en peau, en métal doré, en coquillage. Le champagne n'est pas oublié avec la présentation d'une collection de vieilles étiquettes montrant l'évolution de l'appellation champagne et la visite des caves du 18e s avec sa galerie aux outils d'antan. ♿ *9h-11h, 14h-18h. 30F (moins de 10 ans : gratuit).* ☎ *03 26 57 50 89.*

Le Mesnil-sur-Oger

Ce village vigneron très étendu est bâti sur un plan irrégulier. Un paisible enclos ombragé entoure l'église romane à clocher sur la croisée du transept ; on

LIRE UN BOUQUET DE MARIÉE

feuille de chêne : longévité du couple
feuille de lierre : attachement l'un pour l'autre
oranger : pureté
raisin : prospérité et abondance
feuille de tilleul : fidélité
colombe : paix dans le foyer
cerise : pour vaincre la guigne.

Original globe de mariée et son bouquet au musée du Mariage et de ses Traditions.

Mesnil-sur-Oger : le clos du Mesnil, propriété de la famille Krug, vu sous la neige.

y entre par un portail Renaissance à colonnes cannelées. La maison Launois, fondée en 1872, a créé un attrayant musée.

Musée de la Vigne et du Vin — De nombreux objets, outils, machines illustrent la culture de la vigne et le travail des vignerons d'autrefois. Belle collection de pressoirs des 17e, 18e et 19e s. Dans différents caveaux sont évoqués les métiers annexes : fabrication de bouchons, verrerie, tonnellerie... Collection de pieds de vigne façonné par la main de l'homme. *Visite guidée (1h1/2) à 10h et 15h, w.-end à 10h30 et 15h sur demande préalable 1 j. av. Fermé 1er janv., Pâques, 25 déc. 35F. ☎ 03 26 57 50 15.*

Par une petite route serpentant au flanc du coteau vineux, gagner Vertus.

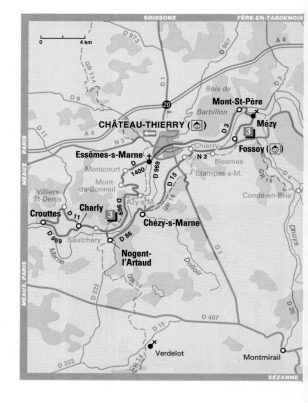

Vertus

Au pied de la fameuse « Côte des Blancs », Vertus est vouée à la vigne (450 ha de vignobles). Elle offre l'image d'une tranquille petite ville aux rues irrégulières entre-coupées de placettes et dotée de nombreuses fontaines d'eau vive.

Église St-Martin — Construite à la fin du 11ᵉ s. et au début du 12ᵉ s., elle a subi de nombreuses transforma-tions au cours des siècles, pour être finalement restau-rée à la suite de l'incendie de juin 1940.

À l'intérieur, le transept et le chœur à chevet plat comportent des voûtes d'ogives datant du 15ᵉ s. Sur un autel du croisillon droit, Pietà (16ᵉ s.) finement sculptée ; dans la chapelle des fonts, statue de saint Jean Baptiste (16ᵉ s.), en pierre. Du croisillon gauche, un escalier mène aux trois cryptes du 11ᵉ s. formant un ensemble curieux ; remarquer dans la crypte centrale de beaux chapiteaux ornés de grandes feuilles larges.

Dans la descente vers **Bergères-lès-Vertus** qui possède une charmante église romane de campagne, vues agréables sur les alentours.

Au Sud de Bergères-lès-Vertus, prendre à droite la petite route vers le mont Aimé.

Mont Aimé★

Butte témoin détachée de la falaise de l'Île-de-France, le « mont » Aimé atteint la hauteur de 240 m. Occupé dès la préhistoire, il fut fortifié tour à tour par les Gaulois, les Romains et les comtes de Champagne qui y érigèrent un château féodal, dit de la Reine Blanche, dont les ruines s'éparpillent aujourd'hui dans la verdure. C'est au pied du mont que se déroula, le 10 septembre 1815, la grande revue de l'armée russe pendant l'occupation de la région par les Alliés. À l'un des angles de l'ancienne enceinte, un belvédère *(table d'orientation)* offre une **vue** étendue au Nord sur la Côte des Blancs, à l'Est sur la plaine.

> **BERGÈRES-LÈS-VERTUS**
> Ce village inspira un mali-cieux quatrain :
> « Le pays des bergères
> Où elles ne sont guère,
> Le pays des vertus
> Où elles n'en ont plus. »

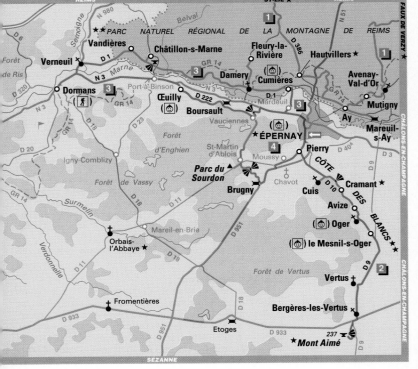

Travail dans les vignes en hiver dans le village de Cumières dominant la vallée de la Marne.

③ VALLÉE DE LA MARNE ★

Les circuits au départ d'Épernay et de Château-Thierry font découvrir des villages viticoles étagés sur les coteaux couverts de vignes le long des deux rives de la Marne. N'oublions pas que le nom de cette rivière est attaché à deux des plus glorieuses **batailles** de la Première Guerre mondiale. En 1914 et en 1918, le sort de la France et des Alliés s'est joué sur ses rives. Dans la première bataille, les combats décisifs se sont livrés dans le Multien ; dans la seconde, Château-Thierry a marqué l'extrême avance allemande et la victoire a été obtenue dans les secteurs de Villers-Cotterêts et de Reims.

Circuit au départ d'Épernay *(63 km — env. 4 h)*

Quitter Épernay par la N 3, tourner à droite dans Mardeuil puis traverser la Marne pour longer la rive droite et gagner Cumières.

Cumières

Embarcadère place du Kiosque. Le bateau *Champagne Vallée* vous emmène en promenade au fil de l'eau au pied des vignes avec passage d'écluse. Possibilité de déjeuner ou dîner à bord du bâteau sur réservation.

Damery

Sur les bords de la Marne, au pied du coteau, Damery constitue un but de promenade. À ses quais abordait jadis le coche d'eau.

Église — Des 12e-13e s., elle était celle d'un prieuré de l'abbaye bénédictine St-Médard de Soissons. Sa nef romane est éclairée par des baies lancéolées. Remarquer les chapiteaux sculptés des piliers soutenant le clocher : intéressant bestiaire dans un décor de feuillages. Le buffet d'orgue et les grilles du chœur sont du 18e s.

Tourner à droite vers Fleury-la-Rivière.

Fleury-la-Rivière

Coopérative vinicole — Sur les murs de la coopérative, une immense fresque, réalisée par l'artiste mosellan Greg Gawra, illustre en plusieurs tableaux l'histoire de la Champagne. *Visite guidée (3/4h) tlj sf mar. 10h-12h, 14h-18h, dim. et j. fériés 15h-19h. Fermé 1er janv. et 25 déc. 20F.* ☎ *03 26 58 42 53.*

La route sillonne les villages entre vignes et champs.

Châtillon-sur-Marne

Au débouché du vallon de Cuchery, Châtillon, à 148 m d'altitude, couronne une colline aux pentes couvertes de vignes, en vue de la Marne. Au Moyen Âge, la petite cité fortifiée servait les intérêts de puissants seigneurs, tel **Gaucher de Châtillon** (1250-1328), connétable de France sous le règne de Philippe le Bel qu'il soutint dans la lutte contre les templiers et la Papauté.

ADRIENNE !
Damery est la patrie d'Adrienne Lecouvreur (1692-1730), tragédienne aux nombreuses passions dont celle du prince Maurice de Saxe.

AVIS AUX CANDIDATES
Depuis le 19e s. à Fleury se perpétue chaque année (le mardi après le 2e dimanche d'août) la cérémonie du couronnement de la rosière, jeune fille choisie pour sa réputation de vertu.

Laisser la voiture au parking ; prendre la rue de l'Église puis, à droite, la rue Berthe-Symonet.

Statue d'urbain II — Haute de 33 m (socle compris), elle a été érigée en 1887 sur la motte féodale qui portait le donjon du château. En granit de Kersanton à Vannes, elle est faite de 80 blocs amenés de Port à Binson par des chars à bœufs. Un **escalier** intérieur permet l'accès au bras. De ses abords *(table d'orientation)*, **vue★** sur la vallée et les vignobles. *D'avr. à fin oct. : 10h-19h. 5F.* ☎ 03 26 58 32 86.

> **C**ette statue colossale évoque Eudes ou Odon de Châtillon, né à Lagery, pape de 1088 à 1099 sous le nom d'Urbain II et initiateur de la 1re croisade.

LE PAPE DES CROISADES

Né vers 1040, Eudes de Châtillon fut disciple de saint Bruno (fondateur des Chartreux). Il devint chanoine puis archidiacre à Reims. Il entre ensuite chez les bénédictins de Cluny, mais à la demande de Grégoire VII, il en sort pour devenir son conseiller et deviendra lui-même plus tard premier pontife. Il parcourut la chrétienté en proie aux guerres et à la corruption. Il eut une influence dans la trêve de Dieu, qui interdisait aux seigneurs de se battre pas plus de trois jours par semaine. Le pape Urbain II tint plusieurs conciles dont celui de Clermont en 1095 où il prêche la 1ère croisade. Il meurt le 29 juillet 1099, année même de la prise de Jérusalem.

Prendre à l'Ouest la D 1 en direction de Vandières.

La statue d'Urbain II montre le pontife dans le geste qui signifie « Dieu le veut ».

Vandières

Son nom viendrait de *Viaum Dare* (donner du vin) ou de *Vendemiare* (vendanger). En haut du village, au milieu d'un parc s'élève le château du 18e s. L'église du 11e s. est ornée d'un beau porche. Vues sur la vallée et les collines qui la bordent au Sud.

Verneuil

La petite église des 12e et 13e s., restaurée, est agréablement située au bord de la Semoigne.

Après Vincelles, on atteint Dormans.

Dormans *(voir ce nom)*

Suivre la N 3 jusqu'à Port-à-Binson.

On aperçoit Chatillon dominé par la statue d'Urbain II. *Prendre la D 36 vers Œuilly.*

Œuilly

Dans cet ancien bourg fortifié, situé à flanc de coteau, a été créé un écomusée.

Écomusée — Il comprend la maison champenoise, maison de vigneron datant de 1642, avec cave et grenier ; le musée de « la Goutte », fameux alcool tiré des marcs de raisin, qui a conservé l'ancien alambic du village et l'école 1900 avec pupitres, poêle et tableau noir. *Tlj sf mar. 14h-19h. 35F (enf. : 10F).* ☎ 03 26 57 10 30.

> **ÉCOMUSÉE**
> Il est installé dans trois bâtiments disséminés dans le village : la maison champenoise, le musée de la Goutte et l'école.

Partie de la fresque illustrant le travail dans les vignes à Fleury-la-Rivière.

Prendre la D 222 en direction de Boursault.

Château de Boursault

Élevé en 1848 par l'architecte Arveuf pour la célèbre veuve Clicquot, ce vaste château, inspiré du style Renaissance, fut le cadre de fastueuses réceptions organisées par Mme Clicquot, puis par sa petite-fille, la duchesse d'Uzès.

Poursuivre jusqu'à Vauciennes et prendre la D 22 qui plonge vers la Marne puis la N 3.

De belles **vues★** s'offrent sur la vallée de la Marne, Damery et la Montagne de Reims.

Circuit au départ de Château-Thierry
60 km — environ 4h

Le vignoble de l'Aisne, accompagnant le sillon de la Marne de Crouttes à Trélou (près de Dormans), appartient à la Champagne viticole délimitée.

Le pinot meunier s'adapte très bien aux terres de la vallée de la Marne et couvre presque la moitié du vignoble champenois. La couleur blanchâtre de la face inférieure de ses feuilles, évoque la blancheur de la farine et lui a donné son nom.

Quitter Château-Thierry à l'Ouest par l'avenue J.-Lefebvre et prendre la D 969.

Essômes-sur-Marne

L'**église St-Ferréol★**, ancienne abbatiale, fut bâtie pour les augustins au 13ᵉ s. L'**intérieur★** de l'édifice frappe par son ordonnance caractéristique du gothique « lancéolé ». Le triforium aux étroites arcatures géminées contribue pour beaucoup à l'élégance de l'ensemble. *S'adresser à la mairie d'Essômes.* ☎ *03 23 83 08 31.*

D'Essômes, gagner Montcourt, puis tourner à gauche dans la D 1400.

La route traverse le vignoble. Après le hameau de Mont-de-Bonneil sur la route d'Azy, **panorama** sur la boucle de Chezy et les lointains assez boisés de la Brie.

À Azy reprendre la D 969. Après la longue agglomération de Saulchery, on atteint Charly.

Charly

> **A**u centre du bourg, statue d'Émile Morlot, député et maire à l'origine du classement du vignoble axonais en appellation champagne.

C'est la plus importante commune viticole de l'Aisne en superficie.

Prendre la D 11 vers Villiers-Saint-Denis, puis la D 842 vers Crouttes.

Cette route procure une vue étendue, au Sud, sur la boucle de la Marne.

Crouttes

Ce village vigneron doit son nom aux caves forées dans le rocher (du latin *cryptae*). Sur la place de la mairie, laisser la voiture et grimper jusqu'au site escarpé de l'église.

De Crouttes, revenir à Charly par la D 969, puis traverser la Marne. Sur l'autre rive, suivre la D 86 vers Nogent-l'Artaud.

Nogent-l'Artaud

Il reste quelques vestiges de l'ancienne abbaye des Clarisses fondée par Blanche d'Artois.

Entre Nogent-l'Artaud et Chezy, agréable parcours dégagé au-dessus de la Marne, face aux pentes du vignoble.

Chézy-sur-Marne

Ce village au bord du Dolloir attire les promeneurs le long des rives aménagées.

Prendre la D 15. La route passe sous la D 1 pour gagner Étampes-sur-Marne puis Chierry où l'on rejoint la N 3.

De Chierry à Blesmes, panorama sur la vallée. 1,5 km après Blesmes, prendre la petite route à gauche.

La paye des Moissonneurs, *tableau de Léon Lhermitte conservé au musée d'Orsay à Paris.*

Fossoy

La maison Déhu, 7e génération de vignerons, est un point d'accueil sur la route touristique du champagne. Elle a créé un petit musée dans une ancienne écurie.

Le Varocien : musée de la Vigne et du Vin — Après une ▶ explication sur les trois cépages, on découvre les outils et machines utilisés autrefois par les vignerons. Remarquer un réfractomètre de 1863 servant à mesurer le degré d'alcool. *Tlj sf w.-end 9h-11h30, 14h-18h. Fermé j. fériés, 1 sem. fin janv., 1 sem. en juin et 1 sem. mi-août. 20F.* ☎ *03 23 71 90 47.*

Poursuivre la petite route jusqu'à Mézy.

> Le varocien qui vient du mot varoce est l'appellation donnée autrefois aux vignerons de cette vallée.

Église de Mézy

De style gothique du 13e s., étayée d'arcs-boutants, elle surprend par l'homogénéité de son style. À l'intérieur, très pur de lignes, un triforium presque complet, rythmé à cinq arcatures, dissimule une galerie circulaire.

Traverser la Marne et tourner à gauche dans la D 3 pour longer la rive droite.

Mont St-Père

Né dans ce village, l'artiste Léon Lhermitte (1844-1925) ▶ s'est inspiré de la vie des paysans et des paysages de sa région natale. C'est dans la ferme fortifiée du rû Chailly à Fossoy qu'il a peint la *Paye des Moissonneurs* (au musée d'Orsay à Paris).

La route longe le bois de Barbillon avant de regagner Château-Thierry.

> **DESCENDANCE**
> Le comédien Thierry Lhermitte, mémorable dans « Le Père Noël est une ordure » ou encore dans « Le Dîner de cons » est l'arrière petit-fils de Léon Lhermitte.

4 CÔTEAUX SUD D'ÉPERNAY *(voir p. 150)*

Chaource ★

Ce village élève son célèbre chaource dans la tradition depuis le Moyen Âge. Impossible de passer ici sans succomber au plaisir de goûter ce fromage si généreux. Il suffit juste de fermer les yeux devant ses 50 % de matières grasses... Pour retrouver une bonne conscience, vous pourrez vous dédouaner de ce petit péché lors d'une promenade digestive et agréable dans les rues bordées de maisons du 15e s.

La situation

Cartes Michelin nos 61 pli 17 ou 241 pli 41 — Aube (10). Au Sud de Troyes, Chaource se trouve à l'intersection de la D 443 et de la D 444, aux sources de l'Armance. **⌂** *20 r. du Pont-de-Pierre, 10210 Chaource,* ☎ *03 25 40 10 67.*

Le nom

Littéralement, association de deux animaux le chat et l'ours, blason de la ville.

Les gens

1 031 Chaourçois. Le maître de Chaource, sculpteur anonyme qui travailla à Troyes au 16ᵉ s., est aussi appelé maître de la sainte Marthe ou maître aux visages tristes.

visiter

Le village a conservé quelques maisons anciennes à pans de bois du 15ᵉ s. avec leurs « allours », passages couverts.

Église St-Jean-Baptiste★

Cette église possède un chœur du 13ᵉ s. et une nef du 16ᵉ s. La chapelle semi-souterraine, à gauche du chœur, abrite un **sépulcre★★**, chef-d'œuvre de la sculpture champenoise. Rarement tendresse et chagrin ont été traduits avec une telle émotion. Les visages poignants des Saintes Femmes et de la Vierge apparaissent sous les capulets au délicat plissé. Elles portent le costume des servantes du 16ᵉ s.

Une crèche en bois doré du 16ᵉ s. *(3ᵉ chapelle gauche)*, montre le talent varié des sculpteurs de l'école troyenne. Présentée dans une armoire du 16ᵉ s. à volets formant polyptyque, elle comprend vingt-deux statuettes représentant l'Adoration des Mages et des Bergers.

Le réalisme, la perfection et la simplicité des attitudes du sépulcre de l'église St-Jean-Baptiste dénotent l'intervention du « maître de Chaource ».

alentours

Maisons-lès-Chaource *(6 km au Sud par la D 34)*.

Musée des Poupées d'antan et de la Tonnellerie — Des poupées à tête en porcelaine sont présentées dans des décors reconstitués sous vitrine. Certaines marques sont connues comme Jumeau, Petit-Collin ou SFBJ. Un atelier de tonnellerie de deux meilleurs ouvriers de France, le père en 1936 et le fils en 1952, a été reconstitué. La visite se termine par une dégustation de chaource, accompagné d'une flûte de cacibel (apéritif à base de cidre, de cassis et de miel). Le bonheur ! *Tlj sf mar. 9h30-12h, 14h-18h. Fermé j. fériés. 25F (enf. : 10F).* ☎ *03 25 70 07 46.*

Charleville-Mézières ★

Les villes de Charleville et Mézières sont réunies depuis 1966. Mais le trait d'union ne les a pas empêchées de conserver leur particularité. Charleville, commerçante et bourgeoise impose la parfaite ordonnance de ses rues rectilignes tandis qu'en bordure de ses quais flotte comme un bateau ivre, le souvenir de Rimbaud. Mézières, administrative et militaire, resserre ses maisons de schiste dans l'étranglement d'un méandre de la Meuse.

La situation

Cartes Michelin n°ˢ 53 pli 18 ou 241 pli 10 — Schéma p. 177 — Ardennes (08). Charleville et Mézières sont toutes deux nichées dans une boucle de la Meuse. **🛈** *4 pl. Ducale, 08109 Charleville-Mézières, ☎ 03 24 33 00 17.*

Le nom

Charleville doit son nom à Charles de Gonzague qui en 1606, décide de fonder une ville à l'emplacement du village d'Arches, siège d'une principauté.

Les gens

Agglomération 67 213 Carolomacériens. Le plus grand est certainement le marionnettiste, automate en laiton de 10 m de haut, œuvre de Jacques Monestier, réalisateur du Défenseur du Temps, dans le quartier de l'Horloge à Paris.

comprendre

Les origines — Sur le site actuel de Montcy-St-Pierre s'étendait la ville gallo-romaine de Castrice (nombreux vestiges au musée de l'Ardenne à Charleville), détruite au 5ᵉ s. lors des invasions barbares.
À l'emplacement de Charleville, exista une villa royale ; mais c'est au 9ᵉ s. que le bourg d'Arches apparut. Charles le Chauve y possédait un palais, où il reçut, en 859, son neveu Lothaire, roi de Lorraine. Tandis qu'Arches prenait de l'importance, Mézières, fondée aux alentours de l'an mille, n'était qu'un village. Au 13ᵉ s., les deux villes appartenaient au comte de Rethel et de Nevers.

Une grande famille — Louis de Gonzague acquiert par son mariage avec Henriette de Clèves en 1565, le duché de Nevers et le comté de Rethel dont fait partie Charleville. Louis de Gonzague mort en 1595, le duché de Rethel passe à son fils **Charles de Gonzague** (1580-1637). Celui-ci améliore l'économie locale en obtenant de Henri IV et de Louis XIII divers privilèges dont celui de franche gabelle (le duché de Rethel n'était pas soumis à l'impôt sur le sel). Charleville, à laquelle Louis XIII accorde la franchise de commerce avec la France, se construit alors peu à peu sous la direction de l'architecte Clément Métezeau. En 1627, lorsque Charles est appelé à régner sur Mantoue, tout est à peu près terminé.

« L'homme aux semelles de vent » — Le poète **Arthur Rimbaud** (1854-1891) naît à Charleville, d'un père capitaine d'infanterie souvent absent et d'une mère autoritaire qui fera de son fils un révolté. Au collège local cependant, le jeune Arthur accomplit de brillantes études. De 1869 à 1875, il habite au n° 7 du quai qui aujourd'hui porte son nom ; il y composa *Le Bateau ivre* face au port, non loin du Vieux Moulin.

SUR LES TRACES DE RIMBAUD
Près du musée, on peut voir encore la maison de son adolescence (7 quai Rimbaud), son collège devenu bibliothèque municipale (4 pl. de l'Agriculture) ; sa maison natale (12 r. Bérégovoy), sa tombe à l'entrée du vieux cimetière (av. Charles-Boutet) et son buste érigé en 1901 square de la Gare.

Portrait du poète Arthur Rimbaud.

C'est l'époque des fugues à Charleroi, à Paris où il rencontre Verlaine qu'il accompagnera en Belgique et à Londres, à Roche enfin près de Vouziers où il écrit *Une saison en enfer* (1873).

Rompant alors avec la littérature, Rimbaud commence une vie d'errance qui le mène jusqu'en Orient, sur les bords de la mer Rouge et en Indonésie. Rapatrié, il meurt à l'hôpital de Marseille, âgé de 37 ans. Son corps repose dans le vieux cimetière de Charleville.

carnet d'adresses

OÙ DORMIR

À BON COMPTE

Camping Base de Loisirs Départementale – *08800 Haulmé - 22 km NE de Charleville par D 74 -* ☎ *03 24 32 81 61 - réserv. conseillée en été - 405 empl. : 53F.* Vous choisirez ce camping pour sa plaisante situation, au bord des méandres de la vallée de la Semoy. Tennis, volley, canoë et kayak, vélos. Jeux pour enfants.

Camping Départemental Lac des Vieilles Forges – *08500 Les Mazures - 17 km au NO de Charleville sur D 989 puis D 88 -* ☎ *03 24 40 17 31 - réserv. conseillée en été. - 300 empl. : 53F.* Vous camperez ici sur des terrasses ombragées qui dominent le lac. L'ensemble des installations est moderne et confortable. Jeux pour enfants. Plage, ping-pong et locations de chalets.

Hôtel Paris – ☎ *03 24 33 34 38 - fermé 25 déc. au 1er. janv. - 29 ch. : 220/420F -* ☒ *37F.* Cet hôtel, à la façade classique du début du 20e s., est situé près de la gare, en bordure d'une avenue passante. Bien insonorisées, les chambres sont claires et simples. Accueil sympathique et attentionné.

OÙ SE RESTAURER

À BON COMPTE

Le Balard – *10 r. Tivoli -* ☎ *03 24 33 60 06 - fermé août, vacances de Noël, lun. midi et dim. - 95/170F.* Poussez la porte de ce restaurant et découvrez un authentique décor de l'ancien métropolitain, avec banquettes, carrelages blancs, porte-bagages et plaques publicitaires en émail. Il ne manque que les vibrations des rames...

La Côte à l'Os – *Cours A.-Briand.* ☎ *03 24 59 20 16 - 79/130F.* Vous serez bien accueilli dans ce restaurant du centre-ville, situé sur

une grande allée plantée de marronniers. La terrasse en été est agréable. Cuisine traditionnelle avec des menus du terroir.

OÙ BOIRE UN VERRE

La Petite Brasserie Ardennaise – *25 quai Rimbaud,* ☎ *03 24 37 53 53. Lun.-sam. 14h-1h.* De bonnes bières attendent ici le buveur patenté. Située dans l'arrière-salle du bar, une micro-brasserie en brasse sur place sept variétés telle que l'« oubliette », dont on se souvient pourtant longtemps et que l'on peut déguster blonde, ambrée ou stout.

Le Mawhot – *Quai Charcot. Mer.-lun. 16h-1h.* Le Mawhot est un reptile des légendes du terroir ardennais. Au sein de son établissement, Philippe a décidé de rendre hommage à cet imaginaire en vous contant les histoires merveilleuses des Quatre fils Aymon, de Woinic le sanglier géant et de la légende de la pierre noire. On boit ces récits en sirotant des breuvages maison.

Au Roy de la bière – *19 pl. des Halles,* ☎ *03 24 29 01 74. Ouv. tlj 11h-1h.* Cet établissement au style rustique et à la décoration hétéroclite (chopes pendues au plafond, photographies anciennes) nous plonge dans l'atmosphère typique des estaminets belges. Grand choix de bières, bien entendu.

Le Pub Forum – *35 r. du Rivage,* ☎ *03 24 29 65 23. Lun.-sam. 9h-23h.* Ce bar tout en longueur plaît beaucoup à la jeunesse sedanaise qui le fait souvent entendre de manière tonitruante. Salle de billard au fond.

DOUCEURS

Jouannet – *28 pl. de la Halle,* ☎ *03 24 29 09 26. Lun.-sam. 9h-12h, 14h-19h.* Bien situé sur l'une des places les plus animées de la ville, ce chocolatier-salon de thé propose des spécialités maison comme le Palet des princes (chocolat mélangé à de la pâte d'amande) et les Écailles d'ardoises (nougatine enrobée de chocolat). Agréable petite terrasse.

ACHATS

Le Maître d'Orge – *1 bis r. Carnot,* ☎ *03 24 26 89 35. Mar.-ven. 10h-12h, 14h-19h, sam. 9h-12h30, 14h-19h.* Ce magasin offre une dernière chance aux malheureux aficionados de la bière qui n'auront pas eu le temps de se rendre en Belgique toute proche. Il propose en effet un grand choix de « cervoises », y compris une véritable bière d'amateur, plusieurs fois primée dans les concours de brassage, la « Passe Tout » de Lionel Passe.

La place Ducale constitue un exemple type de l'architecture Henry IV - Louis XIII.

se promener

À CHARLEVILLE

Place Ducale★★

Elle fut conçue par **Clément Métezeau** (1581-1652), architecte des Bâtiments du Duc. Elle présente de nombreuses analogies avec la place des Vosges à Paris, réalisée à la même époque et attribuée à Louis Métezeau, frère de Clément. La place Ducale mesure 126 m sur 90 et son aspect reste spectaculaire malgré la construction, en 1843, de l'hôtel de ville à l'emplacement du palais ducal. Au centre, une fontaine a été élevée comme à l'origine. Une galerie d'arcades en anse de panier fait le tour de la place dont les pavillons, bâtis en brique rose et pierre ocre, sont coiffés de hauts combles d'ardoise mauve. Plusieurs pavillons ont été restaurés. Aux quatre coins de la place s'élevaient des dômes, comme celui qui se trouve au n° 9.

Traversant la cour du musée, un passage public relie la place Ducale à la place Winston-Churchill *(ouvert aux heures du musée)*.

AINSI FONT...

L'horloge du Grand Marionnettiste a été intégrée dans la façade de l'Institut international de la Marionnette. Un mouvement permanent en anime la tête et les yeux. À chaque heure, de 10h à 21h, un court spectacle de marionnettes retrace un épisode de la légende ardennaise des Quatre Fils Aymon. Tous les samedis, à 21h, a lieu la représentation des douze tableaux.

LES MARIONNETTES

Charleville-Mézières ne possède pas de héros populaire comme « guignol » à Lyon ou « Lafleur » à Amiens. Mais il existait depuis 1941 une troupe d'amateurs, « les petits comédiens de chiffons ». Pour fêter leur 20e anniversaire, la troupe invite d'autres marionnettistes français et étrangers. C'est ainsi qu'est né le premier festival international de la marionnette en France, créé par Jacques Felix. En 1972, le festival devient mondial avec la participation d'une trentaine de nations. Le **festival mondial des Théâtres de Marionnettes**, qui n'a cessé de prendre de l'importance, a lieu tous les trois ans (le prochain en l'an 2000) et dure une dizaine de jours, de fin septembre à début octobre. L'Institut international de la Marionnette, fondé en 1981, y organise des stages de technique sur la confection des marionnettes. Et c'est en 1987 que l'École supérieure nationale des Arts de la Marionnette a ouvert ses portes à la première promotion d'étudiants. Charleville-Mézières est également le siège de l'Union internationale de la marionnette.

Cette marionnette, animée par des mains agiles, fera rire petits et grands.

Rue de la République

Dans cette artère commerçante et animée, chaque immeuble contient deux logements sous un grand toit couvert d'ardoises. Des commerces sont installés au rez-de-chaussée de chaque côté de la porte commune, selon le plan voulu par Charles de Gonzague. D'autres maisons de ce type sont visibles rue du Moulin.

CHARLEVILLE-MÉZIÈRES

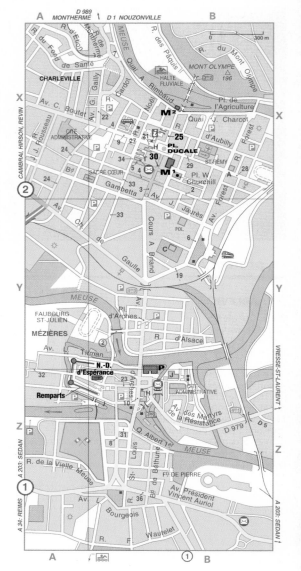

Vieux Moulin

L'ancien moulin ducal ressemble plus à une porte monumentale en pavillon qu'à un moulin. Il a en effet été conçu dans un souci de symétrie avec la porte de France au Sud et pour fermer la perspective de l'axe principal de la cité. Il présente une majestueuse façade Henri IV-Louis XIII à l'italienne derrière laquelle se trouve le musée Rimbaud.

À MÉZIÈRES

Basilique N.-D.-d'Espérance

Restaurée et remaniée au cours des siècles, elle apparaît de style gothique flamboyant, sauf le clocher-porche érigé au 17e s. Charles IX y célébra ses noces avec Élisabeth d'Autriche, le 26 novembre 1570.

◀ L'intérieur en impose par l'ampleur de son plan à nef centrale et doubles collatéraux ainsi que par ses voûtes aux clefs pendantes. De beaux **vitraux★**, non figuratifs, éclairent l'édifice. Ils furent réalisés entre 1955 et 1979 par René Dürrbach qui s'est inspiré d'un texte de Henri Giriat sur le thème de la Vierge.

DE PLUS PRÈS

Sur un autel à gauche du chœur, Notre-Dame-d'Espérance, une Vierge Noire très vénérée, a donné son vocable à la basilique au 19e s.

Remparts

Quelques vestiges des remparts du Moyen Âge : tour du Roy, tour Milart (14ᵉ s.), tour de l'École, porte Neuve, porte de Bourgogne (à la base d'un immeuble).

Préfecture

Elle est installée dans les bâtiments de l'ancienne École royale du génie (17ᵉ-18ᵉ s.) où Monge enseigna et où Carnot fut élève.

visiter

Musée de l'Ardenne★

Il est installé, entre cour et jardin, dans un ensemble architectural qui connut quatre siècles de construction. Il est entrecoupé de passages couverts et de passerelles. Pour l'essentiel, les collections ont trait au patrimoine régional : archéologie, histoire, ethnographie.

Au premier étage, les salles présentent la production de la manufacture royale d'armes qui fonctionna de 1688 à 1836, des documents sur la fondation de Charleville (plan-relief de Charleville en 1637, de Mézières en 1614), une collection de monnaies et médailles dont 3 000 sont exposées.

La pharmacie (1756) avec ses 120 pots de faïence au décor bleu provient de l'ancien Hôtel-Dieu ; elle était encore en service il y a 25 ans.

Le dernier étage rassemble des collections se rapportant aux arts et traditions populaires avec la reconstitution d'un intérieur ardennais.

Les Beaux-Arts sont représentés par le sculpteur Croisy (*Les Quatre Saisons*) et les peintres régionaux du 19ᵉ s., Couvelet, Damas et Gondrexon. ♿ *Tlj sf lun. 10h-12h, 14h-18h. Fermé 1ᵉʳ janv., 1ᵉʳ mai, 25 déc. 25F.* ☎ *03 24 32 44 60.*

Musée Rimbaud

Aménagé à l'intérieur du Vieux Moulin, le musée évoque le poète à travers des photographies, des lettres, des objets personnels (malle d'Abyssinie), divers documents dont le manuscrit autographe du fameux sonnet de « Voyelles ». Derrière le musée Rimbaud, une passerelle surplombant la Meuse mène au mont Olympe. *Tlj sf lun. 10h-12h, 14h-18h. Fermé 1ᵉʳ janv., 1ᵉʳ mai, 25 déc. 20F.* ☎ *03 24 32 44 65.*

alentours

Mohon

Cette agglomération industrielle au Sud de Mézières est la patrie de Monseigneur Loutil, alias **Pierre l'Ermite,** poète et écrivain (1863-1959). L'église St-Lié, édifiée au 16ᵉ s. pour abriter les reliques de saint Lié, accueillait de nom-

---

> **D'UN AUTRE TEMPS**
> La section archéologique la plus importante, montre les origines du peuplement du massif des Ardennes, surtout à l'époque de l'âge du fer, à l'époque romaine (stèles, moulin à grains du 2ᵉ s., céramiques), et à l'époque mérovingienne (bijoux et armes issus des tombes de chefs de Mézières).

> **COUP D'ŒIL**
> Avant d'atteindre la salle consacrée à la marionnette, on peut voir, au passage à travers une vitre, le mécanisme du Grand Marionnettiste.

> **O**n remarque également une esquisse du tableau de Fantin-Latour : *Un coin de table* (original au musée d'Orsay à Paris), où figure Rimbaud, et un portrait par Fernand Léger.

Eugène Damas a immortalisé dans ce tableau le travail des paysans de la plaine de Montjoly (musée de l'Ardenne).

breux pèlerins. Sa façade, du début du 17ᵉ s., présente des décors en trompe-l'œil. *8h30-12h, l'ap.-midi s'adresser au presbytère, 21 pl. de Mohon, ☎ 03 24 57 13 15.*

Warcq

3 km à l'Ouest par l'avenue de St-Julien et la D 16.
Église fortifiée au clocher carré formant donjon. L'intérieur est de type « halle » ; statue de saint Hubert du 18ᵉ s. *(pilier à gauche de l'autel). Lun.-ven. : visite guidée 14h-18h. ☎ 03 24 59 48 20.*

Parc animalier de St-Laurent *(6 km à l'Est par D 979)*

🚶 🖼 Plusieurs circuits fléchés permettent une agréable promenade dans ce **parc animalier** de 45 ha où vivent en semi-liberté des sangliers, daims, cerfs, chevreuils, chèvres et mouflons, sans oublier de nombreux volatiles. *Avr.-sept. : tlj sf jeu. 14h-18h, w.-end et j. fériés 13h30-19h ; oct.-mars : tlj sf jeu. 13h30-17h30. Gratuit. ☎ 03 24 57 39 84.*

Renwez *(15 km au Nord-Ouest par la N 43 et la D 988)*

Renwez (prononcer Renvé), gros bourg ardennais où l'historien **Michelet** séjourna maintes fois, possède une imposante église du début du 16ᵉ s.

Église — De style gothique flamboyant, elle est intéressante par ses baies à remplages dessinant des « soufflets et mouchettes » (quatre-feuilles très étirés et découpure en forme d'ellipse). Remarquer la rose du portail Sud, les curieux arcs-boutants intérieurs et les voûtes compartimentées.

Musée de la Forêt — *2 km au Nord de Renwez entre la D 40 et la D 140.* Sur 5 ha de forêt sont reconstitués, à l'aide de personnages en bois, les travaux et les techniques d'antan (bûcheronnage, essartage, débardage). De nombreux outils de bûcheron sont exposés dans un chalet. ♿ *D'avr. à mi-nov. : 9h-12h, 14h-18h (de juin à mi-sept. : 9h-19h) ; mars : 14h-17h ; de mi-nov. à fin fév. : sur demande. Fermé entre Noël et Jour de l'an. 25F. ☎ 03 24 54 82 66.*

Château de Montcornet-en-Ardenne *(2 km au Sud-Est de Renwez)*

Depuis 1961, le château fait l'objet d'une remise en valeur. Bâti au 11ᵉ s., reconstruit presque entièrement au 15ᵉ s., il fut démantelé à la fin du 18ᵉ s. Une barbacane et un pont-levis avec leurs larges meurtrières à canons, donnent accès à l'intérieur de l'enceinte. On découvre ainsi les salles souterraines, la grande salle et son puits de 14 m, le donjon... Présentation des objets découverts lors des travaux de déblaiement. *Pâques-Toussaint : w.-end 14h-18h (juil.-août : tlj sf lun. 14h-18h). 15F. ☎ 03 24 54 93 48.*

Lac des Vieilles Forges *(7 km au Nord de Renwez par la D 40)*

Le lac de barrage s'inscrit dans un cadre tranquille de collines boisées (chênes, sapins, bouleaux).

Rimogne *(16 km au Nord-Ouest par la N 43)*

Cité florissante de l'ardoise depuis le 13ᵉ s., Rimogne a dû cesser cette activité en 1971, suite à la concurrence des ardoises étrangères et des nouveaux matériaux.

Maison de l'ardoise — Aménagée dans l'ancienne centrale électrique des Ardoisières (1905), elle permet de découvrir une maquette des sites ardoisiers de Rimogne, des éléments de machinerie (compresseurs, treuil de 1904), des outils (pics, refendrets pour séparer les blocs, pinces, scies). On peut également voir le puits de la Grande Fosse, la plus importante fosse exploitée à Rimogne. Foré en 1826, le puits est profond de 185 m et surplombé d'un chevalement en chêne. *Tlj sf lun. 10h-12h, 13h-18h. Fermé entre Noël et Jour de l'an, 1ᵉʳ mai, 11 nov. 25F. ☎ 03 24 35 13 14.*

C'EST DU SPORT !

Les loisirs sont nombreux : voile, planche à voile, canoë, VTT, baignade, sentiers pédestres et équestres, aires de pique-nique, camping.

Château-Thierry

Que vous soyez cigale ou fourmi, corbeau ou renard, chat, belette ou petit lapin, ne passez pas à Château-Thierry sans gravir les marches du perron de la maison de La Fontaine. Pour redevenir l'espace d'un instant, l'enfant qui apprenait sans toujours bien les comprendre, ses fables qui imprègnent de leurs vers la mémoire à jamais.

La situation

Cartes Michelin n°s 56 pli 14 ou 237 pli 21 — Aisne (02). La ville est située sur l'A4 Paris-Reims. Château-Thierry, la champenoise (par ses origines et son vignoble), est bâtie sur les deux rives de la Marne, au flanc d'une butte isolée que couronne l'ancien château. **🛈** *11 r. Vallée, 02400 Château-Thierry,* ☎ *03 23 83 10 14.*

Le nom

En 1060 Hugues Lambert, dit Hugues Thierry à qui le comte de champagne avait confié le soin de défendre la place forte accola le nom de la ville à son nom.

Les gens

15 312 Castelthéodoriciens. Le plus connu est Jean de la Fontaine qui a sa statue place des États-Unis.

> ### TROUVEZ LA FABLE...
> 1 Rien ne sert de courir, il faut partir à point.
> 2 La raison du plus fort est toujours la meilleure.
> 3 On a souvent besoin d'un plus petit que soi.
> 4 Il se faut entr'aider ; c'est la loi de nature.
> 5 Aide-toi, le ciel t'aidera.
> *(Réponse à la fin du chapitre).*

LA FONTAINE À CHÂTEAU-THIERRY

Le grand fabuliste y est né le 8 juillet 1621. À l'école, il préfère les promenades. Sous l'influence de lectures pieuses, il croit avoir la vocation religieuse et entre à l'Oratoire. Ses maîtres s'aperçoivent bientôt que l'état ecclésiastique n'est pas son fait. Il s'inscrit au barreau puis revient en 1644 dans sa ville natale. En 1647, son père lui fait épouser Marie Héricart, fille du lieutenant criminel de la Ferté-Milon. De 1652 à 1671, le fabuliste est pourvu de plusieurs offices de maître des Eaux et Forêts, légués par son père, ainsi que de nombreuses dettes. Un jour, un officier en garnison déclame devant La Fontaine une ode de Malherbe. C'est une révélation : Jean de La Fontaine sera poète. Aussi promptement qu'il était entré dans un séminaire, il se plonge dans la lecture de poètes et versifie. La traduction de *L'Eunuque* de Térence en 1654 marque son entrée dans les Lettres. À 36 ans, il s'attache, comme poète, à la Cour du surintendant Fouquet et ne séjourne plus qu'épisodiquement dans sa ville. Moyennant l'exécution d'une pièce de vers par trimestre, il reçoit une pension régulière. Fouquet arrêté, le poète devient parisien et le reste jusqu'à sa mort (1695), hébergé et choyé par la haute société : les d'Hervart, Mme de La Sablière…

Portrait du grand fabuliste Jean de La Fontaine.

---

se promener

LE TOUR DU CHÂTEAU

Partir de la place de l'Hôtel-de-Ville. La rue du Château monte à la porte St-Pierre.

Porte St-Pierre

C'est la dernière qui subsiste des quatre portes de la ville. Voir de l'extérieur sa façade principale flanquée de deux tours rondes.

Château

On y entre par la porte St-Jean dont l'appareil soigné, à bossages, indique une époque tardive (fin du 14e s.). De cette ancienne ville militaire rasée, il ne reste que la base des murs. Le château est devenu une promenade avec de belles **vues** sur la ville, la vallée de la Marne, le monument de la Cote 204.

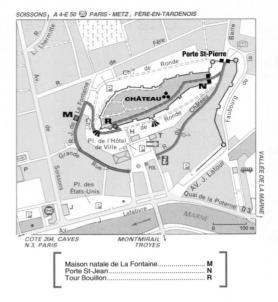

SOISSONS, A 4-E 50 ⑳ PARIS - METZ, FÈRE-EN-TARDENOIS

Maison natale de La Fontaine........................ M
Porte St-Jean.. N
Tour Bouillon.. R

De la tour Bouillon, descendre par un escalier au chemin de ronde intérieur.

On passe devant la maison natale de La Fontaine, ancien hôtel du 16e s.

Revenir par la Grande-Rue animée et bordée de maisons anciennes.

visiter

Maison natale de La Fontaine

◉ Cet ancien hôtel du 16e s., remanié en partie, abrite le musée La Fontaine. Outre des actes portant la signature de La Fontaine, son acte de baptême et quelques portraits ou bustes, le musée présente, dans ses petits salons meublés dans le goût du temps, de magnifiques éditions des *Fables* et des *Contes,* les volumes illustrés par Oudry (1755) et Gustave Doré (1868). Distrayant échantillonnage d'objets les plus divers décorés de scènes des *Fables. Tlj sf mar. 10h-12h, 14h-18h. Fermé j. fériés. 18,50F, gratuit mer.*

Caves de champagne Pannier

23 r. Roger-Catillon à l'Ouest de la ville. Un montage audiovisuel et la visite des caves installées dans des carrières de pierre du 13e s. permettent de suivre l'élaboration du champagne. *En travaux jusqu'à fin 1999.* ☎ 03 23 69 51 30.

Gravures représentant « La Cigale et la fourmi » et « Le Savetier et le financier », deux célèbres fables de La Fontaine.

carnet d'adresses

alentours

Vallée de la Marne★

C'est l'une des routes du champagne qui serpente tantôt à travers bois, tantôt au milieu des vignes à flanc de coteaux le long des deux rives de la Marne *(voir p. 118)*.

Condé-en-Brie *(16 km à l'Est par la N 3)*

Au confluent des vallées du Surmelin et de la Dhuys, Condé est un marché agricole avec une halle en charpente sur colonnes doriques. À la Révolution, la localité fut rebaptisée Vallon Libre.

Vue de la façade Est du château de Condé-en-Brie orné d'une tourelle.

Château — De la grille d'entrée, belle perspective sur le château, réédifié au 16e s. par Louis de Bourbon-Vendôme (1493-1556), cardinal archevêque de Sens, auquel succéda son neveu, Louis de Bourbon, premier prince de Condé. Les bâtiments ont été remaniés au 18e s. Les appartements ont conservé leur décor et leur mobilier du 18e s. La salle de musique est tendue de toiles en trompe-l'œil, œuvre de l'architecte-décorateur Servandoni qui dessina le grand escalier d'honneur. L'aile Ouest a été décorée par Watteau et ses élèves. *Juin-sept. : visite guidée (1h) 14h30-16h30 ; mai : dim. et j. fériés 14h30-16h30. 34F.* ☎ *03 23 82 42 25.*

> **FAITES SALON**
> Le **grand salon★** est décoré de panneaux, représentant des natures mortes admirables, exécutés par Oudry et d'une fresque du 17e s. illustrant un navire battant pavillon hollandais occupé par des marins turcs.

Monument de la Cote 204 ; Bois Belleau

16 km au Nord-Ouest, environ 2 h. Quitter Château-Thierry par la N 3 (Ouest du plan) ; au croisement marquant le sommet de la montée, tourner à gauche dans l'avenue menant au mémorial américain d'Aisne-Marne située à la Cote 204.

Monument de la Cote 204 — Très forte position allemande en juin 1918. La 39e division française et la 2e division américaine mirent plus de cinq semaines à en déloger l'ennemi. Ils y réussirent le 9 juillet 1918.

Un monument américain composé d'une double colonnade s'élève en cet endroit *(schéma des opérations sur la face côté vallée).*

De là, belle **vue** sur Château-Thierry, son château, et la vallée de la Marne.

Revenir à la N 3 ; au carrefour, prendre tout droit la D 9 vers Belleau.

Bois Belleau — Au Sud du village, le bois fut occupé par les Allemands le 2 juin 1918 et reconquis le 25 par la brigade américaine Harbord. Le 18 juillet, il servit de plate-forme de départ aux troupes américaines qui participèrent à la bataille de France.

Le grand **cimetière américain** rassemble près de 2 300 tombes. Dans la chapelle commémorative en forme de tour romane découronnée sont inscrits les noms des disparus.

Le **cimetière allemand** se trouve à 500 m au-delà du cimetière américain.

Revenir au carrefour du cimetière américain ; tourner à droite dans la petite route signalée « Belleau Wood » puis 400 m plus loin encore à droite.

On atteint, dans ce bois si disputé, le monument des « Marines » autour duquel des canons et obusiers ont été disposés en manière de mémorial.

Chaumont

Le site de Chaumont-en-Bassigny pourrait se prêter au tournage d'un film d'époque. À l'affiche, un plateau escarpé, un viaduc fort graphique, quelques belles pièces d'architecture moyenâgeuse... Sellez votre cheval et courez ventre à terre visiter cette ville au caractère féodal.

La situation

Cartes Michelin n°s 62 pli 11 ou 241 pli 43 — Haute-Marne (52).
En venant de Troyes, on aperçoit le **Viaduc★**, magnifique ouvrage d'art de 50 arches de trois étages, long de 600 m et dominant de 52 m la vallée de la Suize, permettant aux voies ferrées de pénétrer au centre de la ville.
🛈 *Pl. Charles-de-Gaulle, face à la gare, 52000 Chaumont,* ☎ *03 25 03 80 80.*

Le nom

Il vient du latin *Calvus Mons* qui signifie mont chauve. Certains parlent de mont chaud !

Les gens

27 041 Chaumontois. À Chaumont sont nés quelques personnages célèbres, parmi lesquels le sculpteur Edme Bouchardon (1698-1762), fils de Jean-Baptiste Bouchardon.

carnet pratique

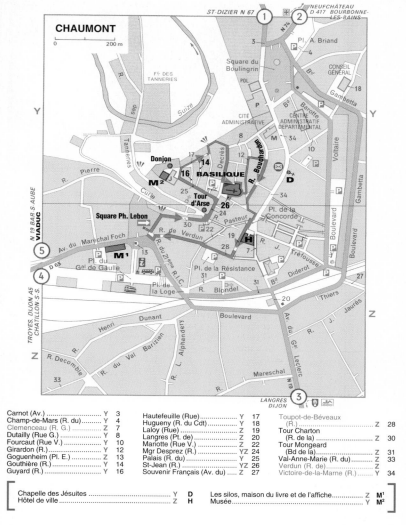

CHAUMONT

0   200 m

se promener

VIEILLE VILLE

Partir du square Philippe-Lebon.

Au centre du square se trouve la statue de Philippe-Lebon (1767-1804), inventeur du gaz d'éclairage.

Un peu plus loin, vue d'ensemble sur les toits de la ville, le donjon, les remparts, les deux tours de la basilique St-Jean, le clocher de la chapelle des Jésuites et le petit dôme de l'hôtel de ville. ▶

Descendre à droite la rue de la Tour-Chartron construite sur les restes des remparts.

Tour d'Arse

Tour du 13e s. de forme hexagonale.

Remonter la rue Monseigneur-Desprez jusqu'à la place St-Jean.

Sur la droite, une maison à tourelle en encorbellement surmonte une petite porte basse et cintrée, en face portail d'un hôtel particulier de 1723.

Suivre la rue du Palais qui aboutit à la place du même nom et monter l'escalier qui mène à l'esplanade du donjon : vue sur la vallée de la Suize. En bas s'étend l'ancien

> **GRAND PARDON**
>
> Célébré depuis plus de cinq siècles, le « Grand Pardon de peine et de coulpe » a été instauré par Jean de Montmirel (1409-1479), ami du pape Sixte IV, pour conjurer la peste, la famine et les guerres. Cette fête a lieu chaque fois que la Saint-Jean coïncide avec un dimanche, la prochaine aura lieu en 2001.

La tour d'Arse défendait l'entrée du bourg et servait également d'arsenal d'où son nom.

faubourg des tanneries. La maison Trefousse spécialisée dans la ganterie fit la renommée de la ville jusqu'au début du siècle.

Donjon

Bâti au 12e s., ce donjon presque carré, vestige de l'ancien château des comtes de Champagne, accueille des expositions temporaires. Ses murs ont près de 3 m d'épaisseur à la base. *De juin à fin sept. : tlj sf mar. 14h30-18h30, w.-end 14h30-19h. 5F.*

Prendre à gauche la rue Hautefeuille.

Les rues **Guyard** (bel hôtel Renaissance) et **Gouthière** conservent des maisons à tourelles en encorbellement à section circulaire qui abritent des escaliers à vis et quelques tours à plan carré.

◄ *Poursuivre la rue Hautefeuille puis prendre la rue Decrès.*

Remarquez la belle échauguette dans la rue Decrès. Au n° 17 de cette même rue, vous pourrez découvrir un portail d'époque Louis XIV.

Contourner la basilique St-Jean par la gauche pour voir les arcs-boutants et les gargouilles.

Rue St-Jean

Au n° 22 se trouve la tourelle la plus haute de la ville. De magnifiques lucarnes début 17e s. sont ornées de cariatides et d'autres du 18e s. agrémentées de volutes.

Tourner à gauche dans la rue Girardon.

Sur une petite place, deux hôtels fermés par un magnifique portail, à gauche l'hôtel de Grand de style Louis XIII surmonté d'un fronton semi-circulaire, à droite, l'hôtel de Beine de style Louis XIV coiffé d'un fronton brisé orné d'un mascaron.

Prendre la rue Damrémont puis la rue Bourchardon.

Cette rue doit son nom au sculpteur Edme Bourchardon, né au n° 27 en 1698.

Rue Bourchardon

◄ Au n° 6, sobre hôtel Louis XVI et un plus loin sur la gauche, échauguette coiffée d'un dôme en écailles de pierre soutenue par un cul-de-lampe dans une petite tourelle de section carrée.

Par la rue St-Jean, on arrive sur la place de la Concorde, fermée par l'hôtel de ville.

Hôtel de ville

Il fut construit au 18e s. par l'architecte François-Nicolas Lancret, neveu du peintre Nicolas Lancret.

Par la rue Laloy, la rue Toupot-de-Beveaux, à droite, et la rue de Verdun, rejoindre le square.

visiter

Basilique St-Jean-Baptiste★

C'est un édifice des 13e et 16e s. Sur le flanc Sud s'ouvre le portail St-Jean, protégé par un porche de pierre. Au trumeau, belle *Vierge à l'Enfant*. Au tympan, un bas-relief entouré d'une archivolte ornée d'anges représente la vie de saint Jean Baptiste : *Visite de Zacharie au temple, Naissance de saint Jean Baptiste*, son *Baptême* et finalement sa *Décollation*.

À l'intérieur, le chœur et le transept, décorés à l'époque Renaissance, sont les parties les plus intéressantes, avec une galerie à loggias et de belles clés pendantes aux voûtes.

Au bas de la nef à gauche dans la chapelle du St-Sépulcre, une **Mise au tombeau★** (1471) d'un puissant réalisme. Le groupe de onze personnages grandeur nature, en pierre polychrome représente l'*Onction* (les deux porteurs du corps du Christ tiennent les pots d'aromates et les spatules). La puissance d'expression des visages, les attitudes des personnages, le sens des volumes sont remarquables.

On peut voir dans la basilique diverses œuvres peintes ou sculptées de l'atelier de J.-B. Bouchardon, dont un ancien maître-autel en bois sculpté et doré, une chaire et un banc d'œuvre du début du 18e s.

Dans la basilique St-Jean-Baptiste, admirer la puissance d'expression de ce visage de femme, détail de la mise en tombeau.

Musée

Collection archéologique dont une cuirasse en bronze du 8e s. avant J.-C., un autel et une mosaïque gallo-romaine; des peintures du 16e s. au 19e s. (œuvres de Paul de Vos, Sébastien Stoskopff, Nicolas Poussin, François Alexandre Pernot) ; des sculptures parmi lesquelles le gisant de Jean l'Aveugle de Châteauvillain, l'ancien retable de la basilique St-Jean et surtout des fragments du mausolée d'Antoinette de Bourbon et Claude de Lorraine par Dominique Florentin. Une salle est consacrée à la famille Bouchardon. *Tlj sf mar. 14h-18h (de juil. à mi-sept. : tlj sf mar. 14h30-18h30). Fermé 1er janv., 1er mai, 25 déc. 5F.* ☎ *03 25 03 01 99.*

Dans le salon des expositions *(annexe du musée située près de la basilique)* sont exposées des **crèches★** du 17e au 20e s., en cire, bois, verre filé ou terre cuite, dont une magnifique collection de crèches napolitaines du 18e s.

Les silos, maison du livre et de l'affiche

Les silos à grains, ancienne coopérative agricole, ont été transformés en centre culturel polyvalent (médiathèque). La maison renferme plus de 10 000 affiches provenant du legs Dutailly dont des œuvres de Jules Chéret (1836-1932), de Théophile Alexandre Steinlen (1859-1923) un des plus intéressants témoins du tournant du siècle et de Henri de Toulouse-Lautrec (1864-1901). Les expositions par thème y sont organisées. ♿ *Tlj sf lun. 14h-19h, mer. et sam. 10h-18h, dim. 14h-18h (uniquement la grande salle d'exposition) ; été : mar.-ven. 14h-18h30, sam. 9h-13h. Gratuit.* ☎ *03 25 03 86 82.*

Chapelle des Jésuites

La chapelle de l'ancien collège des Jésuites conserve, derrière le maître-autel en bois sculpté et doré, un retable représentant l'Assomption de la Vierge par Bouchardon.

En sortant de la chapelle, à gauche, fontaine avec buste de Bouchardon. *De janv. à déb. déc. : tlj sf mar. 15h30-19h. Fermé en juin, 1er janv., 8 mai. Gratuit.* ☎ *03 25 030 60 57.*

alentours

Prez-sous-Lafauche *(38 km au Nord)*
Quitter Chaumont par la N 74.
◉ Dans ce village haut-marnais est installé le **zoo de bois** ou musée aux Branches. Celles-ci, trouvées dans la nature, judicieusement et artistement assemblées, composent des scènes comiques ou tragiques, des animaux familiers... ♿ *De juin à mi-sept. : tlj sf lun. 14h-18h30. 15F.* ☎ *03 25 31 57 76.*

Le Chesne

D'ici, vous êtes à deux pas du canal des Ardennes. Alors le moment est peut-être venu de réaliser un ancien rêve : celui de louer un bateau et de partir sur l'eau profiter du calme, des couleurs, des senteurs, de laisser le temps prendre son temps, au rythme des écluses.

La situation
Cartes Michelin n⁰ˢ 56 pli 9 ou 241 pli 14 — Ardennes (08).
Commandant un des défilés de l'Argonne, dit jadis du Chesne Populeux, cette localité est sur la ligne de partage des eaux entre les bassins de l'Aisne et de la Meuse. Le village est formé de deux rues parallèles, la rue du Commerce très animée comme son nom le laisse supposer et la rue des Laboureurs bordée de fermes.

Le nom
Le bourg aurait été construit dans un lieu planté de chênes.

Les gens
974 Chesnois. Paul Martin (1887-1953), né au Chesne Populeux, ingénieur des Ponts-et-Chaussées, occupa le poste de directeur des travaux neufs du métropolitain où il déploya ses qualités de technicien et d'organisateur : entre 1925 et 1943, le réseau et le trafic du métro avaient doublé.

CANAL DES ARDENNES
Creusé sous Louis-Philippe, le canal relie la Meuse à l'Aisne ainsi qu'aux voies navigables du bassin de la Seine. Au Sud-Ouest du Chesne, sur 9 km, on compte 27 écluses — la plus intéressante se trouve à Montgon. Vers Sedan, le canal suit la vallée de la Bar.

alentours

DÉTENTE
Possibilité de pêche, de canoë-kayak, de promenade autour des deux étangs.

Lac de Bairon *(2 km au Nord)*
Réservoir du canal des Ardennes, il s'étend sur 4 km dans un paysage de collines. Une chaussée le divise en deux : l'Étang Vieux, jadis possédé par les moines du Mont Dieu et l'Étang Neuf. De la D 991, vue sur le lac. Une partie du lac est constituée en réserve naturelle pour les oiseaux, une autre est aménagée pour le nautisme.

Ancienne chartreuse du Mont Dieu★
10 km au Nord-Est par D 977 qui traverse la forêt domaniale du Mont Dieu. Propriété privée.
Fondée en 1132 par Odon, abbé de St-Remi de Reims, après sa visite de la Grande Chartreuse dans le Dauphiné, la Chartreuse occupait plus de 12 ha à l'abri d'une triple enceinte. Elle souffrit des guerres de Religion au 16ᵉ s. du fait de sa proximité avec le fief protestant qu'est Sedan, devint prison sous la Révolution, puis fut partiellement démolie.

CHEF-D'ŒUVRES
Les statues de St-Bernard et de St-Bruno, en bois, du 15ᵉ s. dans l'église de Tannay ainsi que la statuette en marbre de St-Bernard en évêque, du 16ᵉ s. au Chesne proviennent de la Chartreuse.

Dans la clairière d'un vallon austère, au pied des crêtes de l'Argonne, il subsiste des bâtiments du 17ᵉ s. d'une certaine sévérité tempérée par la couleur chaude de la brique rose et les encadrements de pierre des portes et des fenêtres. Son site isolé évoque la vie de silence des moines de l'ordre de saint Bruno.

Omont *(15 km au Nord par la D 991, puis la D 33)*
Presque abandonné, Omont reste chef-lieu de canton en témoignage du rôle qu'il joua sous l'Ancien Régime ; forteresse et prévôté, il justifie le dicton : « Vin de Mouzon, pain de Sagogne, justice d'Omont ». Il couronne une crête à 230 m d'altitude, isolé dans la vaste forêt de Mazarin, patrimoine considérable qui fut dilapidé au 18ᵉ s. par la duchesse de Mazarin, joueuse effrénée.
Au point le plus élevé se trouve l'église du 17ᵉ s. ; on reconnaît l'emplacement du château.

Le château d'Omont dont il ne reste que des vestiges était tenu par les Ligueurs lorsqu'il fut assiégé en 1591 par Henri IV.

Abbaye de **Clairvaux**

Vous voici dans un des hauts-lieux de la spiritualité médiévale, dans ce val d'Absinthe que Bernard de Fontaine choisit pour implanter une des quatre « filles majeures » de l'ordre cistercien. Bien que les aléas de l'histoire aient quelque peu altéré l'abbaye, il émane toujours de cet endroit un souffle particulier. Essayez pendant quelques instants de vous mettre en osmose avec la sérénité de ce lieu.

La situation

Cartes Michelin n°s 61 pli 19 ou 241 pli 38 — Aube (10). Le hameau de Clairvaux fait partie de la commune de Ville-sous-la-Ferté.

Le nom

Le nom viendrait du latin *Clara vallis* qui signifie vallée claire.

Les gens

Les moines et les convers, installés depuis 1115 à Clairvaux, seront remplacés après la Révolution par des détenus politiques ou de droits communs.

Crosse de l'Abbé de Clairvaux conservée au musée de Cluny à Paris.

BERNARD DE CLAIRVAUX (1090-1153)

Noble bourguignon, Bernard de Fontaine fait de bonnes études. Alors que sa famille le destine au métier des armes, il entre à l'abbaye de Cîteaux à l'âge de 21 ans, emmenant avec lui une partie de sa famille, tant est grande sa capacité de persuasion. Il n'a que 25 ans quand Étienne Harding l'envoie fonder Clairvaux. Profondément mystique et organisateur efficace, Bernard incarne la réforme cistercienne qui se veut d'une fidélité intransigeante aux principes de saint Benoît (prière et travail) alors que les bénédictins de Cluny acceptent, selon lui, des accommodements avec la Règle.

Dénué de tout, le jeune abbé se heurte à de grandes difficultés : rigueur du climat, maladies, souffrances physiques. Il impose à ses moines les plus durs travaux. Le succès ne se fait pas attendre : l'attirance pour cette nouvelle forme de spiritualité et le renom de Bernard suscitent nombre de vocations enthousiastes.

Bernard veut réformer la vie religieuse de son temps ; il intervient dans tous les domaines : élections épiscopales, conciles, schisme pontifical, seconde croisade, qu'il prêche en 1146 à Vézelay. Son autorité morale l'impose dans les cours européennes et à Rome où il « fait » les papes Innocent II (1130-1143) puis Eugène III, un ancien moine de Clairvaux élu en 1145.

Atteint par l'échec de la croisade (1148) et par la montée des hérésies qu'il combat en vain, il meurt en 1153 (canonisé en 1174). L'absolutisme de son comportement, allié à un goût extrême du dépouillement, en fait une des plus fortes personnalités du Moyen Âge.

comprendre

Saint-Bernard et l'architecture cistercienne — En accord avec les principes de pureté et de dépouillement de l'Ordre, l'architecture cistercienne se caractérise par sa sobriété et son austérité. L'abbatiale de Clairvaux, construite de 1135 à 1145 puis agrandie de 1154 à 1174, fut rasée entre 1812 et 1819. Son plan, modèle du « plan bernardin » a été reproduit dans toutes les abbayes-filles et en particulier à Fontenay.

Les enluminures de l'atelier de Clairvaux — L'atelier abbatial de Clairvaux réalisa une abondante production (presque intégralement conservée — 1 400 manuscrits — à la bibliothèque de la ville de Troyes) imprégnée de l'esprit cistercien. Saint Bernard avait là aussi préconisé l'austérité : il se défiait en particulier des couleurs vives et des dessins trop imaginatifs. Aussi, les formes géomé-

> **E**n forme de croix latine, longue d'une centaine de mètres, la nef à collatéraux de l'abbatiale de Clairvaux se terminait primitivement par un petit chevet plat percé de trois fenêtres hautes et flanqué de quatre chapelles ouvrant sur un vaste transept.

triques et les palmettes aux coloris ternes (tons de bleu ou de vert, rouges pâles, ocre, etc.) ont-elles tendance à dominer.

Les manuscrits de Clairvaux participent ainsi au renouveau artistique de la Champagne du 12ᵉ s., rappelant les heures brillantes de l'École de Reims. Ils furent copiés par des moines venus de toute l'Europe. On estime qu'à la fin du 12ᵉ s., l'abbaye possédait environ 340 volumes de grand format et qu'il avait fallu 300 moutons pour réaliser la seule Grande Bible !

visiter

(environ 2h)

Le haut mur de Clairvaux, long de 2,7 km, qui clôture un espace de près de 30 ha, se trouve à l'emplacement de l'enceinte fortifiée bâtie par les moines du 14ᵉ s. On pénètre dans le domaine de l'abbaye par la Porte du Midi. On découvre à gauche en entrant l'ancienne Hostellerie des Dames et au-delà les maisons et jardins potagers du Petit Clairvaux ; de l'autre côté les stricts bâtiments monastiques du Haut Clairvaux. *De mai à fin oct. : 14h-18h, visite guidée (1h1/2) sam. à 14h, 15h30, 17h. 40F.* ☎ *03 25 27 88 17.*

Le Petit Clairvaux

C'est au cœur de cet espace aujourd'hui réservé aux logements du personnel du Centre pénitentiaire que saint Bernard installa le *monasterium vetus* (Clairvaux I) en 1115. La source qui irriguait le premier vivier de l'abbaye existe toujours au milieu d'arbres. Quelques pans de murs anciens subsistent pour rappeler que le premier monastère ne fut pas construit en bois comme le voudrait la légende. Contre le mur d'enceinte Nord, se détachant devant la forêt qui cerne partout l'abbaye, la chapelle Ste-Anne (18ᵉ s.) était réservée aux « étrangers ».

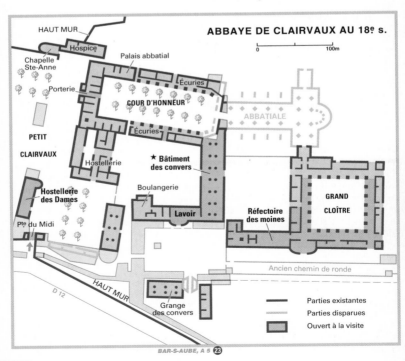

Ces belles voûtes en pierre blanche constituent l'ancien dortoir dans le bâtiment des convers.

Le Haut Clairvaux

De 1135 à 1145, pour répondre à la croissance de l'abbaye, le prieur Geoffroy de la Roche Vaneau entreprend, malgré les réticences de saint Bernard, la construction d'un nouveau monastère, à 300 m du précédent, avec l'appui de Thibaud II, comte de Champagne. La porterie de Clairvaux est aujourd'hui celle du Centre pénitentiaire. Elle ouvre sur une cour d'honneur qui conduisait à l'abbatiale et à cette ville médiévale aux 50 bâtiments que fut l'abbaye cistercienne. On peut voir la cour d'honneur aux façades reconstruites au 18e s. : les écuries furent anoblies pour les besoins de l'activité économique des moines. Une porte donnant sur la cour des convers permet d'accéder au Haut Clairvaux.

Bâtiment des convers★

C'est le seul bâtiment qui subsiste de Clairvaux II. Il est composé d'un cellier semi-enterré et d'un dortoir à l'étage, divisés chacun en trois nefs de douze travées. L'architecture correspond aux principes bernardins. L'étage voûté d'arêtes est d'une grande pureté avec sa pierre blanche, alors que le couvrement du cellier est constitué d'une voûte sur croisée d'ogives reposant sur des piliers octogonaux. L'ensemble date de 1140-1160. Sur de nombreuses arcatures, on peut découvrir les marques de tâcherons (compagnons tailleurs de pierre).

Le grand cloître

La visite permet de passer par un beau lavoir (transformé aujourd'hui en restaurant d'entreprise de la prison). On franchit plusieurs bras d'une dérivation de l'Aube qui constituent le système hydraulique de l'abbaye. On longe, après avoir traversé plusieurs murs d'enceinte de la partie désaffectée de la prison, l'imposante façade classique (130 m de large) d'un palais monastique, avec fronton aux armes de France. En fait, dès 1740, l'abbé Pierre Mayeur a entrepris des transformations de grande ampleur : l'essentiel du Clairvaux médiéval est démoli, sauf l'abbatiale et le bâtiment des convers. La nouvelle abbaye est édifiée autour du « grand cloître » dont on découvre l'ampleur (quadrilatère de 50 m de côté).

Clairvaux prison

Après le rachat de Clairvaux par l'État en 1808, des travaux y sont effectués pour la transformer en maison de détention, la plus grande de France. L'abbatiale, qui avait traversé la tourmente révolutionnaire, est presque totalement démolie en 1812, puis disparaît en 1819. Le fameux bâtiment des convers de Clairvaux II devient atelier. Dans la cour d'honneur, les hôtels de l'abbé et du prieur servent de logement aux directeurs.

Le grand cloître est scindé en dortoirs que l'on peut visiter à l'entresol. À l'étage subsistent des « cages à poules » qui après la « réforme cellulaire » de 1875 permirent aux détenus d'échapper à la promiscuité des dortoirs.

La visite se termine en regagnant l'aile du grand cloître qui renferme l'immense réfectoire des moines de 35 m de long, 13 m de large et 12 m de haut sous plafond, ceinturé des vestiges d'un lambris à cadre décoré de médaillons *(exposés au 1er étage de l'Hostellerie des Dames)*, ensemble empreint d'une certaine monumentalité.

Cette salle à manger a fait office de chapelle pour la prison jusqu'en 1971. On dit qu'au 19e s. on y faisait tenir jusqu'à 1 500 détenus debout ! La longue histoire de Clairvaux prison égrène une liste de prisonniers célèbres : Claude Gueux qui inspira Victor Hugo, Blanqui (1872) puis les communards, Philippe d'Orléans (1890) et le prince Protopkine (procès des anarchistes de Lyon — 1883), des mutins de Verdun en 1917, de nombreux résistants entre 1940 et 1944, plusieurs ministres de Vichy et Charles Maurras après la Libération, les généraux du putsch d'Alger et des indépendantistes pendant les événements d'Algérie.

L'ABBAYE AUJOURD'HUI
Elle appartient toujours au ministère de la Justice qui utilise certains bâtiments pour les services administratifs d'un centre pénitentiaire construit en 1971, à l'écart des principaux vestiges de l'ancienne abbaye.

Colombey-les-Deux-Églises

À l'orée de la forêt des Dhuits, Colombey doit sa notoriété à Charles de Gaulle qui y possédait, depuis 1933, la propriété de la Boisserie et qui est enterré dans le petit cimetière du village. Mais sans doute le saviez-vous déjà...

DÉCOUVERTE
Dans le village, 8 bornes historiques rappellent certaines citations du général de Gaulle.

La situation

Cartes Michelin nos 61 pli 19 ou 241 pli 38 — Haute-Marne (52). Colombey fut de tout temps une étape sur la route de Paris à Bâle. Les paysages champenois sont évoqués par Charles de Gaulle dans ses Mémoires : « Cette partie de la Champagne est tout imprégnée de calmes, vastes, frustes et tristes horizons ; bois, prés, cultures et friches mélancoliques ; relief d'anciennes montagnes très usées et résignées : villages tranquilles et peu fortunés dont rien, depuis des millénaires, n'a changé l'âme, ni la place. Ainsi du mien. Situé haut sur le plateau, marqué d'une colline boisée, il passa des siècles au centre des terres que cultivent ses habitants... ». 🄱 *72 r. du Général-de-Gaulle, 52330 Colombey-les-Deux-Églises,* ☎ *03 25 01 52 33.*

Le nom

Il vient du latin *colombarium*, colombier. Colombey-les-Deux-Églises pour éviter la confusion entre les autres Colombey de la région. Il existait en effet deux églises : l'église paroissiale et la chapelle du prieuré dont il ne reste que des vestiges.

Les gens

660 Colombeyens. Charles de Gaulle se retira à la Boisserie en quittant les affaires de l'État en 1946 et en 1969. Il y mourut le 9 novembre 1970.

visiter

La Boisserie

Pendant la guerre, la Boisserie fut très endommagée par l'occupant : une partie du toit brûla et un mur s'effondra. Ce n'est que le 30 mai 1946 que le Général et sa famille revinrent s'y installer, après avoir fait exécuter des travaux : l'ajout d'une tour d'angle et d'un porche. Depuis, elle n'a pas changé : elle perpétue la présence de son hôte illustre qui s'y délassait et y mûrissait ses grandes

Portrait du général Charles de Gaulle.

carnet d'adresse

Auberge de la Montagne – ☎ 03 25 01 51 69 - fermé mi-janv. à mi-fév., lun. soir et mar. - 120/400F. Une auberge tranquille à l'écart du célèbre village. Cuisine traditionnelle dans un décor de pierres et de poutres apparentes. Dans les chambres qui s'ouvrent sur la campagne champenoise, vous aurez peut-être envie d'ouvrir les Mémoires du Général...

décisions. « Le silence emplit ma maison. De la pièce d'angle, où je passe la plupart des heures du jour, je découvre les lointains dans la direction du couchant. Au long de quinze kilomètres, aucune construction n'apparaît. Par-dessus la plaine et les bois, ma vue suit les longues pentes descendant vers la vallée de l'Aube, puis les hauteurs du versant opposé. D'un point élevé du jardin, j'embrasse les fonds sauvages où la forêt enveloppe le site, comme la mer bat le promontoire. Je vois la nuit couvrir le paysage. Ensuite, regardant les étoiles, je me pénètre de l'insignifiance des choses » (Charles de Gaulle, *Mémoires de guerre*).

Le public est admis dans un salon du rez-de-chaussée : souvenirs, livres, portraits de famille et photographies de personnalités, dans la bibliothèque sur laquelle donne le bureau hexagonal et dans la salle à manger. ⚹ *Tlj sf mar. 10h-12h, 14h-17h30 (mai-sept. : fermeture à 18h). Fermé déc.-fév. 20F.* ☎ 03 25 01 52 52.

DIPLOMATIE
Afin de sceller la réconciliation franco-allemande à laquelle il travaillait, de Gaulle invita Adenauer à la Boisserie durant la visite de celui-ci en France en septembre 1958. Adenauer est le seul homme politique à avoir ainsi partagé l'intimité familiale du général.

Cette Croix de Lorraine domine le village à 397 m d'altitude.

Mémorial
Inauguré le 18 juin 1972, il dresse sa croix de Lorraine sur la « Montagne » dominant le village et les forêts d'alentours, dont la forêt de Clairvaux. *Avr.-oct. : tlj sf mar. 9h-18h ; nov.-mars : 10h-12h, 14h-16h. Fermé 1er janv. et 25 déc. 10F.* ☎ 03 25 01 50 50.

Lac du **Der-Chantecoq**★★

Vous connaissez la différence entre un optimiste et un pessimiste ? L'optimiste voit ce lac à moitié plein et le pessimiste, à moitié vide. Les deux ont raison. Parce qu'il a pour habitude de se remplir et de se vider au fil du temps. Mais peu importe. Il y a toujours assez d'eau pour y faire du bateau, du ski nautique, s'y baigner ou pour accueillir la faune migratrice s'y arrêtant pour une escale bien méritée.

La situation
Cartes Michelin n°s 61 pli 9 ou 241 pli 34 — Marne (51) et Haute-Marne (52). Le lac artificiel du Der-Chantecoq (mis en eau en 1974) reste le plus vaste de France : 1,5 fois

carnet pratique

OÙ DORMIR

À BON COMPTE

Chambre d'hôte Au Brochet du Lac – *15 Grande-Rue - 51290 St-Remy-en-Bouzemont - 1 km au N de la Ferme des Grues -* ☎ *03 26 72 51 06 - 5 ch. : 195/245F - repas 85F.* Cette ravissante maison à pans de bois abrite des chambres au mobilier campagnard et une grande salle commune avec cheminée et tomettes. C'est le lieu de séjour dont vous aviez rêvé pour explorer les environs du lac. Location de VTT et de canoës sur place.

VALEUR SÛRE

Cheval Blanc – *51290 Giffaumont-Champaubert -* ☎ *03 26 72 62 65 - fermé 5 au 28 sept., 1er au 25 janv., dim. soir et lun. -* 🅿 *- 16 ch. : 260/320F -* 🍽 *35F - restaurant 130/350F.* Des chambres simples et fraîches dans cette paisible station nautique. Les menus sont variés et attractifs. Terrasse d'été.

ACTIVITÉS

Aujourd'hui, on compte deux ports de plaisance à Nemours et Nuisement, une station nautique à Giffaumont, six plages surveillées, une zone d'évolution de 650 ha pour les bateaux à moteur et le ski nautique, des possibilités de pêche à partir des berges ou en barque en passant par différents parcours de pêche de nuit, des centres équestres.

Promenades :
– à pied : 225 km de sentiers balisés sous forme de boucles de 5 à 15 km.
– à vélo : 4 circuits sont proposés.
– à VTT : 250 km de circuit sont balisés autour du lac.

– en calèche : balade au pas du trait ardennais.
– à cheval ou à poney : circuit aménagé en sous-bois.
– en train touristique : entre le port de Giffaumont et la maison de l'Oiseau et du Poisson.
– en vedette sur le lac : à partir du port de Giffaumont.

NATURE

Toute l'année, le lac offre un grand spectacle de la nature, surtout lors de l'arrivée des grands oiseaux migrateurs, de l'automne au printemps. Plus de 270 espèces ont été observées, parmi lesquelles la grue cendrée, le pygargue à queue blanche, le héron, le cygne de Bewick... Ils font du lac la troisième zone de stationnement en France. Situés aux abords des zones de quiétude de Chantecoq, de Champaubert et des étangs d'Outines et Arrigny, des **observatoires** et un sentier de découverte ont été aménagés pour s'initier, apprendre à mieux connaître et à respecter cet environnement naturel.

Oct.-avr. : grues cendrées, oies cendrées, canards siffleurs, sarcelles d'hiver, pygargues à queue blanche...

Avr.-mai et mi-août-oct. : balbuzards, limicoles (barges, chevaliers...) guifettes, sternes...

Mars à août : nidification du grèbe huppé, héron cendré, canard colvert, chipeau...
Pour tout renseignement, s'adresser à la Maison du Lac, à Giffaumont.

le lac d'Annecy soit 4 800 ha ! Une partie de la forêt du Der a disparu sous les eaux du lac ainsi que les trois villages de Chantecoq, Champaubert-aux-Bois et Nuisement. Seules les églises de ces deux derniers villages ont été rescapées des eaux. 🄱 *Maison du lac, 51290 Giffaumont-Champaubert,* ☎ *03 26 72 62 80.*

Le nom

Il vient de *Der*, plaine de sables et d'argiles, jadis couverte de bois de chênes (der en langue celtique signifie chêne) et de *Chantecoq*, l'un des trois villages qui a entièrement disparu sous les eaux.

Les sols

Quel que soit son niveau, le lac est toujours en activité : grâce à son canal d'amenée et son canal de restitution, il prélève jusqu'aux deux tiers du débit de la Marne en période de crue et approvisionne la région parisienne en période de vache maigre. Ce lac se remplit donc lentement l'hiver et se vide en automne. Ce sont ses sols argileux étanches qui lui permettent de ne pas se vider d'un coup.

circuit

TOUR DU LAC *(83 km — environ 3 h)*
Partir du port de Giffaumont où se trouve la Maison du Lac (Office de tourisme du lac du Der-Chantecoq).

Giffaumont-Champaubert

Une station nautique pouvant accueillir jusqu'à 500 bateaux y a été aménagée. En face *(accès à pied par la digue)*, l'église de Champaubert se dresse seule sur son avancée de terre face à son village englouti.

D

DÉTENTE
À partir de la station nautique de Giffaumont, des promenades sur le lac sont proposées en été.

Grange aux abeilles

Une exposition et un montage audiovisuel font découvrir le travail de ces insectes et des apiculteurs. *De mars à fin nov. : w.-end et j. fériés (ap.-midi), mai-sept. : tlj ap.-midi. Gratuit. ☎ 03 26 72 61 97.*

Emprunter la D 13 puis la D 12 vers Montier-en-Der.

Ferme de Berzillières

Entièrement rénovée, elle est occupée par un musée agricole de 400 machines et instruments aratoires. *De mai à fin sept. : w.-end et j. fériés (ap.-midi), juil.-août : tlj ap.-midi ou sur demande. 20F. ☎ 03 25 04 22 52.*

Reprendre en sens inverse la D 12 et au bout de 500 m, tourner à gauche vers Troyes, puis à droite jusqu'à Châtillon-sur-Broué.

Châtillon-sur-Broué

Châtillon est représentatif de l'habitat local, église à clocher carré et maisons en torchis à pans de bois.

Poursuivre en direction du lac.

La route longe la digue et passe près du port de Chantecoq.

Face au port, un chemin *(parc de stationnement à l'entrée)* mène à la maison de l'Oiseau et du Poisson.

Maison de l'Oiseau et du Poisson

◙ Installée dans la ferme des Grands Parts construite à pans de bois, typique du bocage champenois, elle présente les quatre saisons du lac, les migrations, la vie subaquatique par des reconstitutions grandeur nature, de bornes interactives, de murs d'images, d'ambiances sonores. Deux routes sur digues ont été aménagées pour observer le passage des grues cendrées. À l'Ouest du lac, une zone de quiétude est réservée aux oiseaux.

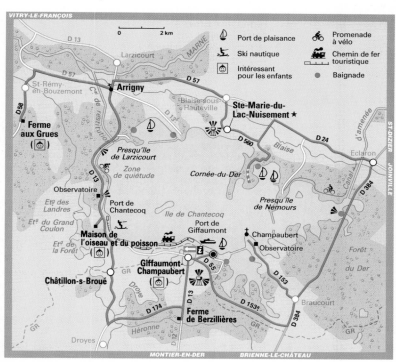

Grand oiseau gris au cou tendu et aux longues pattes, la grue cendrée mesure environ 2 m d'envergure et pèse de 4 à 7 kg.

Juil.-août : 10h30-19h ; sept.-juin : sur demande. 35F. ☎ 03 26 74 00 00.

Poursuivre par la D 13.

Arrigny

Le village possède une belle église à pans de bois.

À hauteur de la place du village, tourner à gauche dans la D 57 vers St-Rémy-en-Bouzemont. Puis à St-Rémy, prendre la D 58 en direction de Drosnay. La ferme aux Grues se trouve au hameau d'Isson.

LA MIGRATION DES GRUES CENDRÉES

Chaque année, à l'automne, les grues cendrées quittent leur lieu de rassemblement en Scandinavie pour se rendre vers des zones plus clémentes en Espagne ou en Afrique. Elles survolent la Champagne, habituellement la nuit, en vagues successives en émettant un cri « grouu ». Le passage de ces lignes mouvantes et bruyantes est spectaculaire. Une partie des grues demeure dans la région tout au long de l'hiver, appréciant les prairies à proximité des plans d'eau. La remontée vers le Nord se fait au printemps. La grue se nourrit de graines, d'herbes et de jeunes pousses mais aussi d'insectes, de mollusques et de vers.

Ferme aux Grues

◉ Des explications y sont données sur les travaux de recherche pour la conservation de cet oiseau migrateur et sur le phénomène des migrations. Un observatoire permet de découvrir les grues en train de s'alimenter sur les cultures et les prairies. *De mi-oct. à fin mars : ven.-dim. et j. fériés 9h-17h30. Gratuit. ☎ 03 26 72 54 10.*

Revenir à Arrigny et prendre la D 57 vers Eclaron, puis tourner à droite à Blaise-sous-Hauteville.

Ste-Marie-du-Lac-Nuisement★

Un **village-musée** y a été constitué avec des bâtiments à pans de bois sauvés des eaux dont l'église de Nuisement-aux-Bois, la mairie-école, la maison d'un forgeron qui abrite une buvette, un pigeonnier et la grange des Machelignots où sont présentées des expositions sur les traditions du Der : costumes, maquettes de maisons à pans de bois, reconstitutions d'ateliers d'artisans. Un film évoquant les étapes de l'aménagement du réservoir-Marne y est projeté.

La D 560 mène à la Cornée-du-Der, une presqu'île couverte de forêt qui avance dans le lac.

Revenir à la D 24 et rejoindre Eclaron, puis prendre à droite la D 384.

De la route, vue sur le lac avant de traverser la forêt du Der.

À Braucourt, possibilité de gagner par la D 153 à droite, l'église de Champaubert, à la pointe de la presqu'île.

1,5 km après Braucourt, tourner à droite dans la D 153ᴬ. Continuer sur la D 55 pour regagner Giffaumont-Champaubert.

Ce joli petit pigeonnier, à pans de bois est l'une des plus charmantes curiosités de Ste-Marie-du-Lac-Nuisement.

Dormans

Une ville agréablement fleurie, la quiétude des bords de Marne... Par une belle journée ensoleillée, tout incite à une paisible flânerie avec votre belle aux bois dormant... entre deux visites aux producteurs de champagne des environs !

La situation
Cartes Michelin n°s 56 pli 15 ou 237 pli 22 — Marne (51). Traversé par la N 3 de Paris à Reims, Dormans est dominé au Nord par le mémorial des batailles de la Marne. ∄ *R. du Pont, 51700 Dormans,* ☎ *03 26 53 35 86.*

Le nom
Plusieurs versions sont possibles, mais l'influence celtique prédomine : *Dor* signifiant forteresse, eau ou fer de lance et Man, l'homme en général.

Les gens
3 126 Dormanistes. Le Balafré est le surnom donné au duc de Guise blessé à Dormans lors des batailles entre les troupes de la Ligue et celles de Henri III.

visiter

Château et mémorial
Entrée par l'avenue des Victoires.
À l'intérieur d'un parc ombragé d'arbres majestueux dont un séquoia près du pont chinois, le **château** sert de cadre à des réceptions et des expositions temporaires. L'Office de tourisme y est également installé.

Mémorial des victoires de la Marne — Au fond du parc, une chapelle a été élevée pour rappeler les victoires de la Marne. Le sanctuaire comprend deux étages. En prenant l'escalier dans l'axe de la chapelle, on accède à la première terrasse où se trouve la crypte. Sur le parvis, à droite, remarquer un cadran solaire en marbre, et à gauche, une table d'orientation indiquant le déroulement de la 2e bataille de la Marne.
Par un escalier à gauche, on atteint une cour précédée d'une lanterne des morts. Elle est entourée, au fond et à gauche, d'une galerie que termine un ossuaire et, à droite, de la chapelle supérieure de même plan que la crypte mais plus haute et très claire. *Juin-août : 14h-18h ; mai et sept.-oct. : sam. 14h-18h, dim. 10h-12h, 14h-18h ; 11 nov. : 10h-12h, 14h-18h.* ☎ *03 26 53 35 86.*

Moulin d'en Haut
Ancien moulin banal du château, il abrite une grande roue à augets. La **remise aux outils champenois** témoigne de l'activité rurale jusqu'à une époque récente : du travail de la vigne mais aussi des travaux des champs et des bois. On peut suivre le cheminement de la bouteille

Cette chapelle, mémorial des victoires de la Marne, domine la ville de Dormans.

LES FRUITS DE LA PASSION
Du mémorial, il est possible de gagner le moulin en traversant le parc où a été reconstitué un verger conservatoire (environ 80 variétés de fruits)

carnet d'adresses

OÙ DORMIR

VALEUR SÛRE
Chambre d'hôte Château du Ru Jacquier – *51700 Igny Comblizy - 9 km au SE de Dormans - ☎ 03 26 57 10 84 - ⊠ - 12 ch. : 350/600F - repas 150F.* Kangourous, autruches, lamas et cerfs pimenteront d'un peu d'exotisme votre promenade dans le parc. Dînez devant la cheminée, reposez-vous au salon, profitez des chambres dans la belle demeure du 18e s. ou dans les dépendances du château.

OÙ SE RESTAURER

VALEUR SÛRE
Table Sourdet – *☎ 03 26 58 20 57 - fermé 26 au 31 déc., dim. soir et lun. soir - 140/270F.* C'est un restaurant familial sans prétention où vous passerez un moment sympathique dans une ambiance décontractée. Dans la partie véranda « La Petite Table » propose une formule plus simple.

de champagne, de sa sortie de cave jusqu'à l'expédition. *De mai à fin sept. : 14h30-18h30 ; avr. et oct. : expositions de peinture.* ☎ *03 26 58 85 46.*

Église

Une tour carrée à quatre pignons percés de trois baies accouplées s'élève sur la croisée du transept dont le bras Nord est flanqué d'une tourelle à clocheton octogonal. La partie la plus intéressante de l'église est le chœur à chevet plat du 13ᵉ s., est éclairé par un grand fenestrage de style rayonnant. *De juil. à fin août : 9h-12h, 14h-17h.*

Vallon d'**Élan** ★

Serions-nous à la montagne à en croire les quelques pentes accentuées, couvertes de prés ? Mais non, retenez votre élan, c'est le vallon d'Élan.

La situation

Cartes Michelin nᵒˢ 53 Sud des plis 18, 19 ou 241 pli 10 — Ardennes (08). Ce vallon est adjacent à la vallée de la Meuse.

Le nom

Il serait d'origine anglaise, *East Land*, qui signifie terre de l'Est.

Les gens

Saint Roger, moine venu de l'Angleterre, fut le premier abbé de l'abbaye cistercienne d'Élan fondée en 1148 par Wither, comte de Rethel.

se promener

Abbaye d'Élan

Au Moyen Âge, l'abbaye devint riche. Elle possédait un « moulin à écorces de chênes » pour la fabrique du tan et à Flize, une foulerie pour le drap. L'abbaye tomba en commende en 1545. Le nombre de moines ne cessant de diminuer, les abbés se désintéressèrent de leurs biens. À la Révolution, on n'y comptait que quatre moines.

L'EAU VIVE
Au fond du vallon, la chapelle saint Roger du 17ᵉ s. marque le lieu où le saint du même nom venait méditer. À ses pieds jaillit une fontaine donnant naissance au ruisseau d'Élan qui alimentait jadis le vivier abbatial. C'est un agréable but de promenade en forêt.

◄ **Église abbatiale** — Construite au 12ᵉ s., elle fut transformée en église paroissiale au 19ᵉ s. après d'importants travaux. Il ne reste que les premières travées de la nef. La façade classique date de 1720.

Logis abbatial — Il compose un harmonieux ensemble avec l'église. Élevé au 16ᵉ s., il est cantonné de tourelles dont l'une conserve une belle charpente en châtaignier.

Forêt d'Élan

Très accidentée, d'une superficie de 872 ha, elle est couverte de belles futaies de chênes et de hêtres.

Épernay ★

Ne cherchez plus, vous y êtes : Moët et Chandon, Mercier... On voit vos yeux pétiller à l'évocation de ces grands noms. Entre deux caves et deux dégustations, parce qu'il faut bien prendre un peu l'air, une pause s'impose dans l'un des espaces verts de la ville : choisissez par exemple le jardin de l'hôtel de ville dessiné au 19e s. par les frères Bülher (auteurs du parc de la Tête d'Or à Lyon). À consommer sans modération !

La situation

Cartes Michelin nos 56 pli 16 ou 241 pli 21 — Marne (51). Epernay, principal centre viticole champenois avec Reims, est au cœur des trois grandes zones viticoles que sont la Montagne de Reims, la Côte des Blancs et la vallée de la Marne. À l'Est de la ville, l'avenue de Champagne où subsistent des immeubles cossus du 19e s., devenus les prestigieuses maisons de champagne ; à l'Ouest, le centre-ville autour de la place de la République. **⊿** *7 av. de Champagne, 51201 Épernay Cedex, ☎ 03 26 55 33 00.*

Le nom

D'après une légende en suivant le cours de la Marne se situe d'abord Avenay, puis Aÿ et enfin Épernay, la suite alphabétique aurait été respectée !

Les gens

26 681 Sparnaciens. Gabrielle Dorziat, comédienne née à Épernay (1880-1979), a donné son nom au théâtre à l'italienne de la ville. Elle a joué dans *les Parents terribles* de Cocteau et dans de nombreux films dont *Mayerling*, *Demain il sera trop tard*, *Les Espions*.

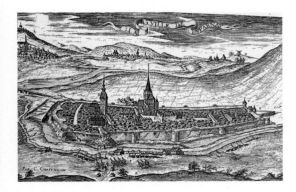

Gravure représentant la ville d'Épernay au 17e s.

découvrir

LES CAVES DE CHAMPAGNE ★★

Les principales maisons de champagne, dont certaines remontent au 18e s., s'alignent avenue de Champagne, au-dessus de la falaise de craie trouée de dizaines de kilomètres de galeries à température constante (9-12°). Certains établissements organisent des visites permettant d'assister aux manipulations que subit le champagne pour arriver à sa perfection.

Moët et Chandon

18 av. de Champagne. Première maison de champagne, ▶ Moët et Chandon est liée à l'histoire de l'abbaye d'Hautvillers dont elle est propriétaire, et à dom Pérignon

Les caves de Moët et Chandon, d'une longueur de 28 km, contiennent l'équivalent de 90 millions de bouteilles. Pendant la visite, très complète, on suit les différentes étapes de l'élaboration du champagne dont le remuage et le dégorgement.

carnet pratique

Où DORMIR

À BON COMPTE

Chambre d'hôte M. et Mme Tarlant – *R. de la Coopérative - 51480 Œuilly - 13 km à l'O d'Épernay par N 3 (rte de Dormans) - ☎ 03 26 58 30 60 - 4 ch. : 210/280F.* Logé chez un vigneron, vous aurez la chance de déguster et de visiter sa cave de champagnes. Le pavillon est sans grand caractère, mais les vastes chambres dominent le vignoble et jouissent d'un calme bienfaiteur.

St-Pierre – *14 av. P.-Chandon - ☎ 03 26 54 40 80 - fermé vacances de fév. - 15 ch. : 115/200F - ☲ 28F.* Ce petit hôtel modeste situé dans un quartier tranquille, un peu en dehors du centre-ville, propose des chambres simples et confortables à petits prix. Bon accueil familial.

VALEUR SÛRE

Chambre d'hôte Manoir de Montflambert – *51160 Mutigny - 7 km au NE d'Épernay par D 201 - ☎ 03 26 52 33 21 - fermé 15 nov. à Pâques - 7 ch. : 420/650F.* Cet ancien relais de chasse du 17e s., dominant la plaine de la Marne et les vignobles, a fière allure en bordure de forêt. Les cheminées, les belles boiseries, l'imposant escalier menant aux chambres et la tranquillité justifient les prix de cette maison de charme.

Chambre d'hôte la Boursaultière – *44 r. de la Duchesse-d'Uzes - 51480 Boursault - 9 km à l'O d'Épernay par N 3 et D 222 - ☎ 03 26 58 47 76 - ☲ - 4 ch. : 260/290F.* Autour d'une jolie cour pavée à la riche végétation, se dresse cette accueillante maison de village. Des tissus imprimés, aux motifs médiévaux et Renaissance, tapissent les chambres. Une halte de caractère au cours de la visite des vignobles.

Les Berceaux – *13 r. des Berceaux - ☎ 03 26 55 28 84 –rest : fermé 16 au 30 août, vac. de fév., dim. soir et lun. - 29 ch. : 390/450F - ☲ 50F - restaurant 140/300F.* Accueil chaleureux et service de qualité dans cet hôtel centenaire. La façade est avenante et fleurie, les chambres bien équipées et insonorisées. Table étoilée et bar à vins.

Où SE RESTAURER

VALEUR SÛRE

Auberge St-Vincent – *51150 Ambonnay - 20 km à l'E d'Épernay par D 201, D 1 et D 37 - ☎ 03 26 57 01 98 - fermé dim. soir et lun. - 120/310F.* Voici une jolie auberge régionale à la façade fleurie. Le décor allie ancien et moderne. Grande cheminée dans la salle à manger principale. La cuisine est élaborée à partir de recettes traditionnelles. Les chambres sont simples et pratiques.

Table de Kobus – *3 r. du Dr-Rousseau - ☎ 03 26 51 53 53 - fermé 9 au 22 août, 24 déc. au 10 janv., dim. soir et lun. - 135F.* Ici, la cuisine attrayante, au goût du jour et sans prétention, est servie dans une grande salle, haute de plafond, décorée dans le style bistrot. Et en famille ou en groupe, vous pouvez apporter vos vins sans payer de supplément...

UNE PETITE FOLIE !

Chez Pierrot – *16 r. Fauvette - ☎ 03 26 55 16 93 - fermé 1er au 21 août et 4 au 16 janv. - 260F.* Choisissez ce restaurant du centre-ville pour sa cuisine bourgeoise appétissante et son décor original. Bibelots et tableaux ornent une première salle. Et dans une cour intérieure, une salle sous verrière plus sobre fait office de jardin d'hiver. Accueil sympathique ! Menu du midi à prix très doux.

Où BOIRE UN VERRE

Le Progrès – *5 pl. de la République, ☎ 03 26 55 22 72. Ouv. tlj 6h-0h.* Spacieux et clair, ce bar au look moderne et à la terrasse immense est l'un des plus fréquentés de la ville. Une bonne halte après la visite des caves à champagne d'Épernay.

DÉTENTE

La Marmite Swing – *160 av. Foch, ☎ 03 26 54 17 72. Bar : mar.-sam. 10h-24h. Cabaret : mar.-jeu. 0h-4h, ven.-sam. 0h-5h. Veilles de fête : 0h-5h. Fermé les trois premières semaines d'août.* Trois ingrédients en une seule « marmite » pour mitonner un ragoût original. Prenez d'abord un bistrot aux couleurs éclatantes, aux tables suspendues et aux balançoires en guise de chaises. Prenez ensuite une salle de dîner-spectacle où l'on conjugue paëlla et flamenco, couscous et musique arabo-andalouse... Prenez enfin une salle de concert (jazz, blues, rock, world) qui se transforme après minuit en boîte. Rhumerie et soirées afro-antillaise.

VISITE DE CAVES

Mercier – *73 av. de Champagne, ☎ 03 26 51 22 22.* Dégustation et vente *(pour la visite voir p. suivantes).*

Moët et Chandon – *18 av. de Champagne, ☎ 03 26 51 20 20.* Dégustation et vente *(pour la visite voir p. suivantes).*

De Castellane – *57 r. de Verdun, ☎ 03 26 51 19 11.* Dégustation et vente *(pour la visite voir p. suivantes).*

Ce foudre géant, sculpté par Navlet, est installé à l'entrée de la maison de champagne Mercier.

qu'elle a honoré en donnant son nom à sa cuvée spéciale. Claude Moët, le fondateur, se lance dans la production du champagne en 1743. Son petit-fils, Jean Rémy, proche de Napoléon Ier, reçoit la visite de ce dernier à plusieurs reprises (l'établissement conserve un chapeau de l'Empereur). Le gendre de Jean Rémy, Pierre Gabriel Chandon, ajoute son nom à la raison sociale de la maison. En 1962, cette entreprise familiale se constitue en société anonyme (groupe Moët-Hennessy-Louis Vuitton). *Visite guidée (1h) 9h30-11h30, 14h-16h30 (de mi-nov. à mi-mars : tlj sf w.-end et j. fériés). 40F (enf. : 25F).* ☎ *03 26 51 20 20.*

Mercier

73 av. de Champagne. En 1858, Eugène Mercier ► regroupe plusieurs maisons de champagne et crée la maison Mercier. Il fait alors creuser 18 km de galeries. En 1889, à l'occasion de l'Exposition universelle, il demande au sculpteur châlonnais Navlet de décorer un foudre géant d'une capacité de 215 000 bouteilles, puis il le place sur un chariot tiré par 24 bœufs et 18 chevaux de renfort dans les côtes. Ce « convoi exceptionnel » couvre Épernay-Paris en 20 jours ; des ponts sont renforcés sur son passage et des murs abattus. 100 ans plus tard, ce foudre de 34 tonnes est installé au centre de l'espace d'accueil. Deuxième productrice de champagne après Moët et Chandon, la maison Mercier fait aujourd'hui partie du groupe Moët-Hennessy-Louis Vuitton. *Visite guidée (1h) 9h30-11h30, 14h-16h30, w.-end et j. fériés 9h30-11h30, 14h-17h (déc.-fév. : tlj sf mar. et mer). Fermé pdt vac. scol. Noël. 30F (enf. : 15F).* ☎ *03 26 51 22 22.*

De Castellane

57 r. de Verdun. À la visite des caves longues de 10 km s'ajoute celle de la tour et du musée. Haute de 60 m, la **tour** est aménagée en lieu d'exposition présentant un historique de la famille de Castellane — dont le célèbre collectionneur Boni de Castellane, mari de la milliardaire américaine Anna Gould — et un historique de la famille Mérand ; des collections d'affiches, de bouteilles. *De Pâques à fin nov. : visite guidée (3/4h) 10h-12h, 14h-18h. 30F (enf. : 20F).* ☎ *03 26 51 19 11.*

Le **musée** est consacré à l'évolution de l'élaboration du champagne dans ses différentes étapes. Deux salles présentent des scènes illustrant la tonnellerie, le travail de la vigne, la vendange, le pressurage.

En outre, différentes sections font découvrir les techniques de l'imprimerie, la faune régionale, les affiches ayant trait au champagne, l'artisanat (vannerie, verrerie...) et une riche collection d'étiquettes.

DESCENTE À LA CAVE
Après une descente spectaculaire en ascenseur panoramique, la visite des caves s'effectue en petit train automatisé dans les galeries décorées de sculptures taillées dans la craie par Navlet.

PANORAMA
Les 237 marches mènent au sommet de la tour d'où vous bénéficiez d'une vue étendue sur Épernay et son vignoble.

Cette scène, orchestrée par le musée de Castellane, reconstitue le pressurage au retour des vendanges.

visiter

Musée municipal
Ce musée est aménagé dans l'ancien château Perrier, pastiche d'un château Louis XIII construit au milieu du 19ᵉ s. par un négociant. *Fermé pour restructuration.*

Vin de Champagne — Deux salles évoquent la vie et le travail du vigneron et du caviste. Collections de bouteilles et d'étiquettes.

Archéologie — À l'étage supérieur est présentée une belle **collection archéologique★** : matériel funéraire recueilli dans les cimetières de la région, reconstitution de tombes, poteries, verres, armes et bijoux.

circuit

LES COTEAUX SUD D'ÉPERNAY★
28 km — environ 1 h — schéma p. 117
Ils forment le rebord de la « falaise de l'Île-de-France ».
Quitter Épernay par la RD 51.
La route remonte le vallon du Cubry aux versants revêtus de vignes.

Pierry — *p. 113*
À hauteur de Moussy se révèle à gauche une vue sur l'église de Chavot (13ᵉ s.) perchée sur un piton.
1 km après Vaudancourt, prendre à droite la D 951.

Château de Brugny
Il regarde le vallon de Cubry qui fuit, en contrebas, jusqu'à Épernay. Les bâtiments du 16ᵉ s. ont été remaniés au 18ᵉ s. Admirer la silhouette du donjon carré, en pierre, que cantonnent des échauguettes rondes, en briques.
Au carrefour, tourner à droite dans la D 36 en direction de St-Martin-d'Ablois.
Vues★ sur les pentes sinueuses du cirque du Sourdon ; à droite l'église de Chavot, au centre Moussy, à gauche la forêt d'Épernay.
Prendre à gauche la D 11, vers Mareuil-en-Brie.

Parc du Sourdon
Planté d'arbres, il est traversé par le torrent du Sourdon qui forme de petits bassins riches en truites : sa source jaillit entre les rochers formant des cascatelles. *D'avr. à fin oct. : 9h-19h. Gratuit. ☎ 03 26 59 95 00.*
Redescendre jusqu'à la D 22, qu'on prend à gauche. La route traverse la forêt d'Épernay (domaine privé) puis Vauciennes jusqu'à la N 3 que l'on prend à droite pour rejoindre Épernay.

DOUCEURS
Chocolat Thibaut — *Pôle d'activités de Pierry,* ☎ *03 26 51 58 04. Lun.-sam. 9h-12h, 14h-19h.* Cet artisan chocolatier élabore devant vous sa spécialité : un chocolat en forme de bouchon de champagne fourré aux alcools de champagne (ratafia, fine Marne, marc de champagne). Dégustation et vente des produits dans la boutique attenante.

Ervy-le-Châtel

Un charme fou que vous devriez ressentir dès vos premiers pas dans cette petite ville. De vieilles demeures, des colombages, une halle circulaire, les vestiges de remparts anciens...

La situation
Cartes Michelin nᵒˢ 61 Sud du pli 16 ou 241 pli 41 — Aube (10). Sur une colline dominant la rive droite de l'Amance, Ervy est éloigné des grandes voies de communication.

Le nom
Ancienne châtellenie, cette petit ville appartenait autrefois à la famille d'Ervy (fin du 11ᵉ-début 12ᵉ s.).

Les gens
1 221 Ervitains. C'est à l'ingénieur Eugène Belgrand, né à Ervy, que l'on doit la réalisation du réseau des égouts destiné à assainir la capitale et la construction des réservoirs de Montsouris.

se promener

Porte St-Nicolas
Une agréable promenade ombragée a été aménagée sur les anciens remparts dont il subsiste la porte St-Nicolas, élément fortifié flanqué de deux tours rondes.

Halles
Curieuse halle circulaire du 19ᵉ s., avec galerie à colombage, inspirée de la halle aux blés à Paris.

Église
Datant des 15ᵉ et 16ᵉ s., elle est éclairée par des vitraux Renaissance. Nombreuses statues de l'école champenoise et peintures en grisaille *(collatéral droit)* représentant saint Pierre, saint Paul et l'Enfant Jésus. *Juil.-août : visite guidée sur demande préalable tlj sf dim. et lun. 10h-12h, 15h-18h ; sept.-juin : mar.-jeu. 14h-17h, ven.-sam. 9h-12h.* ☎ *03 25 70 04 45.*

> **RARISSIME**
> L'un des vitraux décrit les triomphes de Pétrarque, poème allégorique du poète italien du 14ᵉ s., sujet exceptionnel dans un vitrail d'église.

Étoges

Vous êtes sur la route entre Paris et Châlons et vous aimeriez faire une petite halte. N'allez pas plus loin. Vous pourrez dormir au château et accessoirement, vous offrir une coupe de champagne, Étoges étant un centre viticole situé à proximité de la Côte des blancs. Elle n'est pas belle la vie ?

La situation
Cartes Michelin nᵒˢ 56 Sud-Ouest du pli 16 ou 241 pli 25 — Marne (51). La descente sur Étoges en venant de Paris par la Nationale permet de découvrir le château sur la droite.

Le nom
Jadis seigneurie importante, possédée par la maison de Conflans, l'une des plus anciennes de la Champagne.

Les gens
282 Étogiens. Revenant du Luxembourg en septembre 1687, le roi Louis XIV s'arrêta au château d'Étoges. L'événement fut relaté dans le *Mercure galant* !

visiter

Château
Harmonieux édifice du 17ᵉ s. Sur les douves en eau s'élance un pont d'où la vue embrasse les bâtiments de briques roses à chaînages et parements de pierre blanche, les hauts toits à la française coiffés d'ardoises mauves. Construit par les barons d'Anglure, le château

OÙ DORMIR
Le Château d'Étoges
— 4 r. Richebourg - ☎ 03 26 59 30 08 - 🅿 - 20 ch. : 400/800F - 70F - restaurant 180/340F. Dans ce château du 17ᵉ s. et son parc de 18 hectares près du village, jouez aux châtelains pour une soirée. Appréciez les salons d'apparat, la salle à manger bourgeoise et les chambres de caractère au mobilier ancien. Une étape au charme raffiné.

Derrière le portail en fer forgé s'élève le château d'Étoges, demeure entourée d'eau.

appartint, sous l'Empire, au comte de Guéhéneuc, sénateur, régent de la Banque de France et beau-père du
maréchal Lannes.

Église

Construite au 12e s., elle a été remaniée aux 15e et 16e s.
ainsi qu'en témoignent sa rose gothique et son portail
Renaissance. À l'intérieur, plusieurs gisants du 16e s. :
René d'Anglure et sa femme Catherine de Bouzey,
François d'Anglure, son fils, et la seconde femme de
celui-ci. *Pâques-Toussaint : 10h-19h ; Toussaint-Pâques :
s'adresser à M. Scieur, 47 Grande-Rue, ☎ 03 26 59 30 28.*

Fismes

Imaginez que l'on vous attende à Reims pour être
sacré roi de France ; infime chance certes, mais on
n'est pas à l'abri d'un succès... Alors comme vos
illustres prédécesseurs, vous feriez étape à Fismes.
La ville a conservé une partie de ses remparts et ses
fossés furent comblés au 18e s. pour devenir
d'agréables promenades, pour le plus grand plaisir
de votre majesté.

La situation

Cartes Michelin n°s 56 pli 5 ou 237 pli 10 — Marne (51). Au
confluent de la Vesle et de l'Ardre, ville carrefour sur
la N 31 entre Soissons et Reims, et non loin de Laon,
Château-Thierry et Épernay.
🛈 *28 r. René-Letilly, 51170 Fismes, ☎ 03 26 48 81 28.*

Le nom

Son nom viendrait du latin *Fines Remonrum*, c'est-à-dire
fin du territoire des Remes.

les gens

5 295 Fismois, dont le dessinateur de BD Albert Uderzo
qui créa Astérix en collaboration avec René Goscinny.
Le début d'une fabuleuse histoire !

visiter

Musée

Une salle au 1er étage de l'Office de tourisme, retrace
l'histoire de Fismes : fossiles et dents de requins trouvés
dans la région, anciennes cartes postales, porcelaine
fabriquée par la famille Vernon de 1853 à 1860.

Église Ste-Macre

Elle fut édifiée au 11e s. à l'emplacement d'un oratoire
construit vers l'an 800 pour recevoir le corps de la sainte.
Il ne reste de cette époque que la tour massive et l'abside
à chevet rectangulaire.

circuit

Remarquer sur le rebord
du plateau des carrières
d'où sont extraits des
moellons de pierre
calcaire utilisés pour la
construction notamment
des monuments religieux
de Reims.

ÉGLISES ROMANES DE LA VALLÉE DE L'ARDRE

52 km — une demi-journée
Trapues mais harmonieuses, les églises romanes ont à
peu près la même architecture : de plan basilical, sans
transept, chevet plat, tour-porche en général.
Quitter Fismes au Sud par la D 386 vers Épernay.
◀ À partir de Courville, on longe le cours de l'Ardre, apprécié des pêcheurs, parmi des paysages rustiques.

Le village de Crugny semble perdu au milieu de ces vastes champs de blé qui couvrent la vallée de l'Ardre.

Crugny

C'est le village le plus important de la vallée traversé par l'Ardre d'Est à l'Ouest.

Église St-Pierre — Modifiée à plusieurs reprises, sa nef date du 11ᵉ s. tandis que le transept et le chœur à chevet plat datent de l'époque gothique. À l'intérieur, Christ en bois polychrome et bénitier du 12ᵉ s.

Savigny-sur-Ardres

Église St-Pierre — De l'édifice roman, il reste la tour qui se dressait primitivement au-dessus de la croisée du transept. Les vantaux du portail du 16ᵉ s. proviendraient de l'abbaye de Montazin.

Après Faverolles et Tramery, la route passe sous l'A 4.

SOUVENIR
C'est de Savigny que le général de Gaulle qui n'était alors que colonel lança le 28 mai 1940 le 1ᵉʳ appel radiophonique à la résistance (plaque sur la maison face à l'église).

Poilly

Son nom viendrait de *Poleum* nom gaulois du peuplier.

Église — Dédiée à St-Remy, elle date du 11ᵉ-12ᵉ s. et le chœur du 13ᵉ s. À la croisée du transept les arcs romans en plein cintre reposent sur des colonnes à chapiteaux sculptés rappelant ceux de Courville.

Tourner à droite dans la D 980 vers Verneuil.
En traversant **Chambrecy**, remarquer la masse trapue de l'**église** avec sa grosse tour carrée.

Ville-en-Tardenois

L'église du 12ᵉ s. est surmontée d'une belle tour à toit en bâtière.

Romigny

Sa petite **église** a conservé un portail roman cantonné de deux colonnes avec des chapiteaux à feuilles lisses et surmonté d'une archivolte en plein cintre.

Prendre à droite la D 23 vers Lhéry.

Lhéry

L'**église** date de la fin du 12ᵉ s. et marque la transition de l'art roman à l'art gothique avec ses arcades brisées soutenues par des piliers cruciformes.

Lagery

C'est à Lagery qu'est né le pape Urbain II *(voir p. 118)*. Sur la place, la belle halle du 18ᵉ s. est complétée par un lavoir.

À côté de l'église, les bâtiments du **manoir** forment un grand quadrilatère dont le colombier occupe un angle.

Suivre la D 27 vers Coulonges-Cohan.

L'église de Lagery, comme celle de Lhéry, date du début de l'art gothique. Le portail est cantonné de fines colonnettes baguées dont les chapiteaux sont sculptés de feuilles d'acanthe.

Abbaye N.-D.-d'Igny

Dans un vallon du Tardenois se cache l'abbaye N.-D.-d'Igny, monastère cistercien fondé en 1128 par saint Bernard. Déjà reconstruits au 18ᵉ s., les bâtiments ont été refaits après la guerre 1914-1918 dans le style gothique. Ils sont occupés aujourd'hui par des religieuses trappistes. Converti par l'abbé Mugnier,

IDÉE CADEAU
Possibilité d'acheter objets religieux, vannerie, confiserie, livres, cassettes.

Cette haute tour à toit en bâtière de l'église domine le village de Courville.

J.-K. Huysmans (1848-1907) fit retraite durant l'été 1892 à l'abbaye qu'il évoqua sous le nom de N.-D.-de-l'Atre dans *En route*.

Revenir sur ses pas, au carrefour prendre la D 25 à gauche.

Arcis-le-Ponsart

Le village occupe un joli site au-dessus d'un vallon. L'**église** est incluse dans une enceinte prolongée par les fortifications d'un château du 17e s. dont il ne reste qu'une tourelle à poivrière.

Prendre la D 25 au Nord d'Arcis.

Courville

Église St-Julien — La présence archiépiscopale explique l'importance de cette église romane qui domine le village. Admirer la nef romane à arcades en « double rouleau » reposant sur des chapiteaux aux sculptures en méplat.

Prendre à gauche la D 386.

St-Gilles

De l'ancien prieuré situé sur une hauteur, il ne subsiste que l'église actuelle.

La RD 386 ramène à Fismes.

Église St-Pierre — Église romane à chœur gothique, surmontée d'un clocher octogonal à pans irréguliers.

Parc naturel régional
de la **Forêt d'Orient**★★

Que d'objectifs pour un seul parc : préserver l'équilibre naturel, sauvegarder le patrimoine culturel et architectural, assurer le développement économique et social... Et aussi vous distraire avec des balades sur l'eau, des sports nautiques, des baignades, de la pêche, de la plongée, des randonnées... Vous y trouvez sûrement votre compte !

La situation

Cartes Michelin n°s 61 plis 17, 18 ou 241 plis 37, 38 — Aube (10). Autour du lac artificiel d'Orient, le parc avec ses 70 000 ha, créé en 1970 à la limite de la Champagne humide et de la Champagne crayeuse, offre une grande variété de paysages et d'activités.

🛈 *Maison du Parc, 10220 Pinay, ☎ 03 25 43 81 90.*

Le nom

Les anciens propriétaires, les chevaliers d'Orient, hospitaliers et templiers, lui donnèrent son nom.

Les gens

Que vous soyez amoureux de la nature, mordus de pêche ou fans de sports nautiques, le parc vous propose de nombreux loisirs à la portée de tous.

découvrir

LA NATURE

La forêt d'Orient

Reliquat de la forêt du Der qui couvrait la région du pays d'Othe aux coteaux de St-Dizier, elle occupe 10 000 ha de terrains humides parsemés d'étangs. Après les destructions dues à la dernière guerre, on y replanta quelques essences forestières comme le pin sylvestre, l'épicéa... Le chêne pédonculé domine cette chênaie-charmaie traitée en futaie régulière et taillis sous futaie *(voir le sentier éducatif en forêt)*.

> **D**eux sentiers de grande randonnée et des chemins de petite randonnée la sillonnent, en faisant le lieu privilégié de promenades à pied ou à bicyclette : 140 km de circuits sont balisés et répertoriés dans un topoguide disponible à la Maison du Parc.

Maison du parc naturel régional.

Les lacs de la forêt d'Orient

Trois lacs, servant de réservoirs pour régulariser les cours de la Seine et de l'Aube, agrémentent le parc naturel régional. Mis en eau en 1966, le **lac d'Orient** forme un superbe plan d'eau de 2 500 ha avec de nombreuses possibilités de loisirs. On compte deux ports de plaisance ainsi que trois plages de sable à Géraudot, Lusigny-sur-Barse et Mesnil-St-Père. Le lac permet de pratiquer la voile (dériveurs, catamarans) et la plongée. Une route

> **PÊCHER !**
> La pêche est autorisée sur les trois lacs à l'exception de l'anse Sud du lac du Temple, l'anse Nord-Est du lac d'Orient, occupé par une réserve ornithologique.

carnet d'adresses

OÙ DORMIR

À BON COMPTE

Chambre d'hôte Mme Jeanne – *33 r. du Haut - 10270 Laubressel - 7 km au NO de Lusigny-sur-Barse par N 19 et D 186 - ☎ 03 25 80 27 37 - 🍽 - 6 ch. : 135/210F - repas 67F.* Deux ravissantes maisons champenoises à colombages abritent de confortables chambres aux charpentes apparentes. Il fait bon s'attabler devant la cheminée ou s'installer en terrasse face au prés pour découvrir les produits de la ferme. Gîte à proximité.

VALEUR SÛRE

Bungalows Loisirs des Deux Lacs – *14 bis r. R.-Poincaré - 10270 Lusigny-sur-Barse - ☎ 03 25 43 80 95 - fermé oct. à mars - 🍽 - 5 pers. : sem. 2 500F, w.-end 900F.* Le style moderne de ces douze maisonnettes autour de la piscine et du jardin décevra les amateurs de vieilles pierres, mais ces bungalows, bien équipés, avec cuisine, sont pratiques. Ambiance vacances garantie...

OÙ SE RESTAURER

VALEUR SÛRE

Auberge du Lac Au Vieux Pressoir – *10140 Mesnil-St-Père - ☎ 03 25 41 27 16 - fermé 12 au 26 nov., dim. soir et lun. midi du 26 sept. au 20 mars - 170/300F.* À l'orée de la forêt d'Orient, dans une vaste et jolie maison à colombages, vous dégusterez une cuisine toute en finesse préparée avec des bons produits. Chambres simples et confortables.

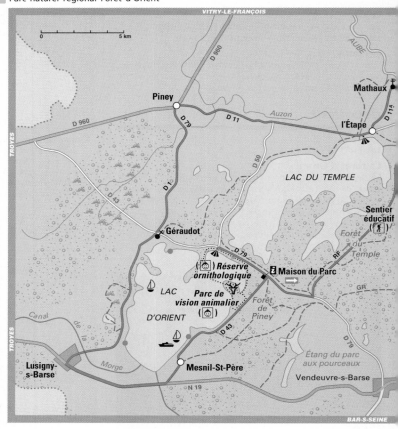

touristique en fait le tour et offre de belles vues, surtout entre Mesnil-St-Père et la Maison du Parc. Le **lac du Temple**, mis en eau en 1991 et d'une superficie de 1 830 ha, est le rendez-vous des pêcheurs et des canoéistes. Le **lac Amance** (500 ha), est réservé aux activités motonautiques. Ces deux derniers lacs, reliés entre eux par un canal de jonction de 1 600 m, sont constitués par les cuvettes naturelles de l'Amance, de l'Auzon et du Temple, tous trois affluents de l'Aube.

circuit

LE TOUR DES LACS *(64 km — une demi-journée)*
Partir de la Maison du Parc.

Maison du Parc
Cette ancienne maison troyenne du 16ᵉ s. a été déplacée et remontée dans la forêt de Piney près des lacs. Lieu d'accueil pour les visiteurs et les randonneurs, cette maison abrite des expositions sur le patrimoine naturel et culturel. *9h-12h, 14h-18h, w.-end et j. fériés 9h30-12h30, 14h30-17h30 (18h de mi-fév. à fin mars et 18h30 avr.-sept.). Fermé 1ᵉʳ et 2 janv., 24-26 et 31 déc. Gratuit.* ☎ *03 25 43 81 90.*

Prendre la D 79 pendant 4 km, puis tourner à gauche dans la route forestière du Temple.
Poursuivre cette route forestière jusqu'à Radonvilliers, puis tourner à droite sur la D 11 en direction de Dienville.

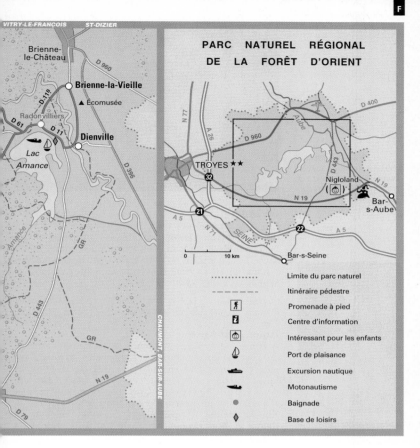

À l'entrée de la ville, la station nautique et de loisirs **Port Dienville** accueille, sur le lac Amance, les amateurs de motonautisme. Entouré d'un port aménagé, d'une zone de baignade et de canotage, le complexe résidentiel surprend par sa forme de paquebot.

Dienville

Cette ville au bord de l'Aube s'illustre par une **halle** en pierre et une **église** qui se caractérise par une abside à ▶ cinq pans et une grosse tour carrée surmontée d'un dôme.

Poursuivre vers le Nord en direction de Brienne-la-Vieille.

Brienne-la-Vieille *(voir p. 103)*
Revenir à Radonvilliers par la D 11^B puis tourner à droite sur la D 61 vers Mathaux.

Mathaux
Ce village présente une jolie **église** à pans de bois au clocher carré recouvert d'écailles de bois.

Prendre la D 11^A vers l'Étape, puis obliquer vers la droite en direction de Piney (D 11).

Peu après l'**Étape** se situe le canal de restitution des eaux du lac du Temple. L'aménagement des digues permet de larges **vues** sur le lac.

Poursuivre jusqu'à Piney.

Piney
La belle **halle** en bois du 17e s. est remarquable par son volume et la qualité des matériaux utilisés. L'**église** conserve un tableau allégorique de la fin du 17e s.

Sortir de Piney par la D 79, puis emprunter la D 1 vers Gérau-dot.

> **DU CHŒUR À L'OUVRAGE**
> La grille en fer forgé du chœur de l'église (1768) est une œuvre de Matthieu Lesueur, serrurier de l'abbaye de Clairvaux.

> **À BON PORT**
> Au départ de Port-Dienville, des promenades en bateau ou en petits bateaux sans permis sont possibles sur le lac Amance.

Les rives du vaste lac d'Orient au Mesnil-St-Père invitent à la flânerie et à la détente.

Cette élégante marcheuse avec son face à main vous attend pour vous faire découvrir le monde merveilleux des automates.

Géraudot

Précédée d'un porche en bois, l'**église** possède une nef du 12ᵉ s. et un chœur du 16ᵉ s. Au maître-autel, un beau **retable** Renaissance en pierre polychrome représente la Crucifixion et la Résurrection. Remarquer les vitraux du 16ᵉ s. *Visite sur demande préalable auprès de la mairie.* ☎ 03 25 41 26 12.

Poursuivre sur la D 1 et 1 km plus loin, prendre à gauche la route jusqu'à Lusigny-sur-Barse.

Lusigny-sur-Barse

À l'entrée du village, sculpture de Klaus Rinke érigée en 1986. D'un diamètre de 25 m, cette arche d'acier galvanisé et chêne enjambe le canal de la Barse et laisse pendre une aiguille en acier inoxydable au-dessus d'un trou d'eau. C'est par cette œuvre que Klaus Rinke, professeur de sculpture constructive à la Kunstakademie de Düsseldorf, a voulu célébrer le thème de l'eau évoqué par Bachelard dans *L'Eau et les rêves : essai sur l'imagination de la matière.*

Musée des Automates — Michel Marcu est le créateur de ces automates qui s'animent devant vous en quelques tours de clé. Admirer le singe en haut de forme fumant sa cigarette ou le vigneron qui se sert à boire... *D'avr. à fin oct. : w.-end et j. fériés 15h-19h (juil.-août : tlj). 46F (3-12ans : 30F).* ☎ 03 25 41 55 51.

À VOUS LA VEDETTE
À partir de Mesnil-St-Père, d'agréables promenades sur le lac sont proposées à bord de vedettes panoramiques.

◀ Mesnil-St-Père

Ce village aux maisons de briques et pans de bois constitue la base nautique la plus importante du lac d'Orient. L'équipement comprend un port de 250 anneaux et une cinquantaine de bouées, une grande plage, des écoles et des clubs de voile.

Emprunter la D 43 en direction de la Maison du Parc.

Parc de vision animalier

 Sur une presqu'île de 89 ha du lac d'Orient, entre Mesnil-St-Père et la Maison du Parc, cet ensemble permet de découvrir les mammifères peuplant la forêt d'Orient. Deux observatoires, à l'orée du bois, permettent d'observer sangliers, cerfs et chevreuils qui vivent en semi-liberté. Les premiers sont omnivores et se nourrissent de glands, tubercules, rongeurs et insectes. Ils restent actifs le jour et la nuit, ce qui rend leur approche aisée. Les cerfs et chevreuils ont eux un régime herbivore (chardons, champignons...) et des mœurs nocturnes. *Avr.-sept. : w.-end et j. fériés 17h à la tombée de la nuit (juil.-août : tlj sf jeu. et ven.) ; oct.-avr. : dim. et j. fériés 14h à la tombée de la nuit. Fermé 1ᵉʳ janv. et 25 déc. 20F.* ☎ 03 25 43 81 90.

UN PEU DE PATIENCE !
Au prix d'une longue et silencieuse attente, vous pourrez observer les nombreux mammifères hôtes du parc.

Passer devant la Maison du Parc et tourner à gauche dans la D 79 en direction de Géraudot.

Réserve ornithologique

🔲 Aménagée dans la partie Nord-Est du lac, cette zone réservée aux oiseaux d'eau est protégée. L'**observatoire des oiseaux du lac** permet de suivre les évolutions des poules d'eau, canards, mouettes rieuses, grues cendrées, hérons cendrés, oies sauvages s'arrêtant sur le lac lors des migrations, en octobre-novembre et en février-mars.

Givet

Givet ou Givet pas ? N'hésitez pas, allez-y. Prenez le temps de vous perdre dans les ruelles tortueuses de cette ville encastrée en Belgique, de prendre du recul en vous arrêtant sur le pont enjambant lestement la Meuse : ici, le fort de Charlemont repensé par Vauban ; là, le joli labyrinthe formé par la vieille ville.

La situation

Cartes Michelin n°s 53 pli 9 ou 241 pli 2 — Ardennes (08). Sur la rive droite se trouve **Givet-Notre-Dame,** quartier des manufactures aujourd'hui disparues. Sur la rive gauche s'étend **Givet-St-Hilaire** dont les rues anciennes entourent une église bâtie par Vauban. Le quartier St-Hilaire est aussi le centre commercial avec ses prolongements jusqu'à la place Méhul, la gare et la frontière belge à travers le quartier de Bon-Secours.
🔲 *Pl. de la Tour, 08600 Givet,* ☎ *03 24 42 03 54.*

Le nom

Il viendrait de l'impôt à l'époque mérovingienne dont Givet était un centre de péage : *gabellium, Gavalum, Givelium* puis *Givetium.*

Les gens

7 775 Givetois. Givet est la patrie du musicien **Méhul** (1763-1817), auteur du célèbre *Chant du départ.*

> **LE CLOCHER DE L'ÉGLISE ST-HILAIRE PAR HUGO**
> « Le grave architecte a pris un bonnet carré de prêtre ou d'avocat, sur ce bonnet il a échafaudé un saladier renversé, sur le fond du saladier il a posé un sucrier, sur le sucrier une bouteille, sur la bouteille un soleil emmanché dans le goulot par le rayon vertical inférieur, et enfin sur le soleil un coq embroché. »

visiter

Tour Victoire

Juil.-août : 10h-12h, 14h-18h, dim. et lun. 14h-18h ; juin : 14h-18h. 10F.
Cet ancien donjon du château des comtes de La Marck (14e-15e s.) abrite en été, sous ses belles voûtes en ogive, diverses expositions.

Centre européen des métiers d'art

Ce centre a pour but de promouvoir et de diffuser les productions artisanales en matière d'art. On peut y voir des artisans au travail. *10h-12h, 14h30-18h, dim. et lun. 14h30-18h. Gratuit.* ☎ *03 24 42 73 36.*

> **GASTRONOMIE**
> La vente de produits du terroir a lieu dans la cave voûtée, ancien octroi du 17e s.

carnet d'adresse

OÙ DORMIR ET SE RESTAURER

VALEUR SÛRE

Val St-Hilaire – *7 quai des Fours* - ☎ *03 24 42 38 50 - fermé 20 déc. au 5 janv. -* 🅿 *- 20 ch. : 295/345F -* ☕ *45F - restaurant 90/250F.*

Choisissez cette grande bâtisse sur les quais de la Meuse, les chambres y sont confortables, meublées dans un style au goût du jour et mansardées au 2e étage. Agréable terrasse d'été aménagée dans la cour intérieure.

Givet, dominé par le fort de Charlemont, semble dormir sur les bords de la Meuse.

Fort de Charlemont★

Accès par une route à gauche, montant à travers bois avant la 1ʳᵉ entrée du camp militaire. Cette cité fortifiée par Charles Quint, qui lui donna son nom, fut refaite par Vauban. Ce fort s'intégrait dans l'ensemble stratégique de la grande couronne d'Haurs, qui devait commander les deux parties de la ville de Givet afin de la protéger efficacement. L'idée de Vauban était d'établir, sur la couronne, deux fronts terminés par des bastions, renforcés en avant par des demi-lunes et prolongés par des ailes fortifiées, de manière à fermer le plateau dans sa totalité. Le projet ne put être mené à son terme. Depuis 1962, ce fort est réutilisé par l'armée qui en a fait un centre d'entraînement commando. Plusieurs constructions du camp retranché gardent encore un caractère imposant bien qu'elles soient en ruine. *Fermé pour travaux.*

VOIR PLUS LOIN
De la pointe Est du fort : belles **vues★** sur Givet, la vallée de la Meuse, le mont d'Haurs, les collines belges où l'on distingue le château d'Agimont, ancienne propriété du comte de Paris.

◄ **Pointe Est du fort** — La visite permet de découvrir une grande galerie dont les murs atteignent 5 m d'épaisseur, la casemate d'artillerie dont les quatre cheminées d'aération témoignent d'un système de ventilation bien évolué, la vaste poudrière avec sa voûte de briques en arc brisé et les deux bastions du 16ᵉ s.

Fort du mont d'Haurs

Sur la rive droite, il fait partie d'un projet conçu par Vauban en 1697 à la demande de Louis XIV afin de protéger le pont de Givet et la forteresse de Charlemont sur la rive opposée. Prévu pour 16 000 à 20 000 hommes et 2 000 à 3 000 chevaux, c'est le seul camp retranché qui reste dans son état avec sa porte monumentale.

Promenade par le chemin de fer des Trois vallées

Le train surplombe la vallée de la Meuse entre Givet et Dinant, en Belgique. Il passe en contrebas des jardins du château de Freyr, emprunte le tunnel à Moniat, puis le viaduc d'Anseremme avant d'arriver à Dinant. *De mai à fin sept. : promenade (3/4h) en chemin de fer, à vapeur ou diesel, w.-end et j. fériés. dép. à 10h30, retour à 14h55 et 17h55. Gare de Givet.* ☎ 03 24 41 36 04.

alentours

Grottes de Nichet *(4 km à l'Est)*

Sur la commune de **Fromelennes**, ces grottes sonorisées comptent une douzaine de salles riches en concrétions que l'on parcourt sur deux niveaux. *Juin-août : visite guidée (1h) 10h-12h, 13h30-19h ; avr.-mai et sept. : 14h-18h. 30F (enf. : 15F).* ☎ 03 24 42 00 14.

Site nucléaire de Chooz★ *(8 km au sud par la N 51)*

COMMENT ÇA MARCHE ?
À l'entrée du site, un bâtiment d'accueil présente, avec des panneaux explicatifs et des maquettes, la production d'électricité et de l'énergie nucléaire.

◄ Deux centrales sont implantées sur le territoire de la commune de Chooz. La première, dénommée « centrale nucléaire des Ardennes » ou **Chooz A**, sur la rive droite de la Meuse, a arrêté sa production d'électricité le 31 octobre 1991 après 24 ans de service.

Chooz B, sur la rive gauche de la Meuse, est constituée de deux unités de production de 1 450 MW chacune. Sa construction initiée en 1982, s'est achevée en 1996 avec le premier couplage au réseau électrique de l'unité n° 1. Le couplage de l'unité n° 2 et la mise en service industrielle de la centrale eurent lieu en 1997.

D'importantes innovations technologiques ont été apportées : une salle de commande informatisée et une nouvelle turbine très puissante, « Arabelle ». *Exposition bâtiment d'accueil lun.-sam. 8h-12h, 13h30-17h30. Visite guidée (2h1/2) lun.-ven. à 9h et 14h. Pas d'enf. de -10 ans. Carte d'identité obligatoire. Sur demande préalable 15 j. av. auprès du service des Relations publiques. Pour les étrangers envoyer un courrier avec photocopie du passeport 15 j. av. ☎ 03 24 42 88 88.*

> **QUELQUES CHIFFRES**
> À terme, Chooz B fournira 20 milliards de kWh par an, soit, avec la centrale de Nogent, près de 10 % de la consommation française d'électricité.

itinéraire

VALLÉE DE LA MEUSE

Au Sud de Givet *(10 km)*
Quitter Givet par la N 51 qui passe au pied de carrières de marbre noir.

Hierges
Le village conserve quelques maisons du 17e s. et un ancien moulin du 13e s. Il est dominé par les ruines du château édifié du 11e au 15e s., jadis le siège d'une baronnie dépendant à la fois du prince évêque de Liège et du duc de Bouillon. Son aspect de forteresse est tempéré par les ajouts de la Renaissance (décoration en briques des tours).

2 km plus loin, prendre à droite la D 47 vers Molhain.

Ancienne collégiale de Molhain
Bâtie sur une crypte du 9e ou 10e s. et refaite au 18e s., son décor intérieur de stucs à l'italienne et son mobilier présentent un intérêt certain. Remarquer le retable de l'Assomption du 17e s., au maître-autel ; une Mise au tombeau (début 16e s.), des statues du 14e au 16e s., des dalles funéraires du 13e au 18e s., parmi lesquelles celle d'Allard de Chimay qui sauva la vie de Philippe Auguste à Bouvines. *Visite guidée sur demande préalable auprès de la mairie, ☎ 03 24 41 50 00 ou de l'Office de tourisme, ☎ 03 24 40 06 59.*

Reprendre la N 51 qui atteint Vireux-Molhain, dans un bassin riant formé par la Meuse et le Viroin.

Au Nord de Givet *(43 km)*
Avec ses imposantes parois rocheuses et à leur sommet, les ruines de plusieurs châteaux forts, la vallée de la Meuse qui se poursuit en Belgique a un caractère des plus romantiques.

Quitter Givet au Nord par la N 51 puis la N 96.

Dinant★★
Dinant occupe un **site★★** remarquable dans la vallée. Dominée par le clocher bulbeux de sa collégiale et la masse de sa citadelle, la ville s'étire sur 4 km entre le fleuve et le roc. Elle a donné son nom à la dinanderie, art de fondre, battre et repousser le laiton.

Suivre la N 92.

Namur★★
Sa position au confluent de la Sambre et de la Meuse que franchit le beau pont Jambes, en a fait une place militaire stratégique. Sa citadelle domine la colline du Champeau.

> **VESTIGES**
> Sur le mont Vireux, des fouilles ont mis au jour un site gallo-romain et médiéval. On y voit des vestiges de l'enceinte médiévale et un four à pain du 14e s.

Joinville

Pourtant nichée elle aussi au bord de la Marne, vous n'y trouverez pas de guinguettes où l'on danse au son de l'accordéon mais une colline où se languissent les ruines d'un château féodal, berceau des ducs de Guise. Alors découvrez à votre guise, son château du Grand Jardin aux senteurs de lavande, d'arbres fruitiers, de plantes aromatiques ou ses belles maisons Renaissance. Ce n'est pas mal non plus...

JEAN DE JOINVILLE

Sa statue en bronze de 3 m de haut du sculpteur langrois Lescornel a été érigée en 1861, rue Aristide-Briand. Il se tient debout, son livre (représentant le manuscrit) et une plume à la main. Les trois bas-reliefs évoquent son départ pour la croisade, Saint Louis rendant la justice sous le chêne de Vincennes et la bataille de la Mansourah en Égypte.

La situation

Cartes Michelin n°s 61 pli 10 ou 241 pli 35 — Haute-Marne (52). À l'écart de la N 67 qui fait une boucle pour contourner la ville.

🛈 *Pl. Saunoise, 52300 Joinville,* ☎ *03 25 94 17 90.*

Le nom

La petite ville aurait été fondée par le Rémois Jovin, consul de Rome au 4e s. *Jovini villa, Joinvilla.*

Les gens

4 754 Joinvillois. Le plus célèbre des sires de Joinville est sans conteste Jean de Joinville (1224-1317), sénéchal de Champagne.

Ce manuscrit du 14e s., bien conservé, évoque le sire de Joinville présentant son Histoire de Saint Louis à Louis X le Hutin.

carnet d'adresses

OÙ DORMIR

À BON COMPTE

Chambre d'hôte Le Moulin – *Rte Nancy - 52300 Thonnance-les-Joinville - 5 km à l'E de Joinville par D 60 -* ☎ *03 25 94 13 76 -* 🖵 *- 4 ch. : 180/200F - repas 70F.* En lisière de forêt et en bordure d'une petite rivière, cet ancien moulin incite à la détente et aux loisirs : jardin, randonnées et location de VTT. Les chambres manquent un peu de caractère, mais leur confort est bien apprécié.

Soleil d'Or – *9 r. des Capucins -* ☎ *03 25 94 15 66 - fermé 2 au 9 août, 21 au 28 fév., lun. (sf hôtel) et dim. soir - 17 ch. : 220/440F - 🖵 55F - restaurant 100/300F.* Laissez-vous séduire par le charme de cette maison de la fin du 17e s. où le décor d'époque tout en pierres et poutres se marie aux matériaux actuels et à la transparence du verre. Chambres confortables. Carte classique et élaborée.

Camping La Forge de Ste-Marie – *52300 Thonnance-les-Joinville - 13 km à l'E de Joinville par D 427 -* ☎ *03 25 94 42 00 - ouv. mai - sept. - réserv. conseillée en été. - 169 empl. : 127F - restauration.* Entre campagne, forêt et étang, les bâtiments de cette ancienne forge du 18e s., ont été rénovés en gîtes. La forge elle-même abrite une piscine couverte et chauffée avec terrasse. Emplacements ombragés. Tennis couvert, golf, pêche, canotage, jacuzzi, cabaret et club-enfants.

OÙ SE RESTAURER

À BON COMPTE

La Poste – *Pl. Grève -* ☎ *03 25 94 12 63 - fermé 10 au 30 janv. et dim. soir de nov. à Pâques - 80/220F.* Cette maison familiale, dans le centre de la ville, vous propose une cuisine traditionnelle et des petites chambres fonctionnelles pour faire une halte en toute simplicité.

visiter

Château du Grand Jardin★

L'ensemble, élevé par Claude de Lorraine, chef de la maison des Guise, et Antoinette de Bourbon, consiste en un corps de logis surmonté d'une toiture et entouré de douves sur trois côtés. *Avr.-oct. : tlj sf mar. (hors juil.-août) 10h-12h, 14h-19h ; nov.-mars : tlj sf mar. 14h-19h, dim. et j. fériés 10h-12h, 14h-18h. Fermé entre Noël et Jour de l'an. 20F. ☎ 03 25 94 17 54.*

SALLE DES FÊTES
La salle d'honneur, avec ses cinq travées monumentales dont les trumeaux sont creusés de grandes niches décoratives, a retrouvé sa vocation d'origine en accueillant des manifestations culturelles (concerts, expositions...).

Derrière ce magnifique et verdoyant jardin, s'élève le château du Grand Jardin.

Ligue du Bien Public — Au temps des guerres de Religion, en 1583, c'est au château de Joinville que fut signé par Philippe II d'Espagne et les chefs de la Ligue, un traité d'alliance. Les façades présentent une riche décoration sculptée, sans doute due à Dominique le Florentin et Ligier Richier. Des travaux de restauration ont rendu à cette demeure toute sa magnificence de la Renaissance. La chapelle St-Claude du 16e s. possède un plafond à caissons en pierre, orné de motifs floraux.

Le jardin — Des textes, notamment de Remy Belleau, ami de Ronsard, et des illustrations ont permis de recréer ce jardin, à l'imitation de ceux qui entouraient le château à l'époque de sa création. ▶

Le jardin est composé d'entrelacs de lavande et de santoline, d'un verger comprenant plus de 70 variétés d'arbres fruitiers, des carrés bouquetier, médicinal et aromatique, un labyrinthe…

Auditoire

Ce tribunal seigneurial édifié au 16e s. servit aussi de prison. On visite d'abord la chambre des pailleux pour ▶ les prisonniers sans ressources, avec au fond les cachots ; puis la pistole pour les détenus aisés, la chambre des femmes et la chambre du geôlier. Au 2e étage sont reconstitués le tribunal du baillage, Jean de Joinville à cheval, en tenue de combat, la chambre funèbre de Claude de Lorraine. Par un escalier à vis, on accède aux greniers qui accueillaient le grain de la redevance seigneuriale (champart), des personnages en costumes évoquent les riches heures de la cité. *De mai à fin oct. : visite guidée (1h1/2) lun.-ven. 9h-12h, 14h-18h sur demande 1/2 j. av. auprès du Syndicat d'initiative (juil.-août : sam. 15h30-18h, dim. et j. fériés 15h-17h30). 20F.*

MINIATURE
Découvrir la maquette de Joinville en 1650 où l'on distingue le château féodal, la ville close entourée de remparts, les faubourgs, le château du Grand Jardin.

Église Notre-Dame

Fin du 12e-début du 13e s., l'église incendiée et ▶ restaurée au 16e s. fut reconstruite en partie au 19e s. dans le style d'origine. Elle a conservé sa nef (sauf les voûtes reconstruites au 16e s.) et ses collatéraux du 13e s. Elle abrite un sépulcre du 16e s. d'une très belle composition bien que marqué par un certain maniérisme. S'ajoutent à celui-ci, un haut-relief en albâtre représentant la déploration et une châsse contenant

À VOIR
Remarquer les modillons sculptés à la base du toit et sous le clocher-porche du 19e s., un portail du 13e s. Sur le flanc droit s'ouvre un portail Renaissance avec colonnes et chapiteaux corinthiens.

Détail du sépulcre situé dans l'église Notre-Dame.

une relique dite de la « ceinture de St-Joseph », rapportée de Terre sainte en 1252 par Jean de Joinville.

Chapelle Ste-Anne

◄ Au milieu du cimetière s'élève la chapelle (1504), éclairée par de belles verrières où dominent les rouges et les bleus. Celles-ci retracent des scènes de la vie de la Vierge, de sainte Anne et de saint·Laurent. *Visite mer., jeu. et ven. en s'adressant à l'Office de tourisme.*

> **R**emarquez dans la chapelle le Christ aux liens en bois polychrome du 15ᵉ s.

alentours

Blécourt *(9 km par la N 67 vers Chaumont et, à Rupt, la D 117 à droite)*
Ce village possède une **église** gothique d'inspiration clunisienne, construite aux 12ᵉ et 13ᵉ s. et admirable de proportions. À l'intérieur, Vierge à l'Enfant en bois sculpté (13ᵉ s., école champenoise), but d'un pèlerinage remontant à Dagobert. Des groupes fréquentent ce lieu de prière et de réflexion. *Possibilité de visite guidée auprès de M. Bertrand.* ☎ *03 25 94 14 44.*

Lacets de Mélaire

Circuit de 19 km. Suivre la D 960 ; 4 km après Thonnance-lès-Joinville, prendre à droite la petite route en sous-bois.
On découvre, à travers les lacets aux pentes abruptes de la « Petite Suisse », une belle vue sur la vallée de Poissons.

> **L**'église St-Aignan de Poissons (16ᵉ s.) est précédée d'un porche monumental aux voussures finement sculptées formant avec le portail un bel ensemble Renaissance.

◄ **Poissons** — Ce village a gardé de vieilles maisons. Des rives du Rongeant qui le traverse, vous aurez de jolis points de vue.
Rejoindre Joinville par la D 427 le long de la vallée du Rongeant.

Langres ★★

À l'école primaire, on a tous appris le nom de Langres, lié à un plateau où naissent la Seine et la Marne. Quelques années plus tard, en révisant le bac et le **Neveu de Rameau,** on apprend que Diderot est né dans cette ville. Aujourd'hui on retient le **site★★** admirable et une ville que vous n'êtes pas prêt d'oublier.

La situation

Cartes Michelin nᵒˢ 66 pli 3 ou 241 pli 47 — Haute-Marne (52).
◄ C'est l'une des portes de la Bourgogne, étape touristique sur l'axe Nord-Sud européen (A 5, A 31). Langres se trouve près des sources de la Marne, de la Seine et de l'Aube et de quatre lacs-réservoirs qui alimentent le canal de la Marne à la Saône. 🛈 *Pl. Bel-Air, 52200 Langres,* ☎ *03 25 87 67 67.*

> **PANORAMA**
> **U**n ascenseur incliné relie le parking Sous-Bie situé à l'extérieur des remparts au centre-ville. Rien que pour le panorama sur la ville, le lac de la Liez et les Vosges, ça vaut le coup de l'emprunter.

Le nom

Son nom primitif *Andematunum* vient des mots *And*, extrémité, *Maen*, rocher et *Tunum* qui signifie élevé. La ville était donc bâtie sur un rocher.

Les gens

9 981 Langrois. Diderot, le plus célèbre enfant du pays, surveille de son piédestal le carrefour principal de la ville.

comprendre

La cité gallo-romaine — Existant déjà au temps de la Gaule indépendante, Langres devint l'alliée de César. En 70 après J.-C., à la mort de Néron, un chef lingon, **Sabinus,** tenta de s'emparer du pouvoir suprême. Après son échec, il trouva refuge dans un lieu que la légende situe dans une grotte près de la source de la Marne. Découvert, il fut conduit à Rome et tué, ainsi que sa femme, Éponine, qui avait lié son sort au sien.

Saint Didier — Menacée par les invasions, Langres ▶ construit sa première enceinte. La christianisation du pays intervint au 3e s. et la fondation d'un évêché au siècle suivant. D'après une légende, saint Didier, évêque de Langres, aurait été martyrisé pour avoir défendu la cité. Ayant eu la tête tranchée, il serait remonté à cheval en portant celle-ci dans ses mains pour aller mourir là où fut construite une chapelle dédiée à son nom (celle-ci fait partie du musée d'Art et d'Histoire).

Place forte royale — La ville devient royale lors du rattachement de la Champagne au royaume en 1284. Aux confins de la Bourgogne, de la Lorraine et de la Franche-Comté, elle est au 14e s. une forteresse puissante et jouera jusqu'au 17e s. un rôle stratégique important. Au 19e s., elle retrouve sa vocation défensive : restauration de l'enceinte (1843-1860), construction d'une citadelle (1842-1850) ainsi que de huit forts détachés (1868-1885) pour contrôler les trouées de Belfort et de Charmes.

> **COMTÉ SANS COMPTER**
> Les évêques de Langres dirigeaient le comté avec le droit de battre monnaie, un attribut de souveraineté que leur avait concédé Charles le Chauve. À partir du 12e s., l'évêché fut une des pairies ecclésiastiques du royaume ; au sacre des rois de France, l'évêque, duc et pair, portait le sceptre.

découvrir

LA VILLE ANCIENNE

À l'intérieur des remparts, dans l'enchevêtrement des rues héritées du Moyen Âge, on découvre quelques maisons anciennes ainsi que des éléments décoratifs dont des niches (15e-19e s.), témoins d'un sentiment religieux fort.

Superbe vue de Langres, ceinturé de ses remparts.

carnet pratique

OÙ DORMIR

À BON COMPTE

Chambre d'hôte L'Orangerie – *Pl. de l'Église - 52190 Prangey - 16 km au S de Langres par N 74 et D 26 - ☎ 03 25 87 54 85 - ☒ - 3 ch. : 240/290F.* Dans un environnement campagnard, entre le château et l'église du village, se dresse cette demeure de charme garnie de lierres. Il règne une atmosphère romantique dans ses confortables chambres de jeune fille...

Camping Municipal Le Château – *52140 Montigny-le-Roi - 22 km au NE de Langres par D 74 - ☎ 03 25 87 38 93 - ouv. 15 avr. - 15 oct. - ☒ - réserv. en saison - 55 empl. : 69F.* C'est un petit camping situé dans le cadre agréable et boisé de la vallée de la Meuse. Tennis, jeux pour enfants.

VALEUR SÛRE

Cheval Blanc – *4 r. Estres - ☎ 03 25 87 07 00 - 17 ch. : 280/420F - ☒ 45F - restaurant 130/300F.* Quelques chambres voûtées dans cette église-abbaye du 9ᵉ s., transformée en hôtel en 1793. Derrière la maison, face aux fortifications de la ville, les vestiges des anciens bâtiments agrémentent une jolie terrasse d'été. Carte traditionnelle et tables bien présentées.

OÙ SE RESTAURER

À BON COMPTE

Aux Délices - Pâtisserie Henry – *6 r. Diderot - ☎ 03 25 87 02 48 - 30/60F.* Faites une petite escale gourmande, dans ce salon de thé, lors de la visite du vieux Langres. Il occupe une belle maison de 1580 en pierres de taille. Les bonnes quiches, pâtés en croûte et pâtisseries sauront vous faire oublier un décor un peu impersonnel.

Auberge des Trois Provinces – *52190 Vaux-sous-Aubigny - 25 km au S de Langres par N 74 - ☎ 03 25 88 31 98 - fermé 18 janv. au 8 fév., dim. soir et lun. - 95/138F.* Côté décor, cette petite auberge a résolument choisi d'être moderne : poutres et plafonds peints, fresques bien colorées. Seuls, ses murs de pierres lui donnent encore un air de campagne. Côté cuisine, c'est copieux et les gourmands sont satisfaits.

VALEUR SÛRE

Auberge du Palais Abbatial – *52160 Auberive - ☎ 03 25 84 33 66 - réserv. conseillée - 130/195F.* Ce surprenant restaurant est aménagé dans une abbaye dont l'origine remonte au 12ᵉ s. Imposantes cheminées, four à pain, pierres du pays, poutres massives et chandeliers anciens constituent un décor d'autrefois. Un passage obligé...

Auberge des Voiliers – *au Lac de la Liez : 4 km par N 19 et D 284 - ☎ 03 25 87 05 74 - fermé 1ᵉʳ fév. au 15 mars, dim. soir du 1ᵉʳ oct. au 1ᵉʳ mai et lun. - 100/280F.* En bordure du lac de la Liez, bien connu des amateurs de voiliers et de planches à voile, voici une auberge pour les week-ends et les petites vacances. Les chambres sont simples et la cuisine variée et appétissante.

Restaurant du Parc – *52210 Arc-en-Barrois - ☎ 03 25 02 53 07 - fermé fév., dim. soir et lun. du 7 mars au 31 mai, mar. soir et mer. du 15 sept. au 31 janv. - 100/160F.* Après avoir visité les curiosités de la région haut-marnaise, goûtez dans cette maison tranquille une cuisine simple et terrienne. Vaste salle à manger très claire, terrasse intérieure joliment fleurie. Chambres fonctionnelles.

SPÉCIALITÉS GASTRONOMIQUES

Le **fromage de Langres** qui bénéficie d'une AOC est un fromage à pâte molle et croûte lavée. Il est fabriqué toute l'année avec le lait de vaches provenant des pâturages du Bassigny et du plateau de Langres (fromagerie Schertenleib à Saulxures).

Le **Montsaugeonnais**, vin de pays (Cave de la Vingeanne, 8 r. St-Didier).

Le **Rubis de groseilles** est une boisson fermentée fabriquée artisanalement. Il se boit frais en apéritif ou à la fin d'un repas (M. Rousselle à Bugnières).

Portrait de Denis Diderot, qui consacra plus de vingt ans de sa vie à la constitution de l'Encyclopédie.

Rue Diderot

C'est la principale artère de la ville bordée de nombreux magasins. La rue passe devant le théâtre installé depuis 1838 dans l'ancienne chapelle des Oratoriens (1676).

Collège

Ce vaste bâtiment est l'ancien collège des Jésuites datant du 18ᵉ s. La façade de la chapelle, d'influence baroque, est surmontée de pots à feu.

Place Diderot

Au cœur de la cité dont elle est la place principale. Elle est dominée par une statue du sculpteur Bartholdi représentant le philosophe. Une plaque est apposée sur sa maison natale située à l'entrée de la rue de la Boucherie.

DENIS DIDEROT (1713-1784)

Fils d'un maître coutelier, Denis Diderot fait des études brillantes au collège des Jésuites de la ville. Alors qu'on le destine à une carrière religieuse, il choisit de continuer ses études à Paris. Il ne reviendra qu'à cinq reprises dans sa ville natale, qu'il décrit volontiers cependant dans ses *Lettres* à Sophie Volland ou dans le *Voyage à Langres*. Intéressé par les domaines les plus divers, il écrit de nombreux ouvrages : essais comme ses *Lettres sur les aveugles à l'usage de ceux qui voient*, qui lui valent d'être emprisonné à Vincennes, romans *(La Religieuse)*, satires *(Jacques le Fataliste)*, dialogues philosophiques *(Le Neveu de Rameau)*, critique d'art *(Salons)*. Mais le nom de Diderot est avant tout lié à celui de *l'Encyclopédie*, œuvre monumentale dont il entreprend la rédaction avec d'Alembert, en 1747, et à laquelle il ne consacre pas moins de 25 ans de sa vie.

▶ **LA 1ʳᵉ Encyclopédie**
Achevée en 1772, *l'Encyclopédie*, avec ses 35 volumes, dont les 11 volumes de planches explicatives accordent une large place aux techniques et aux arts appliqués, représente en quelque sorte la somme des connaissances scientifiques et des idées philosophiques du « Siècle des Lumières ».

En descendant la rue du Grand-Cloître, vue sur le lac de la Liez. À l'entrée de la rue Lhuillier, maison à pans de bois (15ᵉ s.). Avant de tourner à droite, place Jean-Duvet, noter à l'angle de la rue du Petit-Cloître une maison (15ᵉ-16ᵉ s.) décorée d'une échauguette couverte de bardeaux.

Longer le flanc Sud de la cathédrale.

Cloître de la cathédrale

Du début du 13ᵉ s., il ne conserve que deux galeries vitrées abritant la bibliothèque municipale. À l'intérieur, les voûtes sur croisées d'ogives sont supportées par de fines colonnettes décorées de chapiteaux à crochets ou à feuillages. *Mar. et jeu. 15h-18h, mer. et sam. 9h30-11h30, 13h30-18h, ven. 16h-19h.*

Traverser la place Jeanne-Mance.

Dans le square se dresse la statue de Jeanne Mance (1606-1673), œuvre du sculpteur Jean Cardot. Infirmière, elle alla en 1641 au Canada pour suivre sa vocation missionnaire et y fonda, avec Maisonneuve, l'Hôtel-Dieu de Montréal.

Maison Renaissance

La façade côté jardin de cette maison du milieu du 16ᵉ s. est agrémentée de colonnettes d'ordres ionique et corinthien et de frises à bucranes, draperies et fruits. Une balustrade ajourée délimite la cour enserrant le puits. Prendre le couloir latéral (escalier à vis) qui aboutit rue Cardinal-Morlot que l'on prend à gauche après avoir jeté un coup d'œil vers la droite sur une maison Renaissance d'un niveau plus haut et aux colonnettes doubles.

▶ **INCOGNITO**
Les passages couverts : appelés aussi porches, ils permettaient de desservir les cours intérieures. On peut les emprunter pour passer d'une rue à l'autre.

Poursuivre par la rue Lambert-Payen et la rue Gambetta qui mènent à la charmante place Jenson.

Église St-Martin

En partie du 13ᵉ s., remaniée au 18ᵉ s. après un incendie, elle est surmontée d'un campanile de cette époque.

Admirer la façade côté jardin de cette maison Renaissance.

se promener

SUR LES REMPARTS★★ *(4 km — environ 1 h 1/2)*
Le chemin de ronde constitue une agréable promenade qui permet de découvrir une jolie vue, à l'Est la vallée de la Marne, le lac de la Liez et les Vosges, au Nord la colline des Fourches avec sa chapelle, à l'Ouest les coteaux de la vallée de la Bonnelle et plus loin le plateau de Langres et ses coteaux boisés.
Partir de la place des États-Unis au Sud.

Porte des Moulins (1647)
Cette porte qui a conservé son caractère d'architecture militaire de l'époque Louis XIII est coiffée d'un dôme couvert de bardeaux de châtaignier. Son décor présente une allégorie des victoires françaises à la fin de la guerre de Trente Ans : ennemis enchaînés, heaumes, trophées.

La porte des Moulins est l'entrée la plus monumentale de la ville.

Tour St-Ferjeux (vers 1469-1472)
Adaptée à l'artillerie, sa terrasse peut recevoir des pièces de gros calibre. Les deux salles voûtées dont les murs ont 6 m d'épaisseur abritent huit casemates. De sa plate-forme, on découvre un panorama étendu sur la campagne voisine et de belles vues sur les remparts.
Une sculpture en acier poli du Néerlandais Eugène Van Lamsweerde « L'Air » a été implantée sur la tour en hommage à Bachelard. Elle fait référence à l'un des écrits du philosophe « l'Air et les Songes ».

Tour Virot
Semi-circulaire, elle protégeait le faubourg de Sous-Murs où se regroupaient les tanneurs installés au pied de la cité. Elle possédait une enceinte particulière dont on voit encore en contrebas la tour de Sous-Murs (1502).

Porte Henri-IV (1604)
Elle permettait l'accès au quartier de Sous-Murs et a gardé les traces de son dispositif défensif (fossé, pont-levis...).

Table d'orientation
La vue embrasse en contrebas, le faubourg de Sous-Murs, entouré de sa propre enceinte ; de chaque côté, l'enfilade sur les remparts ; au loin, le lac de la Liez et les Vosges.

Tour St-Jean
Bâtie sur un éperon, cette ancienne tour d'artillerie fut aménagée en pigeonnier militaire en 1883.

Tour du Petit-Sault (vers 1517-1521)
Cette tour d'artillerie, de forme allongée, aux murs épais, possède deux salles voûtées reliées par un escalier pour suivre la pente du terrain. De la terrasse, vue sur la vallée de la Bonnelle et le plateau de Langres.

Porte gallo-romaine (1er s. après J.-C.)
Ancrée dans la muraille, elle servit de tour au Moyen Âge.

Porte Neuve ou porte des Terreaux (1855)
La plus récente des portes, couronnée de mâchicoulis néo-gothiques ; traces du pont-levis.

Tours de Navarre et d'Orval
La tour de Navarre, dont l'ancienne terrasse d'artillerie fut couverte d'une charpente en châtaignier en 1825, est la plus puissante de toutes. Elle est doublée par la tour d'Orval dont la rampe hélicoïdale permettait d'acheminer les pièces d'artillerie au sommet de la tour de Navarre. *De mai à fin sept. : w.-end et j. fériés 14h30-17h30 (juil.-août : tlj 10h-12h30, 14h30-19h). 10F.*

LEÇON DE FORTIF !
Les remparts conservent encore 7 portes et 12 tours montrant l'évolution de la fortification depuis la guerre de Cent Ans jusqu'au 19e s.

LANGRES

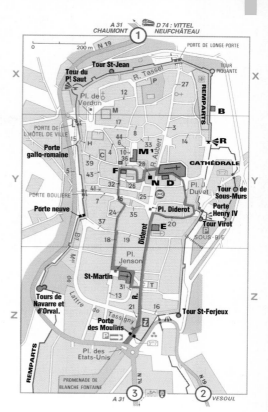

visiter

Cathédrale St-Mammès★

Longue de 94 m et haute de 23 m, la cathédrale fut édifiée dans la 2nde moitié du 12e s. Elle a subi de nombreux
remaniements. La façade d'origine (12e-13e s.) détruite
par le feu a été remplacée au 18e s., par une façade de
style classique à trois étages, d'ordonnance régulière.
L'intérieur aux proportions majestueuses est de style
roman-bourguignon et montre la transition avec le gothique par sa nef, voûtée d'ogives, comptant 6 travées. La
1re chapelle du bas-côté gauche (2e travée), au plafond à
caissons, abrite une *Vierge à l'Enfant* en albâtre, ayant à
son côté l'évêque donateur, œuvre de 1341 due à Évrard
d'Orléans. La 3e travée est ornée de bas-reliefs figurant
la Passion, encastrés dans un fragment du jubé construit,
vers 1550, par le cardinal de Givry. Deux des tapisseries
dont le prélat fit don à la cathédrale, sont exposées dans
le transept : elles figurent la légende de saint Mammès.
Le chœur et l'abside, élevés entre 1141 et 1153 sont les
plus belles parties de l'édifice. Les chapiteaux du triforium de l'abside sont décorés d'animaux, d'êtres fantastiques et de motifs floraux. Dans le déambulatoire, un
bas-relief représente la translation des reliques de saint
Mammès, procession solennelle autour des murs de la
ville.

SAINT MAMMÈS

Ce saint de Cappadoce
prêchait au 3e s. l'Évangile
aux animaux sauvages.
Quand les gardes romains
envoyés par l'empereur
Aurélien vinrent le cher-
cher pour le martyriser, les
bêtes féroces le protégè-
rent. Il fut finalement
étripé et il est souvent représenté se tenant les entrailles. La cathédrale de
Langres reçut de Constan-
tinople un lot de ses reliques, dont le chef du
saint.

La mosaïque de Bacchus (60 m²) a été trouvée sur le site même du musée en 1985.

Salle du trésor — Elle conserve de nombreux objets d'art : un reliquaire de Clairvaux qui contiendrait un fragment de la Vraie Croix, un buste-reliquaire en vermeil de saint Mammès, ainsi qu'une statue d'ivoire du 15ᵉ s. le figurant se tenant les entrailles, une plaque d'évangéliaire en émail champlevé sur cuivre doré du 13ᵉ s., une boîte aux Saintes Huiles en argent repoussé et ciselé de 1615, seul vestige de la chapelle épiscopale détruite à la Révolution. *Mêmes conditions de visite que la tour Sud.*

Tour Sud — Du haut de la tour (45 m), vue sur la ville et les environs. *De juil. à fin août : tlj sf mar. 14h30-18h. 10F (tour et trésor).*

Musée d'Art et d'Histoire
Dans la chapelle romane St-Didier, le musée abrita dès 1842 les collections langroises, ainsi que dans un bâtiment de verre et de béton construit pour mieux présenter celles acquises depuis.

Après la section préhistoire et protohistoire qui rassemble les découvertes faites dans la région (têtes celtiques de Perrogney), la **section gallo-romaine**★ se fait remarquer par des fragments lapidaires provenant de grands ensembles architecturaux. Le *Togatus* ou *Consul* est une statue acéphale en marbre découverte à Langres au 17ᵉ s. Les stèles et sculptures témoignent de l'importance de cette civilisation. ♿ *Tlj sf mar. 10h-12h, 14h-18h (17h en hiver). Fermé 1ᵉʳ janv., 1ᵉʳ mai, 1ᵉʳ nov., 25 déc. 20,50F.* ☎ *03 25 87 08 05.*

Pour les 17ᵉ, 18ᵉ et 19ᵉ s., des collections de peinture et sculpture rendent hommage à des artistes locaux (Jean Tassel, Edmé Bouchardon, Courbet, Corot).

Remarquer l'*Autel de Bacchus*, en marbre blanc trouvé à St-Geosmes, le *Char des vendanges*, la *Tête de cheval d'Isômes*, la *Stèle du savetier*, la *Statue du Barducucullus*, du nom du manteau à capuche, la *Stèle des fiançailles* semi-circulaire, avec quatre personnages.

alentours

D'UNE RIVIÈRE À L'AUTRE
Ouvert en 1907, le canal de la Marne à la Saône permet la traversée de la France par eau, de Dunkerque à Marseille. Le franchissement de la ligne de partage des eaux a nécessité le tunnel de Balesmes : 4,8 km de long mais l'étroitesse oblige à alterner le sens du passage des péniches.

Source de la Marne *(4 km, 1/4 h à pied AR)*
Sortir de Langres par la N 74, puis prendre à gauche la D 122 vers Noidant-Chatenoy. À 2,5 km prendre à gauche la D 290 vers Balesmes-sur-Marne. À 1 km prendre à droite un chemin jusqu'au parking, puis à gauche un sentier descendant vers la source de la Marne, à 400 m.

La Marne sourd d'une sorte de caveau clos par une porte de fer. À proximité, on voit la grotte de Sabinus. Des sentiers sont tracés dans les rochers. Aire de pique-nique.

Mausolée gallo-romain de Faverolles

10 km par la N 19, à Rolampont prendre la D 155 à gauche puis la D 256. Les vestiges de ce mausolée ont été découverts en 1980 dans la forêt à 3,5 km du village *(possibilité de visiter le site en cours de fouilles, lors d'une balade en forêt).* Édifié en l'an 20 av. J.-C., il mesurait plus de 20 m de haut et présentait 3 étages d'ordre corinthien. Par sa forme et sa fonction (cénotaphe), on peut le comparer au mausolée du plateau des Antiques à St-Rémy-de-Provence.

Atelier archéologique — Dans cet atelier ont été regroupés les fragments de ce mausolée : haut-relief sculpté figurant un rapace, deux lions rampants, des masques funéraires de Bacchus, silène... *De mi-avr. à fin oct. : w.-end et j. fériés 15h-18h (juil.-août : tlj sf mar. 15h-19h). 15F.*

Château du Pailly *(12 km par la N 74)*

Prendre à gauche la D 122. À Noidant-Chatenoy prendre à gauche la D 141.

Autour d'un château féodal, le maréchal de Saulx-Tavannes se fit construire une demeure de style Renaissance. Dans le donjon (15ᵉ s.), la « salle dorée » est superbe par son plafond à la française et ses cheminées. *De mai à fin sept. : w.-end et j. fériés 14h30-17h30 (juil. à fin août : tlj sf mar. 15h-19h). 15F.*

TOUR DE VIS
Arrêtez-vous devant la façade à balcon qui donne sur la cour d'honneur, à gauche de celle-ci, admirez l'escalier à vis, à tourelle ajourée.

Du château du Pailly, il ne subsiste aujourd'hui que trois des quatre corps de logis.

Fort du Cognelot *(10 km au Sud-Est par la D 17)*

Il fait partie d'une série de huit forts type « Séré de Rivières », construits près de Langres après la guerre de 1870 pour protéger la frontière Est. Il fut réalisé entre 1874 et 1877 pour contrôler le nœud ferroviaire de Culmont-Chalindrey. Se déployant autour de deux cours intérieures, le réduit comprenait des casemates pour 600 hommes, des magasins à munitions, des abris pour stocker les vivres, le matériel et l'artillerie. *De juil. à fin août : visite guidée (1h) dim. et j. fériés à 15h30 et 17h. 20F.*

Cascade de la Tuffière *(14 km par la N 19)*

1 km après Rolampont, tourner à gauche dans la D 254 et suivre le fléchage.

La cascade de la Tuffière ou Tuffière de Rolampont est ainsi appelée parce que les eaux de source, chargées de calcaire, y déposent des concrétions de tuf, dues à la présence d'algues microscopiques et aux mousses. Ainsi se forment des sortes de cascades pétrifiantes. Dans un site forestier, les eaux ruissellent sur un escalier. Un sentier aménagé permet d'en faire le tour.

Fayl-Billot *(26 km au Sud-Est de Langres par la N 19)*

On vient à Fayl-Billot pour y admirer et y acquérir des meubles en rotin et objets de vannerie. L'**École nationale d'osiériculture et de vannerie**, qui maintient les traditions artisanales, expose les créations et travaux des élèves, depuis le meuble jusqu'au plus petit bibelot. Panneaux explicatifs sur la récolte et la préparation de

FIGURE LOCALE
À la limite des plateaux de Langres et de Haute-Saône, ce gros bourg agricole, en bordure de forêts agréables à parcourir comme la forêt de Bussières, est la patrie de Mgr Darbay, exécuté en 1871 par les insurgés de la Commune.

Routoir pour l'osier, endroit dans lequel sont rouies par immersion dans l'eau les tiges de plantes textiles.

l'osier. Une vidéo montre les différents aspects du métier. *Tlj sf mar. 10h-12h, 14h-18h. Fermé 1er janv. et 25 déc. 15F. ☎ 03 25 88 63 02.*

La maison du vannier, également Syndicat d'initiative, expose des objets en saison. Dans le centre du village, on peut encore voir quelques artisans au travail.

Bussières-les-Belmont — À 5 km de Fayl-Billot, la Vannerie bussiéroise regroupe des osiériculteurs qui présentent leurs articles. Une vidéo fait découvrir la culture de l'osier et la fabrication d'un article. *Tlj sf sam. matin, dim. et j. fériés 8h-12h, 14h-18h. ☎ 03 25 88 62 75.*

Des remparts de Langres, vue sur le lac de la Liez qui s'étend sur 270 ha.

PAYS DES 4 LACS

Quatre lacs-réservoirs ont été créés à la fin du 19e s. et au début du 20e pour alimenter le canal de la Marne à la Saône. Ce sont d'agréables lieux de détente et de promenade dans un site boisé et verdoyant en même temps qu'ils permettent diverses activités nautiques.

La région est un vrai château d'eau. Des cours d'eau prennent leur source de part et d'autre de la ligne de partage des eaux entre, d'une part, la Méditerranée (Saône), d'autre part la Manche (Marne) et la mer du Nord (Meuse).

Lac de la Liez *(5 km à l'Est de Langres)*
C'est le plus grand des lacs avec 270 ha. Sa digue en terre (460 m de long, 16 m de haut) peut être parcourue à pied (vue sur Langres). Un sentier fait le tour du lac.

Lac de la Mouche *(6 km à l'Ouest de Langres)*
Le plus petit des lacs (94 ha). Il est dominé par St-Ciergues au Nord et Perrancey-les-Vieux-Moulins au Sud reliés entre eux par une route qui emprunte la digue de 23 m de haut et de 410 m de long.

Lac de Charmes *(8 km au Nord de Langres)*
La digue en terre de 362 m de long et de 17 m de haut retient un lac de 197 ha de forme très allongée.

Lac de la Vingeanne *(12 km au Sud par la N 74)*
190 ha. Un sentier permet de faire le tour (8 km) de ce lac dont la digue est la plus longue des quatre lacs : 1 254 m.

itinéraire

HAUTE VALLÉE DE L'AUBE

Prolongeant la « montagne » bourguignonne au Nord-Est, le plateau de Langres, aux paysages boisés, contraste avec les vallées encaissées des affluents de la Seine et de la Saône qui le découpent. La marque du calcaire apparaît partout : grottes, dolines et des sources vauclusiennes liées à l'existence d'un sous-sol argileux. Le plateau de Langres correspond à la ligne de partage des eaux entre les bassins parisien, rhénan et rhodanien. La Seine, l'Aube, la Marne, la Meuse y prennent leur source. Ce pays est couvert de massifs forestiers : forêts d'Auberive, d'Arc-en-Barrois.

De Langres à Chaumont *(94 km − 4 h)*
Sortir au Sud de Langres par la N 74.

Sts-Geosmes
L'**église** du 13e s. dédiée à trois saints jumeaux martyrisés en ce lieu, est bâtie sur une crypte du 10e s.
Prendre la D 428 vers Auberive.

Après le village de Pierrefontaines, la route passe à côté du Haut-du-Sec (516 m), point culminant du plateau de Langres, puis pénètre dans la forêt d'Auberive.
Quelques kilomètres plus loin, prendre à gauche la route forestière d'Acquenove. La source de l'Aube est signalée.

Source de l'Aube
Elle jaillit dans un cadre bucolique (aire de pique-nique).
Gagner Auberive par la D 20, puis la D 428.

Auberive
Dans un site boisé au bord de l'Aube, s'élevait une ancienne abbaye cistercienne fondée en 1133, par saint Bernard. L'abbaye fut reconstruite en grande partie au 18e s. *(on ne visite pas)*.
Sur la place de l'abbaye, à travers les grilles, on aperçoit à droite le chœur de l'église abbatiale (1182), seul vestige roman avec la porte de la salle du chapitre.
Une promenade ombragée de tilleuls court entre l'Aube et le canal d'où son nom de promenade « Entre deux eaux ».
Sur la D 428 vers Châtillon, à travers la grille en fer forgé du 18e s., œuvre de Jean Lamour auteur des grilles de la place Stanislas à Nancy, on voit la façade de l'abbaye.
À la sortie d'Auberive, prendre à droite la D 20.

Cascade d'Étufs★
Laisser la voiture sur le parking. Après Rouvres-sur-Aube, une avenue partant à gauche de la D 20 conduit à une propriété, que l'on contourne par la droite pour atteindre la cascade pétrifiante. Les eaux jaillissent à flanc de coteau et tombent en cascatelles, dans des vasques superposées.

> **AGAPES**
> L'ancien palais abbatial abrite un restaurant où vous pourrez faire une halte gastronomique.

> **BIEN LOGÉS**
> Dans un cadre authentique, possibilité de louer des loges, maisons traditionnelles, ou des maisons éclusières (location week-end ou semaine, renseignements : maison du pays d'Auberive, ☎ 03 25 84 22 26).

Dans un site ombragé d'arbres magnifiques, la cascade d'Étufs offre un spectacle rafraîchissant.

Poursuivre sur la D 20 et à Aubepierre-sur-Aube prendre à droite la D 159 vers Arc-en-Barrois.

Arc-en-Barrois
Nichée au fond d'une vallée et entourée de massifs forestiers, cette petite ville est un agréable lieu de séjour.

◀ **Église St-Martin** — Désorientée au 19e s. pour cause d'urbanisme, il faut la contourner pour découvrir le portail du 15e s. : sous un arc trilobé le tympan porte un Christ en croix entre l'église et la synagogue. Dans la chapelle à droite de l'entrée, un sépulcre grandeur nature (17e s.).

Prendre la D 3 à gauche puis la D 65 à droite vers Châteauvillain

Chateauvillain
◀ Au 18e s. la ville était entourée de murs flanqués de 60 tours percées de 3 portes. On en voit des vestiges du 14e au 16e s. (tour St-Marc, tour des Malades). On peut suivre les contours du château qui formait un quadrilatère. Il ne reste que la tour de l'Auditoire vouée aux expositions temporaires *(de mi-juillet à mi-septembre)*.

L'église N.-D. de l'Assomption, reconstruite à partir de 1770 grâce aux libéralités du duc de Penthièvre, possède une façade attribuée à Soufflot. De l'église primitive, il ne reste que le clocher avec sa flèche en pierre.

Face à l'église, l'**hôtel de ville** a été édifié en 1784 sur les plans de Lancret.
Rue du Duc-de-Vitry, l'ancienne **prévôté** qui s'ouvre par une porte à arc brisé, a conservé ses bandeaux de pierre et ses gargouilles.
La porte Madame (14e s.), seule porte intacte, sert d'entrée au **parc aux daims** où évoluent les animaux en liberté.

Rejoindre Chaumont par la D 65.

Méandres de la **Meuse** ★★

Un défilé profond et sinueux, de sombres forêts où abonde le gros gibier et notamment le sanglier, une lumière tout en nuance filtrant à travers le bois lors des belles journées d'automne ou un rideau de brouillard et de pluie lui donnant un air surnaturel... Pas étonnant que ce lieu chargé de mystères ait engendré tant de légendes, d'êtres étranges comme ces « nutons », ancêtres des Schtroumpfs.

La situation
Cartes Michelin n°s 53 plis 8, 18 ou 241 plis 2, 6, 10 — Ardennes. Le fleuve coulait, à l'origine, sur un sol nivelé par l'érosion. Des méandres qui se sont formés ont conservé leur tracé lorsque les terrains durs du sous-sol ont subi un lent relèvement.

Le nom
Il viendrait du latin *Mosa*, plusieurs ruisseaux y forment la Meuse.

Les gens
Les écrivains romantiques, Georges Sand en particulier, ont célébré ces paysages : « J'ai souvent comparé le cours de ma vie à celui de cette Meuse qui coule rapide et silencieuse à mes pieds ».

CURIEUX
Le chemin de croix qui entoure l'église est en fonte, matériau inhabituel pour ce genre d'œuvre en général en bois ou en pierre.

Chateauvillain, ancien duché pairie, a appartenu au 18e s. au duc de Bourbon-Penthièvre, puis à la famille d'Orléans.

AU FIL DE L'EAU
Des excursions en bateau sont organisées sur la Meuse au départ de Charleville, Monthermé et Revin.

LA TRAVERSÉE DES ARDENNES

Longue de 950 km, la Meuse prend sa source à seulement 409 m d'altitude, au pied du plateau de Langres ; elle se jette dans la mer du Nord où ses eaux se mêlent à celles du Rhin. En aval de Charleville, ce fleuve de faible débit, malgré l'apport de la Chiers près de Sedan, semble vouloir emprunter le sillon naturel Est-Ouest qui relie Charleville à Hirson et à la haute vallée de l'Oise ; mais, se ravisant, la Meuse poursuit son cours Sud-Nord au travers des terrains primaires du massif ardennais, haut plateau de grès, de granits et de schistes, redressés et plissés, dont l'altitude varie entre 200 et 500 m. Doublé par la voie ferrée Charleville-Givet, le fleuve est relié à l'Aisne par le canal des Ardennes. La navigation n'y est pas très active, car plusieurs seuils rocheux en interdisent l'accès aux péniches de plus de 300 t alors qu'en aval de Givet son cours a été aménagé pour livrer passage à des péniches atteignant 1 350 t.

circuits

1 SUR LES TRACES DES 4 FILS AYMON

57 km — environ 4h. Quitter Charleville par la D 1 qui rejoint rapidement la Meuse.

Nouzonville
Centre industriel (métallurgie et mécanique) sur la rive droite de la Meuse, au débouché du vallon de la Goutelle, le long duquel s'échelonnent des usines métallurgiques traditionnelles : forges, fonderies..., héritières d'une tradition d'industrie de la clouterie amenée au 15e s. par les Liégeois fuyant Charles le Téméraire.

Bogny-sur-Meuse
La localité est née de la fusion de trois villages : Braux, Levrezy et Château-Regnault. Des sentiers sont balisés à partir de l'Office de tourisme.

Bogny-sur-Meuse s'étale sur près de 10 km le long des rives de la Meuse.

▲ Le **sentier Nature et Patrimoine du Pierroy** permet de découvrir des affleurements géologiques (poudingue — conglomérat de galets cimentés —, schistes) et les vestiges d'anciennes carrières de quartzites, avec des points de vue sur la vallée de la Meuse.

Continuer sur la D 1 jusqu'à Braux.

Église de Braux —Cette ancienne collégiale, de plan basilical, conserve une abside, un chœur et un transept romans tandis que la nef et les bas-côtés sont du 17e et du 18e s. On s'arrêtera devant les riches autels de marbre du 17e s. avec bas-reliefs sculptés.

Franchir la Meuse.

Du pont, perspective à gauche sur les quatre pointes du Rocher des Quatre fils Aymon.

Levrézy — Dans une ancienne usine ou « boutique », un **musée de la Métallurgie** a été installé. Il évoque le

> **FONTS BLEUS**
> Dans l'église de Braux, remarquez la belle cuve baptismale du 12e s. en pierre bleue de Givet, ornée de grotesques.

carnet d'adresses

travail des boulonniers à l'aide d'outils et de machines toujours en fonction (machine à forger les boulons, machines à écrous, raboteuse, fraiseuse, forge animant le soufflet...). Noter le système d'entraînement des machines par poulies. & *Juil.-août : 10h-12h, 14h-18h ; juin et sept. 14h-18h. 15F. Mairie, ☎ 03 24 53 94 20 ou Office de tourisme, ☎ 03 24 32 11 99.*

Château-Regnault — Cette localité fut le siège d'une principauté dont Louis XIV fit raser le château. Elle s'incurve au pied du **Rocher des Quatre Fils Aymon★** dont la silhouette, formée de quatre pointes de quartzite, évoque le légendaire cheval Bayard emportant les quatre fils Aymon qui fuyaient la haine de Charlemagne dont Renaud avait tué le neveu. On retrouve d'ailleurs les traces de cet illustre coursier au Rocher Bayard, près de Dinant en Belgique.

Dans le **Centre d'exposition de minéraux** sont représentés des roches et des minéraux des Ardennes ainsi que des fossiles provenant du monde entier. *De mi-juin à fin août : tlj sf lun. 14h-18h ; sept. : w.-end 14h-18h. 10F. ☎ 03 24 32 05 02.*

Platelle des Quatre Fils Aymon

Ce replat artificiel, aménagé en aire de jeux, est dominé par le monument des Quatre Fils Aymon. Vue sur les méandres de la Meuse et le paysage typique des vallées industrielles : usines dans les vallées, cités ouvrières du début du siècle et maisons de l'encadrement.

> **QUI SONT-ILS ?**
> Dans la célèbre chanson de geste « Renaud de Montauban », les quatre fils Aymon s'appellent : Renaud, Alard, Guichard et Richard.

Le Rocher des quatre fils Aymon domine Château-Regnault.

> **LÉGENDES ARDENNAISES**
> Lieux mythiques, les pays de forêts et de rivières ont engendré de merveilleuses légendes. La forêt des Ardennes, profonde et secrète est refuge d'animaux sauvages, de génies païens ou d'êtres imaginaires comme les « nutons », petits hommes sages et habiles. Parmi les contes les plus connus, comme les Dames de Meuse ou le Château du Diable, le plus célèbre est sans nul doute celui des Quatre fils Aymon, parfois intitulé aussi Renaud de Montauban : il raconte les exploits de quatre vaillants chevaliers montés sur leur cheval Bayard. C'est une épopée chevaleresque et épique qui s'apparente aux chansons de geste comme celle de la chanson de Roland. Simple et bref à l'origine, ce récit est devenu au 13e s. un poème destiné à la lecture, enrichi de nombreux épisodes. Mis en prose au 15e s., celui-ci constitue un véritable roman. Les précieux manuscrits et éditions anciennes de ces contes sont conservés aux Archives départementales. Les plus célèbres légendes sont rassemblées dans un recueil intitulé Légendes ardennaises (Lorisse, coll. Petite bibliothèque insolite).

La D 1 passe sous la voie ferrée, avant de franchir la Semoy qui se jette dans la Meuse en face de Laval-Dieu.

> **ORIGINAL**
> Le chœur à chevet plat, de l'église de Laval-Dieu, orné de bandes lombardes est un exemple unique dans la région.

Laval-Dieu

Faubourg industriel de Monthermé, Laval-Dieu doit sa naissance à une abbaye de prémontrés établie là au 12e s. L'**église,** ancienne abbatiale, se dissimule sous les arbres, dans un site paisible. C'est un édifice dont la grosse tour carrée du 12ᵉ s., en pierre de schiste apparente, contraste par sa rudesse avec l'élégance de la façade de la fin du 17ᵉ s. en briques à encadrements de pierre.

Prendre à droite la D 31 jusqu'à Thilay.

La route longe la vallée de la Semoy *(voir p. 186).*

Revenir à Charleville par la D 13 qui traverse le bois des Hazelles.

2 LE MONT MALGRÉ TOUT

40 km — environ 2h1/2 dont 1h1/4 à pied. Aux lisières de Revin se détache de la D 1 la route des Hauts-Buttés, en lacet, qui s'élève de 300 m. En bordure de la route apparaît le monument des Manises.

Monument des Manises

Il commémore le sacrifice des combattants du maquis des Manises. Vue plongeante sur le site de Revin.

Point de vue de la Faligeotte★

De la plate-forme d'observation, **vue** sur le site de Revin et les méandres de la Meuse de part et d'autre de la cité.

La route atteint le rebord du plateau.

Mont Malgré Tout★★

À 400 m du panneau « Point de vue à 100 m » s'amorce un chemin. Garer la voiture. 1h à pied AR.

🚶 Le chemin en forte montée mène à un poste de relais TV. De là, on gagne à travers le taillis de bouleaux et de chênes un second belvédère plus élevé (400 m d'altitude). ▶

Poursuivre la route des Hauts-Buttés sur 6 km jusqu'au panneau « Calvaire des Manises » où on laisse la voiture.

> **V**ue sur Revin, les méandres de la Meuse jusqu'aux Dames de Meuse, la vallée de Misère qui monte en direction de Rocroi.

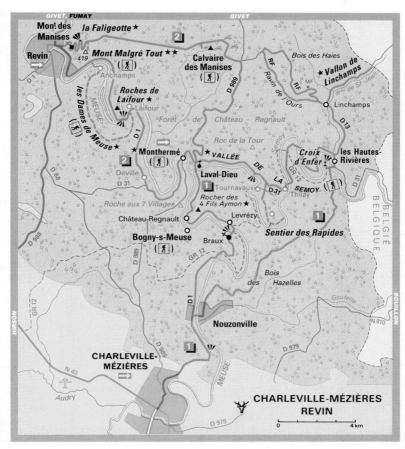

Admirer le site des roches de Laifour d'une grandeur sauvage.

Calvaire des Manises
1/4h à pied. Un sentier conduit à la clairière où furent massacrés 106 maquisards : calvaire, monuments et fosses communes.

Continuer la route jusqu'à l'intersection avec la D 989 que l'on prend à droite.
La route traverse la forêt de Château-Regnault.

Monthermé★ *(voir ce nom)*
À Monthermé, la D 1 repasse sur la rive gauche, côtoyant la colline qui porte la Roche aux 7 Villages et traverse Deville avant d'atteindre Laifour (fonderies).

> **D**u pont, profitez de la **vue★★** impressionnante sur les Roches de Laifour et les Dames de Meuse.

Roches de Laifour★
À 270 m au-dessus de la Meuse, les Roches de Laifour dessinent un promontoire aigu dont les pentes de schiste tombent à pic vers le fleuve.

Les Dames de Meuse★
Cette ligne de crêtes aux pentes abruptes forme une masse noire, ravinée et déchiquetée, s'infléchissant en une courbe parallèle au fleuve, qui atteint 393 m d'altitude et domine le cours de la Meuse de près de 250 m.

> **À MEDITER**
> Le nom des Dames de Meuse viendrait de trois épouses infidèles, changées en pierre par la colère divine.

⚑ Un **chemin** se détache de la D 1 au Sud de Laifour, monte au refuge des Dames de Meuse et atteint le rebord de la crête *(2h à pied AR)* : la promenade procure une belle **vue★** sur la vallée et le village. De là, un sentier suit la ligne des crêtes et aboutit à Anchamps *(2h1/2 à pied)*.

En voiture, suivre la D 1 qui franchit la Meuse. De cette route, vues sur les Dames avant d'atteindre Revin.

Parc naturel régional de la
Montagne de Reims★★

Couverte de vignes et couronnée de bois, la Montagne de Reims recèle mille et un trésors... À commencer par le champagne bien sûr, mais aussi le vin d'Ay moins connu et pourtant « souhaité pour la bouche des rois, princes et grands seigneurs », dont vous faites bien évidemment partie.

La situation
Cartes Michelin n°s 56 plis 16, 17 ou 241 pli 21 — Marne (51). Entre Reims et Épernay, cette petite montagne est sillonnée par de nombreuses départementales qui en facilitent le tour (D 26, D 9 et D 22).

Le nom
Nom géographique donné à un promontoire qui culmine à 287 m au Sud de Reims. Il s'étire sur 27 km de longueur entre la Vesle et la Marne.

Les gens
35 000 personnes habitent la zone rurale du parc qui compte 68 villages du département de la Marne.

comprendre

Forêt et vigne — La falaise de l'Île-de-France dessine une avancée vers la plaine champenoise : c'est la Montagne de Reims comprenant la Grande Montagne à l'Est de la N 51 et, à l'Ouest de celle-ci, la Petite Montagne qui se prolonge par le Tardenois.

Le massif culmine à 287 m au Sud de Verzy mais, à l'exception du mont Sinaï (alt. 283 m) et du mont Joli (alt. 274 m), ne présente pas de sommets bien distincts. Il s'agit plutôt d'un plateau calcaire accidenté, couvert de sables ou de marnes, qui se creuse par endroits en étangs, en « fosses » et en gouffres donnant naissance à des rivières souterraines. Sur les versants Nord, Est, Sud du massif, la roche disparaît sous le vignoble (7 000 ha), dont les crus figurent parmi les meilleurs de Champagne.

Parc naturel régional de la Montagne de Reims — Créé en 1976, il s'étend sur 50 000 ha entre Reims, Épernay et Châlons-en-Champagne. La forêt, composée de feuillus, couvre un tiers du parc dont une partie de la forêt de Verzy classée en réserve biologique domaniale. Des aménagements y ont été réalisés : sentiers pédestres à partir de Villers-Allerand, Rilly-la-Montagne, Villers-Marmery, Trépail, Courtagnon et Damery, promenades le long du canal latéral à la Marne, aires de pique-nique, sites panoramiques à Ville-Dommange, Hautvillers, Dizy, Verzy, Châtillon-sur-Marne.

En dehors des équipements décrits dans l'itinéraire, on peut signaler le petit **musée de l'Escargot de Champagne** et la visite de l'élevage à **Olizy**. ♿ *D'avr. à fin oct. : visite guidée (1h1/4) 1er w.-end du mois 14h30-16h30. Fermé 3 premières sem. juil. et j. fériés. 18F.* ☎ *03 26 58 10 77.*

> **RENCONTRE**
> Sangliers et chevreuils errent dans la vaste forêt de 20 000 ha à prédominance de chênes, de hêtres et de châtaigniers.

> **LA PETITE MAISON DANS LE PARC**
> Installée à Pourcy, la maison du parc propose chaque année de nombreuses animations culturelles et sportives. D'autres points d'information sur le parc existent à Hautvillers et à Châtillon-sur-Marne.

circuit

LE CHAMPAGNE ROI *(100 km — une journée)*
Partir de la N 51 à Montchenot, puis prendre la D 26 vers Villers-Allerand.

La D 26 qui suit la côte Nord de la Montagne de Reims serpente les vignes et les villages de Champagne.

Rilly-la-Montagne
De nombreux producteurs et négociants en Champagne sont installés dans ce bourg cossu. De Rilly partent des promenades sur les pentes du **mont Joli** sous lequel passe le tunnel (long de 3,5 km) de la voie ferrée Paris-Reims.

Masjestueux chênes et hêtres, dans la forêt du Parc naturel régional de la Montagne de Reims.

De la route, on aperçoit, à droite au sommet de la colline, une sculpture contemporaine de Bernard Pages célébrant la Terre, évoquée par Bachelard dans *La Terre et les rêveries de la volonté*.

Mailly-Champagne

◄ 1 km après Mailly-Champagne, dont le vignoble s'étend jusque dans la plaine, a été aménagée une **carrière géologique** montrant une coupe complète des terrains tertiaires de l'Est du bassin parisien. *Le sentier de découverte des richesses géologiques est ouv. toute l'année. Accès libre. Il est conseillé de se procurer le guide « Carrière pédagogique de Mailly-Champagne » (25F) à la Maison du Parc à Pourcy pour une visite sans accompagnateur.*

Verzenay

Juste avant le village se découpe la silhouette d'un moulin à vent qu'on ne s'attend guère à rencontrer dans cette mer de vigne.

Verzy

Ancien bourg vigneron, il se développa sous la protection de l'abbaye bénédictine St-Basle, fondée au 7e s. par saint Nivard, archevêque de Reims, et détruite en 1792.

Faux de Verzy★

Dans Verzy, prendre la D 34 vers Louvois. En arrivant sur le plateau, prendre à gauche la route des « Faux ». Du parking suivre le sentier sur 1 km.

Le moulin de Verzenay s'élève au milieu de l'immensité du vignoble.

🚶 Les faux (du latin *fagus*, hêtre, qui a donné aussi « faou ») sont des hêtres tortillards, bas et tordus, au tronc noueux et difforme, dont les branchages forment de curieux dômes. Ce phénomène génétique pourrait avoir été favorisé par une disposition naturelle au marcottage. *De mai à fin oct. : possibilité de visite guidée 1 fois par mois. 35F. Se renseigner à la maison du Parc naturel régional de la Montagne de Reims à Pourcy. Guide (45F) disponible à la maison du Parc.*

Observatoire du mont Sinaï

Parking de l'autre côté de la D 34. Prendre à pied la route forestière, puis après 200 m tourner à droite dans un chemin très large. 1/2h AR.

🚶 Sur le bord de la crête, une casemate situe l'observatoire d'où le général Gouraud étudiait le secteur de la bataille de Champagne. Vue étendue en direction de Reims et des monts de Champagne.

Reprendre la D 34 vers Louvois.

Louvois

Édifié par Mansart à l'intention du ministre de Louis XIV, le **château de Louvois** *(on ne visite pas)* appartint à Mesdames, filles de Louis XV. Cette somptueuse demeure entourée d'un parc conçu par Le Nôtre fut en grande partie démolie de 1805 à 1812. De la grille du parc, on aperçoit le château actuel, reste d'un pavillon partiellement reconstruit au 19e s.

Reprendre la D 9 au Nord jusqu'à Neuville-en-Chaillois, puis prendre à gauche la D 71 à travers la forêt.

Germaine

⬚ Le Parc naturel régional a aménagé la « **maison du Bûcheron** », petit musée évoquant l'exploitation de la forêt : martelage, débroussaillage, coupe de taillis,

Impressionnant enchevêtrement de branches : les faux de Verzy offrent un paysage singulier.

carnet pratique

OÙ DORMIR

VALEUR SÛRE

Hôtel du Cheval Blanc – 51400 Sept-Saulx -
20 km au SE de Reims par N 44 puis D 37 -
☎ 03 26 03 90 27 - fermé 23 janv. au 20 fév. -
🅿 - 18 ch. : 350/460F - ☕ 50F - restaurant
180/360F. Vous serez au calme dans cet ancien
relais de diligence à l'écart des grands axes.
Cour pimpante et fleurie aménagée en
terrasse. Joli parc où serpente un bras de La
Vesle pour jouer au tennis, au volley et au golf.
Ou flâner à la belle saison.

OÙ SE RESTAURER

VALEUR SÛRE

Maison du Vigneron – 51160 St-Imoges -
8 km au N d'Épernay par N 51 - ☎ 03 26 52
88 00 - fermé dim. soir et mer. - 130/280F.
Dégustez vins régionaux et champagnes dans
le bar caveau de cette grande bâtisse en pleine
forêt. Une cuisine du terroir vous sera ensuite
servie dans une salle à manger avec poutres et
cheminée. L'équipe est accueillante et la
terrasse en été bien agréable.

DÉGUSTATION

La Maison du Vin – 2 r. Roger-Sontag,
51160 Ay, ☎ 03 26 55 18 90. Ouv. tlj
10h-12h, 14h-17h. On y découvre l'histoire de
la Champagne et un écomusée qui conserve un
vendangeoir du 16ᵉ s. Vous pourrez admirer un
diorama représentant le vignoble d'Ay. La visite
se termine par une dégustation de champagne.

VISITE

Étienne Lefevre – 30 r. De-Villers, 51380,
Verzy, ☎ 03 26 97 96 99. Lun.-sam. 9h-12h,
14h-19h. Sous cette propriété construite au
19ᵉ s. se trouvent des caves gothiques creusées
à plus de 15 m de profondeur : on y présente
une collection de pressoirs dont le plus ancien
date du 18ᵉ s. Dégustation et vente à l'issue de
la visite.

Ponson Père et Fils – 1 r. de la Fontaine,
51390 Coulommes-la-Montagne, Ouv. tlj sur
rv, ☎ 03 26 49 20 17. Pressoirs et cuveries
traditionnels.

Serge Pierlot – 10 r.St-Vincent, 51150
Ambonnay, ☎ 03 26 57 01 11. Sur rv. Pressoir
du 18ᵉ s., outils de la vigne et du vin.

abattage, débardage..., et les différents métiers
concernés : bûcheron, fendeur de lattes, scieur de long...
Tous les objets présentés proviennent de la Montagne
de Reims. *Pâques-Toussaint : w.-end et j. fériés
14h30-18h30. 12F. ☎ 03 26 59 44 44.*

Un sentier de découverte de la forêt se trouve à proximité.

Prendre la D 271 vers Avenay-Val-d'Or.

Avenay-Val-d'Or

Dans l'**église St-Trésain** des 13ᵉ et 16ᵉ s., à la belle façade
flamboyante, vous regarderez plus particulièrement les
orgues du 16ᵉ s. *(bras droit du transept)* et les tableaux provenant de l'abbaye de bénédictines du Breuil, détruite à
la Révolution. *Visite guidée sur demande préalable. Mairie,
☎ 03 26 52 31 33.*

De la gare, un sentier d'interprétation *(se procurer la brochure à la Maison du Parc)* part à la découverte d'une
commune rurale.

*Face à la gare d'Avenay, prendre la D 201 et, après la voie
ferrée, la route qui grimpe à Mutigny.*

Mutigny

Près de l'église rurale, **vue** sur Ay et la Côte des Blancs
à droite, la plaine vers Châlons en face.
En descendant sur Ay, points de vue vers Épernay et la
Côte des Blancs.

Ay

Dans un site abrité au pied du coteau, la cité des Agéens
est placée au cœur d'un vignoble célèbre, déjà connu à
l'époque gallo-romaine et très apprécié de nombreux
rois. Henri IV se disait « Sire d'Ay » et possédait un
pressoir à son usage. « Les vins d'Ay tiennent le premier ▶
rang en bonté et perfection... Ils sont clairets et fauvelets, subtils et délicats... et souhaités pour la bouche
des rois, princes et grands seigneurs », dit un contemporain.
La maison Gosset, dont le fondateur est cité comme
vigneron dans les registres d'Ay de 1584, s'enorgueillit
d'être la plus ancienne de Champagne.

**LOUANGES
ŒNOLOGIQUES**

Voltaire chantait en ces
termes sa faculté à
donner de l'esprit
« Du vin d'Ay, la mousse
pétille
En chatouillant les fibres
du cerveau
Y porte un feu qui
s'exhale en bons mots. »

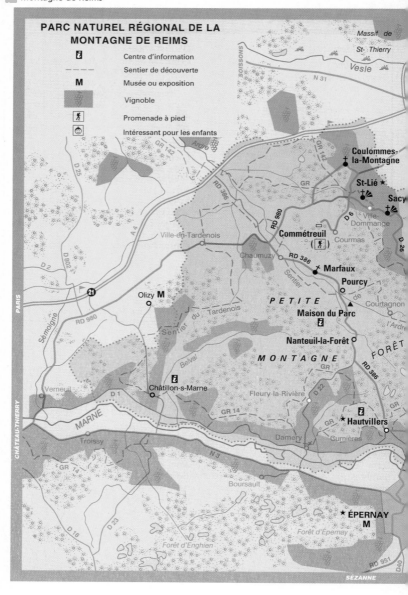

À Ay, prendre à gauche la D 1 jusqu'à Mareuil-sur-Ay.

Mareuil-sur-Ay
Le château a été élevé au 18e s. pour J.-B. de Dommangeville dont la fille fut aimée du poète André Chénier. Le domaine fut acquis en 1830 par le duc de Montebello, fils du maréchal Lannes, qui y créa la marque de champagne portant son nom.

Revenir à Ay et poursuivre vers Dizy.

Entre Dizy et Champillon, la route gravit la côte. D'une terrasse aménagée au bord de la route, **vue**★ sur le vignoble, la vallée de la Marne et Épernay.

Hautvillers★
Le village a gardé ses demeures anciennes à portail en « anse de panier » qu'agrémentent des enseignes en fer forgé. Il est très fier de faire partie des « trois bons coteaux vineux d'Ay, Hautvillers et Avenay ».

ALCHIMISTE

D'après la tradition, c'est dom Pérignon (1638-1715), procureur et cellérier de l'abbaye bénédictine, qui fut le premier à procéder au « mariage » des crus entre eux pour former des « cuvées ».

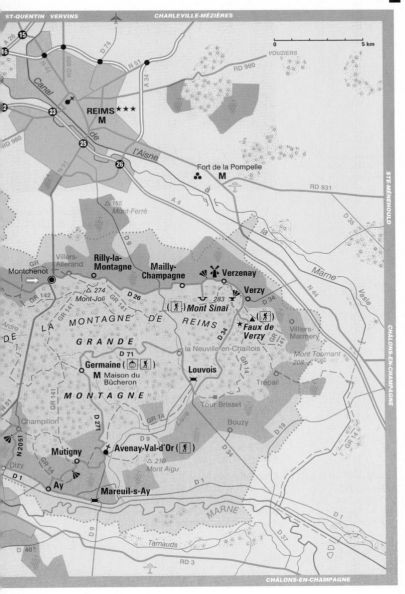

Ancienne abbatiale — Elle a été fondée en 660 par saint Nivard, neveu du « bon roi Dagobert ». Admirer le chœur des moines (17ᵉ-18ᵉ s.) orné de boiseries de chêne, de stalles de la fin du 18ᵉ s. à Signy-l'Abbaye et de tableaux religieux, parmi lesquels deux œuvres de l'école de Philippe de Champaigne. Un grand lustre formé de quatre roues de pressoir surmonte le maître-autel. À l'entrée du chœur, dalle funéraire de dom Pérignon « cellarius ».

Nanteuil-la-Forêt

Dans un site sauvage, au creux d'un vallon étroit que cerne la forêt, ce village eut jadis un prieuré de Templiers.

Pourcy

La **Maison du Parc** construite dans la vallée de l'Ardre ▶ abrite les bureaux administratifs du Parc régional et un centre d'information et de documentation. ♿ *Centre*

Conçue par l'architecte Hervé Bagot, elle se compose de quatre bâtiments s'organisant autour d'une cour fermée rappelant les bâtiments agricoles en zone rurale.

De nombreuses enseignes en fer forgé, comme celle-ci ornent les maisons de Hautvillers.

d'information et de documentation : Pâques-Toussaint 14h30-18h30. Maison du Parc, 51480 Pourcy. ☎ 03 26 59 44 44.

Marfaux

À l'intérieur de l'**église**, beaux chapiteaux sculptés de feuilles d'acanthe et de petits personnages.

Après Chaumuzy, tourner à droite dans la D 980 puis à hauteur de Bouilly, prendre à gauche la D 206 vers Coulommes-la-Montagne .

Coulommes-la-Montagne

Ce village fleuri possède une belle **église** romane dont le clocher est éclairé d'une seule baie. Dans le transept et le chœur, chapiteaux à feuilles lisses et palmettes.

Tourner à droite pour rejoindre la D 980 en passant par Pargny-les-Reims. 1,5 km plus loin prendre à gauche vers St-Lié puis à droite la D 6 vers Courmas.

Poursuivre jusqu'au parking « Aire de l'étang », à l'entrée de Courmas. Nombreuses possibilités de promenade dans le **domaine de Commetreuil,** propriété du Parc régional.

Revenir sur ses pas.

Chapelle St-Lié★

◄ Sur une « motte » près de Ville-Dommange, elle se dissimule dans un bosquet qui fut sans doute un « bois sacré » gallo-romain ; en lisière se dresse une croix en fer forgé, portant les instruments de la Passion.

Vue★ sur Ville-Dommange, la côte, Reims dominée par sa cathédrale, et la plaine jusqu'au massif de St-Thierry.

> **D**édiée à un ermite du 5e s., la chapelle St-Lié date des 12e, 13e et 16e s. Elle est entourée de son cimetière.

Sacy

L'**église** St-Remi possède un chevet de la fin du 11e s., et une tour du 12e s. Du cimetière attenant, vue sur Reims.

Monthermé ★

Monthermé est le point de départ idéal pour découvrir les Ardennes. Et soudain, l'envie de grimper tout en haut des éperons rocheux pour guetter l'ennemi, partir sur les traces des chevreuils, tuer un sanglier et faire un feu avec deux silex pour le manger... peut vous démanger. Après avoir retrouvé vos esprits, partez à la découverte de cette petite ville aux maisons anciennes.

La situation

Cartes Michelin n°s 53 pli 18 ou 241 pli 6 — Ardennes (08). En aval du confluent de la Meuse et de la Semoy, l'agglomération de Monthermé s'étire sur près de 2 km, sur la rive droite de la Meuse (Ville Neuve) et sur la rive gauche

(Vieille Ville). Du pont qui relie les deux quartiers, jolie vue sur le site de la ville. 🛈 *50 r. Étienne-Dolet, 08000 Monthermé, ☎ 03 24 53 06 50.*

Le nom
Un évêque du 6ᵉ s., Ermel, a donné son nom à la ville, longtemps appelée Mont-Ermel.

Les gens
2 866 Baraquins, car ils habitaient autrefois dans des baraques au bord de la Meuse.

se promener

Vieille ville
Une rue bordée de maisons anciennes mène à l'**église St-Léger** (12ᵉ-15ᵉ s.) construite en belle pierre de Meuse et fortifiée. À l'intérieur, fresques du 16ᵉ s., cuve baptismale romane. *Juil.-août : lun., mer., ven. 15h-17h ; sept.-juin : s'adresser au presbytère. ☎ 03 24 53 01 17.*

Roche à 7 Heures★
2 km par la route de Hargnies, puis au sommet à gauche le chemin goudronné.
De cet éperon rocheux, **vue★** plongeante sur Monthermé et le méandre de la Meuse, en amont Laval-Dieu, puis Château-Regnault et le Rocher des Quatre Fils Aymon.

Longue Roche★★
Au-delà de la Roche à 7 Heures, le chemin goudronné continue, sur 400 m, jusqu'à un parking. Poursuite à pied (1/2h AR) jusqu'au belvédère.
🚶 La Longue Roche (alt. 375 m) détermine un éperon dominant la Meuse de 140 m. Du sentier des crêtes, la **vue★★** est plus sauvage et plus nette que de la Roche à 7 Heures.

Les maisons de Monthermé épousent harmonieusement le méandre de la Meuse.

Roc de la Tour★★ *(3,5 km à l'Est et 20 mn à pied AR)*

La route d'accès se détache de la D 31 à la sortie de Laval-Dieu, à gauche ; elle monte à travers bois le long du vallon formé par le torrent de la Lyre. Se garer et prendre le sentier allant au Roc.

🅺 D'aspect ruiniforme (quartzite), entouré de bouleaux, il occupe un site impressionnant, en balcon sur la Semoy : **vue★★** immense sur les croupes boisées de l'Ardenne.

Roche aux 7 Villages★★ *(3 km au Sud)*

Prendre la D 989 : dans la montée, vue sur la vallée.

Un escalier conduit au sommet de ce piton émergeant de la forêt. D'en haut, vous aurez une **vue★★** remarquable sur les sinuosités de la Meuse que jalonnent sept villages de Braux à Deville ; on reconnaît, à côté de Château-Regnault, la silhouette du Rocher des Quatre Fils Aymon.

Au-delà de la Roche aux 7 Villages, au terme de la côte, un chemin conduit au belvédère de la Roche de Roma.

Roche de Roma★

Alt. 333 m. **Vue★** sur le méandre de la Meuse, entre Monthermé et Deville.

itinéraire

VALLÉE DE LA SEMOY★

Voir schéma méandres de la Meuse. De la frontière belge à la Meuse, la Semoy dévide ses méandres tapissés de prairies, entre de rudes pentes schisteuses, revêtues de bois de chênes, de sapins, de bouleaux où gambadent chevreuils et sangliers. La vallée, asile de verdure et de calme, charme les amateurs de solitude. Les artisans cloutiers ou boulonniers et les chiens actionnant leurs soufflets ont disparu, si bien qu'on ne rencontre plus que quelques pêcheurs de truites.

De Monthermé à Linchamps *(19 km — 1 h 1/2)*

Sortir de Monthermé par la D 31 vers la Belgique.

La route passe au pied du Roc de la Tour.

Prendre ensuite la route forestière sur 4 km.

Sentier des Rapides

🅺 *1h à pied AR.* À partir du camping de Phades *(possibilité de parking)*, l'ancien tracé du petit train permet de longer la Semoy dans son parcours le plus chaotique, jusqu'à Tournavaux.

Revenir à la D 31.

La route gravit la falaise où l'on découvre, depuis la Roche aux Corpias, une **vue★** plongeante sur Tournavaux niché dans un élargissement de la vallée.

La route coupe le début du promontoire que contourne le sentier des Rapides. Dans la descente, vues sur Thilay où l'on franchit la Semoy. Après Naux, l'itinéraire traverse de nouveau la rivière.

Les Hautes-Rivières

Ce bourg, le plus important du cours français de la Semoy, s'allonge sur 2 km jusqu'à Sorendal.

En prenant la D 13 au Sud vers Nouzonville, on monte sur 1,5 km jusqu'à l'embranchement du chemin qui conduit à la Croix d'Enfer.

Croix d'Enfer

1/2h à pied AR. 🅺 **Vue★** sur la vallée, le bourg des Hautes-Rivières et, en face, le vallon de Linchamps.

Vallon de Linchamps★

Au Nord de Hautes-Rivières par la D 13.
Beau site sauvage.

DÉTENTE

Le village de **Linchamps,** rustique et isolé, est le point de départ de balades dans le **Ravin de l'Ours** et le **Bois des Haies,** massif accidenté à plus de 500 m d'alt.

Montier-en-Der

Montier est, vous l'avez deviné, la capitale du Der. Mais que signifie Der ? On sèche ? Cette plaine était jadis recouverte de bois de chênes ou der en celtique, que des moines s'empressèrent de défricher au Moyen Âge. Heureusement, ils ne se sont pas attaqués aux chevaux qui conservent une renommée en or. C'est le moment de vous échapper à cheval ou de partir en roulotte découvrir cette forêt du Der.

La situation
Cartes Michelin n°s 61 pli 9 ou 241 pli 34 — Haute-Marne (52). Partagé en prairies où paissent chevaux et bovins, en bois et en étangs, le Der, branche humide de la Champagne, garde une grande originalité, surtout dans ses villages, entourés de vergers, aux maisons basses à torchis et pans de bois dominées par l'église à clocher pointu souvent couvert d'écailles de bois. **∄** *18 r. de l'Isle, 52220 Montier-en-Der, ☎ 03 25 04 69 17.*

Le nom
Montier-en-Der, *Monasterium in Dervo*, situé sur la Voire au milieu d'une riche prairie, doit son nom au monastère établi par les bénédictins.

Les gens
2 023 Dervois. C'est Napoléon qui signa le décret pour l'installation d'un haras dans les bâtiments de l'abbaye.

visiter

Église Notre-Dame
C'est l'ancienne abbatiale St-Pierre-St-Paul. En 672, un groupe de moines s'installaient sur les rives de la Voire. Dirigés par saint Berchaire, fondateur d'Hautvillers et ancien moine de Luxeuil, ils fondèrent un monastère qui adopta la règle de Colomban (moine irlandais, fondateur de l'abbaye de Luxeuil). De l'église du 7e s., il ne reste plus rien, pas plus que de celle du 9e s. En revanche, la nef de l'édifice élevé par l'abbé Adson subsiste. Les bâtiments abbatiaux, détruits par un incendie en 1735 et reconstruits en 1775, furent transformés en haras en 1811, puis finalement rasés en 1850. L'église a brûlé en juin 1940 à la suite d'un bombardement allemand, mais elle a été remarquablement restaurée : la nef et le clocher ont été restitués dans leur état primitif.

La **nef** se présente sous l'aspect d'un vaisseau sobre et sévère de 36,50 m de long. Huit grandes arcades en plein cintre reposent sur des piles rectangulaires assez basses. La voûte de bois reproduit celle qui existait au 16e s. Le **chœur★** (12e-13e s.) relève du plus beau style gothique primaire champenois. Le déambulatoire est séparé des

> **L**e chœur est impressionnant :
> — grandes arcades reposant sur des colonnes jumelées que décorent de curieux masques grotesques ;
> — tribune à arcatures géminées que surmonte un oculus ;
> — triforium à triples arcatures trilobées ;
> — fenêtres hautes délimitées par des colonnettes.

Remarquer le chœur à quatre étages de l'église Notre-Dame.

Petit, robuste, calme, docile, de caractère attachant, le cheval ardennais rend encore de nombreux services.

chapelles rayonnantes par des colonnes détachées, selon la formule champenoise ; la chapelle absidale, très profonde, présente une belle voûte gothique.

Haras

Il est situé à l'emplacement de l'ancienne abbaye, à gauche de l'église Notre-Dame. Une quarantaine d'étalons et quinze chevaux y vivent. *14h30-17h30, de sept. à minov. : présentation d'étalons et d'attelages. Fermé 1er janv. et 25 déc. Gratuit. ☎ 03 25 04 22 17.*

LE CHEVAL ARDENNAIS

C'est l'une des races de chevaux lourds les plus anciennes de France. Elle occupe le 3e rang des races françaises de chevaux de trait derrière le breton et le comtois. Le cheval ardennais est surtout élevé dans le Nord-Est de la France, en Champagne, Ardennes, Lorraine et Alsace. Associé au travail de l'homme, à la ferme, dans les champs ou en forêt, il est utilisé également pour les loisirs (centres équestres, promenades en roulotte ou en calèche, randonnées). Il reste aussi un producteur de viande. Chaque année en septembre a lieu à Sedan un concours spécial ardennais qui regroupe les meilleurs éléments de la race.

Vue extérieure de l'église de Lentilles.

circuit

Le premier attrait d'un séjour à Montier-en-Der est la proximité du lac du Der-chantecoq. Le deuxième est la route des églises du Der. Suivre l'itinéraire proposé.

ÉGLISES À PANS DE BOIS★ *(60 km — 4 h)*

« Der », du celtique « dervos », « chêne », rappelle les anciennes forêts dont le bois servit à construire, dans ce pays pauvre en pierre, à proximité du lac de Der-Chantecoq, les édifices à colombage, parmi lesquels de nombreuses églises. La plupart d'entre elles sont éclairées par des vitraux de l'école de Troyes.

Quitter Montier-en-Der par la route de Brienne.

Ceffonds

Le père de Jeanne d'Arc serait né dans ce village. L'**église St-Remi,** reconstruite au début du 16ᵉ s., autour de son clocher roman, s'élève dans le cimetière désaffecté qui a gardé sa croix de pierre, du 16ᵉ s. Accès par un portail Renaissance plaqué sur la façade en 1562 ; au revers de cette façade, une peinture murale, du 16ᵉ s., représente *Saint Christophe* ; dans la 1ʳᵉ chapelle à droite, curieux fonts baptismaux, en pierre ; dans la chapelle du Sépulcre, à gauche, *Mise au tombeau* du 16ᵉ s. comprenant un ensemble de dix statues de pierre polychrome.

Le transept et le chœur sont ornés d'intéressants **vitraux★** du 16ᵉ s., œuvres des ateliers troyens :
— dans le chœur, de gauche à droite, la *Légende de saint Remi,* la *Passion* et la *Résurrection du Christ,* la *Création* ;
— dans le transept, à gauche du chœur, la *Légende des saints Crépin et Crépinien,* patrons des tanneurs et des cordonniers qui ont offert la verrière ;
— dans le transept, à droite du chœur, un *Arbre de Jessé.*
Revenir vers Montier-en-Der et prendre à gauche la D 173.

Puellemontier

Ses maisons à pans de bois se dispersent dans les prairies. Un clocher effilé signale l'**église,** qui présente une nef du 12ᵉ s. et un chœur du 16ᵉ s. : à l'intérieur, dans le bras droit du transept, deux statues (16ᵉ s.) représentant *Sainte Cyre* et *Sainte Flora* encadrent un *Arbre de Jessé* (vitrail de 1531). Ce vitrail fait partie d'un bel ensemble provenant des ateliers troyens du 16ᵉ s.

Continuer la D 173, puis la D 62.

On longe l'**étang de la Horre** (250 ha).

Lentilles★

Village typique du Der par ses rues bien tracées et ses maisons basses à colombage. L'**église** est une belle construction de bois (16ᵉ s.) dont le colombage est raidi au rez-de-chaussée par des traverses et à l'étage par des « écharpes » (obliques) et des croix de St-André. Elle est dominée par une flèche octogonale recouverte de bardeaux, très élancée, et précédée d'un curieux porche en charpente que surmonte une statue de saint Jacques.

Cette pittoresque église de Lentilles, entièrement construite en bois invite les fidèles au recueillement et à la méditation.

Prendre la D 2 vers Chavanges.

Chavanges
L'**église** des 15ᵉ-16ᵉ s., avec un portail remontant au 12ᵉ s., conserve un intéressant ensemble de vitraux du 16ᵉ s. et des statues du 14ᵉ au 16ᵉ s.

La D 56, à l'Est, mène à Bailly-le-Franc.

> **PANS !**
> En face de l'église s'élève une belle maison à pans de bois du 18ᵉ s. agrémentée d'une tourelle carrée.

Bailly-le-Franc
Très peu restaurée au cours des siècles, l'**église** est la plus simple et la plus authentique de celles du Der.

Suivre la D 121 vers Joncreuil.

Joncreuil
L'**église** est dominée par un imposant clocher en charpente. À l'intérieur, nef romane et chœur du 13ᵉ s.

Arrembécourt
Remarquer le portail sculpté de l'**église** et à l'intérieur le vitrail de la Crucifixion.

Poursuivre par la D 6 puis la D 58.

Drosnay
Ce village a gardé quelques maisons à pans de bois. Dans l'**église**, également à pans de bois, le maître-autel est orné d'un retable en bois sculpté.

Prendre la D 55 vers Outines.

Outines
Ce village est représentatif de l'habitat du Der avec ses maisons en torchis à pans de bois et son église surmontée d'un clocher pointu couvert d'essentes.

Châtillon-sur-Broué *(voir p. 141)*

Détail d'une maison à pans de bois à Outines.

Droyes
Construite en pierre, l'église est composée d'une nef romaine et d'un chœur du 16ᵉ s.

Revenir à Montier-en-Der par la D 13.

Montmirail

Montmirail vous dit quelque chose mais quoi ?... Napoléon s'y distingua pendant sa campagne de France. Non, ça ne vous dit rien... Les St-Cyriens ont chassé les Allemands en 1914. Non ce n'est pas cela non plus... Godefroy de Montmirail, Béa, Jacques Ouille, dame Ginette... Ça vous dit quelque chose maintenant ? Quitte à vous décevoir, cela n'a rien à voir avec ce Montmirail... Mais que cette déconvenue ne vous empêche pas de jouer les visiteurs en vous arrêtant dans ce village ancien aux maisons basses et crépies, dominant la pittoresque vallée du Petit Morin.

La situation
Cartes Michelin nᵒˢ 56 pli 15 ou 237 plis 21, 22 — Marne (51). Sur la RD 933 qui va de Paris à Châlons-en-Champagne en passant par Meaux. **⌂** *PIMS (Point d'information multi-service), 5 r. de Châlons, 51210 Montmirail, ☎ 03 26 81 40 05.*

Le nom
Il viendrait de *Mons Mirabilis* dont l'un des seigneurs fut Jean de Montmirail, compagnon de Philippe Auguste.

Les gens
3 812 les Montmiraillais. Paul de Gondi, futur **cardinal de Retz** est né au château en 1613.

visiter

Château

Il fut bâti au 17ᵉ s. en brique et pierre dans le style Louis XIII. **Vincent de Paul,** précepteur dans la famille de Gondi, y fit de fréquents séjours. En 1685, le ministre de Louis XIV, le sévère **Louvois,** acheta le domaine, le remania, fit redessiner les jardins à la française et accueillit le Roi-Soleil. Son arrière-petite-fille épousa le duc François de La Rochefoucauld dont les descendants possèdent encore le château.

alentours

Colonne commémorative de la bataille de Montmirail
(4 km au Nord-Ouest sur la D 933)
Une colonne surmontée d'une aigle dorée (1867) évoque le souvenir d'une des dernières batailles remportées par **Napoléon,** le 11 février 1814, sur les troupes russes et prussiennes. Une stèle voisine commémore la bataille du 5 septembre 1914 où les St-Cyriens furent tués en « casoar et gants blancs ».

Verdelot *(15 km à l'Ouest par la D 31)*
Église — Son chœur très élevé est postérieur à la guerre de Cent Ans (15ᵉ-16ᵉ s.), comme en témoignent les voûtes complexes et les collatéraux presque aussi hauts que les voûtes du chœur. *Ouv. w.-end.*

Jardins de Vieils-Maisons *(12 km à l'Ouest par la D 933)*
Autour d'un château a été aménagé un parc de 5 ha comprenant 2 000 espèces différentes : jardin à la française (roses et plantes officinales), jardin à l'anglaise (arbustes et plantes vivaces), jardins symboliques composés de bruyères, d'hortensias, de graminées...

itinéraire

VALLÉE DU PETIT MORIN *(24 km — environ 1 h)*
Dans un cadre de prairies parfois marécageuses, de peupliers et de bosquets, les maisons aux murs crépis et parements de briques et aux toits bruns de tuiles plates forment de petits villages autour des églises. Cette route (D 43), qui remonte le Petit Morin vers les marais de St-Gond, traverse des villages aux noms bucoliques : Bergères-sous-Montmirail, Boissy-le-Repos...

Abbaye du Reclus
Un saint ermite, Hugues-le-Reclus, venu se retirer dans ce vallon vers 1123, lui donna son nom. En 1142, saint Bernard y fonda une abbaye cistercienne. En partie démolie pendant les guerres de Religion, elle fut recons-

---

UNE FAMILLE EN OR !
Le château appartient toujours à la famille de La Rochefoucauld depuis le mariage d'Augustine Le Tellier avec le vicomte Ambroise de La Rochefoucauld, duc de Doudeauville et ministre de Charles X.

▶ **D**e part et d'autre du chœur, remarquez les statuettes du 15ᵉ s. de saint Crépin et saint Crépinien, patrons des cordonniers, auxquels le sanctuaire est dédié.

Parcourez les jardins multicolores et odorants de Vieils-Maisons pour admirer les milliers de fleurs.

MORIN DES MARAIS
Long de 90 km, le Petit Morin, affluent de la rive gauche de la Marne est issu des marais de St-Gond. Il traverse Montmirail pour finir à La Ferté-sous-Jouarre.

truite par les abbés commendataires. Sous le bâtiment des moines actuel, des éléments importants de l'abbaye du 12ᵉ s. ont été trouvés : galerie Est du cloître, salle capitulaire, sacristie.

Après Talus-St-Prix, prendre à gauche la route en direction de Baye.

Baye

◄ À l'orée d'un vallon affluent du Petit Morin, voici Baye, où naquit la même année que Paul de Gondi, Marion de Lorme.

Dans l'église du 13ᵉ s. fut inhumé saint Alpin, évêque de Châlons, natif de Baye. Le château du 17ᵉ s. a conservé une chapelle du 13ᵉ s. attribuée à Jean d'Orbais.

> **L**a belle Marion Delorme (1611-1650) fut célèbre par ses aventures galantes et eut une cour brillante comme Ninon de Lenclos. Victor Hugo en tira un drame en cinq actes et vers « Marion Delorme »(1831).

Mouzon ★

Clovis ne se doutait pas que la petite ville dont il fit cadeau à saint Rémi attirerait tant de monde et ferait couler autant d'encre et de sang sous le pont de la Meuse. Aux 16ᵉ et 17ᵉ s., elle ne connut qu'une série d'invasions diverses et variées : les Impériaux, les Espagnols puis Condé... Heureusement, cette vieille bourgade a pu conserver sa porte de Bourgogne du 15ᵉ s. et sa magnifique église du 13ᵉ s.

La situation

Cartes Michelin nᵒˢ 56 pli 10 ou 241 plis 10, 14 — Ardennes (08). La ville est installée sur une île formée par la Meuse et le canal de l'Est. 🛈 *Pl. de l'Hôtel-de-Ville, 08210 Mouzon,* ☎ *03 24 26 10 63.*

Le nom

À l'origine c'était un marché gaulois (Mosomagos) sur la Meuse puis un poste romain.

Les gens

2 637 Mouzonnais. Alfred Sommer, industriel, fonda à Mouzon, en 1880 la dernière usine à produire en France du feutre. Roger Sommer, son fils, fut un célèbre pilote et constructeur aéronautique de 1908 à 1912.

> **CHRONOLOGIE**
> -1379 : réunie à la France, Mouzon devint le lieu de séjour des archevêques de Reims.
> -1521 : invasion des Impériaux et entrée de Charles Quint.
> -1650 : Les Espagnols l'assiègent.
> -1658 : Condé l'envahit à son tour.

visiter

Église Notre-Dame ★

La construction de cette ancienne abbatiale, initiée à la fin du 12ᵉ s., fut achevée en 1231, sauf la tour Nord terminée au 15ᵉ s. et la tour Sud, au 16ᵉ s. Le portail central de la façade est richement sculpté.

◄ L'intérieur est imposant. La nef et le chœur reposent sur de gros piliers ronds, comme à Laon, dont Mouzon reproduit le plan primitif. Un étage de galeries fait le tour de la nef et du chœur. De chaque côté du chœur et des bras du transept, jolie perspective sur les galeries qui surmontent le déambulatoire et les chapelles rayonnantes. Le mobilier du 18ᵉ s. est intéressant, tout particulièrement l'orgue et le buffet d'orgue en bois sculpté (1725), seul vestige de l'œuvre du facteur Christophe Moucherel dans le Nord de la France. *Visite guidée sur demande préalable auprès du bureau du tourisme.* ☎ *03 24 26 10 63.*

> **ATMOSPHÈRE FEUTRÉE**
> À gauche de l'église, les anciens bâtiments abbatiaux (fin 17ᵉ s.) sont occupés par une maison de retraite. Les jardins à la française procurent une agréable promenade.

Musée du Feutre

Mai-sept. : 14h-18h (juin-août : 14h-19h) ; avr. et oct. : w.-end et j. fériés 14h-18h. Fermé nov.-mars. 20F (enf. : 5F). ☎ *03 24 26 10 63.*

Dans une ancienne ferme de l'abbaye, ce musée est consacré à l'histoire et à l'élaboration du feutre depuis son utilisation la plus artisanale (manteaux des éleveurs nomades afghans ou turcs) à son usage le plus industriel (filtre d'aspirateur) en passant par des productions plus connues comme les chapeaux, les chaussons ou des articles de décoration. La reconstitution au quart d'une chaîne de fabrication permet de voir comment s'élabore industriellement le feutre. Un atelier d'art contemporain présente des réalisations artistiques en feutre.

Musée de la Tour de la porte de Bourgogne
Dernier vestige des remparts qui entouraient la ville, la porte de Bourgogne abrite un petit musée évoquant 2 000 ans d'histoire locale et présentant le produit des fouilles effectuées sur le site du Flavier. *De mi-mai à mi-sept. : 15h-18h. 5F.* ☎ *03 24 26 10 63.*

Site gallo-romain du Flavier *(4 km vers Stenay)*
De ce sanctuaire découvert en 1966, il reste les fondations de 3 « fanum » ou petits temples (panneaux explicatifs).

Tapis au musée du feutre.

Nogent

À Nogent, pas de second couteau mais des stars internationales : couteaux de table, ciseaux, canifs, scalpels, sécateurs… Laissez-vous tenter, vous n'y couperez pas. Mais devant ce choix si grand, vous aurez du mal à trancher.

La situation
Cartes Michelin n°s 62 pli 12 ou 241 pli 43 — Haute-Marne (52). Sur un site rocheux, dominant la vallée de la Traire, affluent de la Marne, Nogent, dans le Bassigny, est formée de Nogent-le-Haut situé sur un éperon rocheux et de Nogent-le-Bas, au bord de la rivière. 🛈 *Pl. Charles-de-Gaulle, BP 59, 52800 Nogent,* ☎ *03 25 03 69 18.*

Le nom
C'est le nom des seigneurs René de Nogent qui apparaît au 11e s. Nogent s'appellera successivement Nogent-le-roi, Nogent-Haute-Marne, Nogent-en-Bassigny puis Nogent tout court, le seul des 17 Nogent.

Les gens
4 753 Nogentais. Illustre citoyen mais encore méconnu, Bernard Dimey (1931-1981), à la fois poète, chansonnier, comédien, peintre, est l'auteur de chansons célèbres telles que *Mon truc en plumes, Syracuse…*

visiter

Musée de la Coutellerie de l'Espace Pelletier
Dans une ancienne coutellerie, l'espace porte le nom d'un grand ciselier du 19e s., Nicolas Pierre Pelletier. Il présente des exemples de la production des 19e et 20e s. : couteaux à usages multiples, superbes couteaux de table,

Cette grande roue en bois de 4 m, mue par un chien, était utilisée par les couteliers.

ciseaux, canifs, couteaux de chasse... tous plus ou moins ciselés avec des manches en corne, ébène, ivoire. Des ateliers typiques ont été reconstitués dont un atelier de chirurgie, celui de M. Picard actif jusqu'en 1990. Le centre de la salle est occupé par une grande roue à eau utilisée par les couteliers au 18ᵉ s. L'Espace Pelletier accueille aussi le Centre régional d'innovation et de transfert de technologie (CRITT), laboratoire destiné aux professionnels de la métallurgie. &. *Tlj sf mar. 10h-12h, 14h-18h (juin-sept. : tlj). Fermé déc.-fév. et 1ᵉʳ mai. 10F.* ☎ *03 25 31 89 21.*

Nogent-sur-Seine

Des silos, des moulins, une centrale nucléaire un peu plus au Nord... Curieusement, c'est cette même petite ville industrieuse très active qui inspira *L'Éducation sentimentale* de Flaubert. Sans doute fut-il touché par le romantisme des berges de la Seine et des paysages verdoyants les enserrant de leurs bras bienveillants. Sans doute comme lui, le serez-vous également.

La situation
Cartes Michelin nᵒˢ 61 plis 4, 5 ou 237 pli 33 — Aube (10). Nogent est la première ville de la Marne en venant de Paris par la N 19. C'est la route la plus courte, mais non pas la plus rapide, car il est souvent préférable de prendre l'autoroute du Sud A 5, puis la quitter à Marolles-sur-Seine (sortie 18) et prendre la D 41. ♂ *Hôtel de ville, 27 Grande-Rue St-Laurent, 10401 Nogent-sur-Seine,* ☎ *03 25 39 42 00.*

Le nom
Nogent viendrait de « noue », qui veut dire avancée dans l'eau ou encore de nouveau gens, nouveau peuple.

Les gens
5 500 Nogentais. Gustave Flaubert, né à Rouen, avait de nombreuses attaches familiales à Nogent.

visiter

Église St-Laurent
◄ Élevée au 16ᵉ s., elle associe les styles gothique flamboyant et Renaissance. À gauche du portail principal s'élève une tour dont l'ornementation est Renaissance. Elle est surmontée d'une lanterne qui a la forme d'une cage d'écureuil sur laquelle est posée la statue de saint Laurent portant le gril, instrument de son martyre.

carnet d'adresses

OÙ DORMIR

VALEUR SÛRE
Chambre d'hôte Péniche la Quiétude – *2 r. Ile-Olive -* ☎ *03 25 39 80 14 -⊟ - 5 ch. : 250/400F - repas 120F.* Savourez la quiétude des eaux de la Seine, à bord de cette péniche amarrée à deux pas des anciens moulins de Nogent. Les petites cabines à l'ambiance cosy incitent à prendre le large. L'été des séjours croisières sont effectivement organisés.

OÙ SE RESTAURER

À BON COMPTE
Beau Rivage –*R. Villiers-aux-Choux -* ☎ *03 25 39 84 22 - fermé vacances de fév., dim. soir et lun. sf j. fériés - 80/195F.* Près du château de la

Motte-Tilly, cette petite maison moderne et fraîche à la façade blanche cache une terrasse en bord de Seine qui donnera un charme bucolique à votre escale. Cuisine simple et chambres fonctionnelles.

VALEUR SÛRE
Hostellerie du Moulin –*À la Chapelle-Godefroy - 3 km à l'E de Nogent-sur-Seine par N 19 -* ☎ *03 25 39 88 32 - fermé mar. soir et mer. - 140/288F.* Si vous ne vous voulez pas trop vous éloigner de la route nationale, vous ferez une halte dans cette vieille bâtisse imposante où vous apprécierez en été la petite terrasse le long de la rivière et le parc ombragé. Cuisine traditionnelle et menus pour enfants.

Une partie de la galerie de sculptures au musée Paul-Dubois - Alfres-Boucher.

Les collatéraux Renaissance sont percés de larges baies. Les contreforts portent des chapiteaux ouvragés et d'originales gargouilles. Au portail Sud : beau fronton.
À l'intérieur, les chapelles au décor Renaissance abritent quelques œuvres d'art. *Lun.-ven. 9h-18h.*

Musée Paul-Dubois — Alfred-Boucher

La collection archéologique provient des fouilles effectuées dans le Nogentais : poteries gallo-romaines trouvées à Villeneuve-au-Chatelot, monnaies... La peinture (fin 19ᵉ-début 20ᵉ s.) est représentée par des œuvres de Raffaelli, Maximilien Luce, des paysages d'Alfred Boucher qui était également peintre et des portraits d'Émile Boeswillwald. La galerie de sculptures dont la présentation reconstitue l'atmosphère d'un atelier rassemble des plâtres, moulages et originaux d'artistes régionaux dont les sculpteurs qui ont donné leurs noms au musée. *D'avr. à fin nov. : w.-end et j. fériés 14h-18h (de mi-juin à mi-sept. : tlj sf mar. 14h-18h). Fermé 1ᵉʳ mai. Gratuit. ☎ 03 25 39 71 79.*

> **LES DEUX FONT LA PAIRE**
> *Le Livon,* paysage de Nogent en 1764 par Joseph Vernet. Cette toile considérée comme perdue, fut retrouvée en Angleterre et achetée à Londres en 1996. Le tableau fait partie d'une paire dont le pendant se trouve au musée des Beaux-Arts à Berlin.

alentours

Centre nucléaire de production d'électricité de Nogent-sur-Seine *(4 km au Nord-Est)*

Sur la rive droite de la Seine, en amont de Nogent, il comprend deux unités de production REP (réacteur à eau pressurisée) de 1 300 MW. Un centre d'information permet au visiteur de se familiariser avec le fonctionnement d'une centrale nucléaire (maquette). ♿ *Visite guidée (2h1/2) tlj sf w.-end 8h30-12h30, 13h30-17h30 sur demande préalable (15 j. av.). Fermé j. fériés. Gratuit. ☎ 03 25 39 32 60.*

Château de la Motte-Tilly★ *(6 km au Sud-Ouest par la D 951)*

Le château, d'architecture simple mais noble, fut élevé à ▶ partir de 1754 sur la terrasse naturelle dominant la Seine par les frères Terray, nom connu dans l'histoire pour la carrière du plus célèbre d'entre eux, l'abbé Terray (1715-1778), contrôleur des Finances sous Louis XV.
Les salons du rez-de-chaussée joignent à l'éclat de leurs **ensembles mobiliers★★** et décoratifs, une luminosité émanant des boiseries peintes et de la lumière tamisée. Un bel escalier à rampe en fer forgé conduit au 1ᵉʳ étage, où deux pièces rappellent le souvenir de la donatrice, la marquise de Maillé (1895-1972), archéologue et historienne d'art : sa chambre à coucher tendue de vert ; la chambre Empire du comte de Rohan-Chabot, son père. Dans l'aile Est se trouve la chambre de sa fille Claire, la princesse de Polignac qui séjourna rarement au château pourtant doté d'un confort exceptionnel. *Avr.-sept. : visite libre du parc, visite guidée du château (1h) tlj sf lun. 10h-12h, 14h-18h ; mars et nov. : w.-end 14h-17h ; oct. : tlj sf lun. 14h-18h. Fermé déc.-fév. 32F, 15F (parc). ☎ 03 25 39 99 67.*

> **L**'architecte du château est François Nicolas Lancret, neveu du célèbre peintre Nicolas Lancret, qui construisit également les hôtels de ville de Chaumont et Chateauvillain.

> **MOTEUR**
> C'est à la Motte-Thilly que le cinéaste Milos Forman a promené le libertin Valmont, d'après le roman de Choderlos de Laclos, *Les liaisons dangereuses* (Valmont, 1989).

La façade Sud, du côté de la route est caractérisée par des toits, très hauts pour l'époque et des arcades reliant le bâtiment aux pavillons annexes.

Parc — La perspective principale, au Nord du château, est marquée par le bassin du « Miroir » bordé de chaque côté d'une allée de tilleuls.

HÉLOÏSE ET ABÉLARD

Cette histoire d'amour, l'une des plus célèbres du royaume, se termina en Champagne. Originaire de la région nantaise, Pierre Abélard (1079-1142) se destine très tôt aux études et devient un maître réputé. Son enseignement, qui touche à toutes les disciplines, attire de l'Europe entière des foules d'auditeurs passionnés. En 1118, une idylle naît avec la nièce d'un chanoine de Notre-Dame de Paris, la belle Héloïse (1101-1164). Ils ont un enfant. Les amants acceptent de se marier, mais en secret, à la demande d'Héloïse qui ne veut pas nuire à la carrière d'Abélard. Pour échapper à la colère de la famille, qui se sent outragée, la jeune mère se réfugie dans un couvent ; les parents se vengent sur Abélard en lui tranchant « les parties du corps avec lesquelles il a commis ce dont ils se plaignent. » Il entre alors à l'abbaye royale de Saint-Denis, abattu par une profonde détresse. Après de nombreux démêlés avec la hiérarchie, c'est la retraite dans un lieu désert, près de Nogent-sur-Seine : le Paraclet. Pendant ce temps, Héloïse devient prieure d'Argenteuil, lieu qu'elle doit quitter en 1129. L'apprenant, Abélard lui offre le Paraclet. Après dix ans de séparation, ils se revoient. Emue par le récit qu'Abélard avait fait de leur amour dans son *Histoire de mes Malheurs*, Héloïse sent renaître en elle la passion. Elle lui écrit de nouveau son amour brûlant : « Ces voluptés des amants que nous avons goûtées ensemble m'ont été si douces, que je ne peux pas leur en vouloir ni même en effacer sans peine le souvenir » ; mais cette flamme est sans issue et Abélard se consacre entièrement à son enseignement jusqu'à sa mort. Héloïse accueille sa dépouille avant de s'éteindre elle-même une vingtaine d'années plus tard. Transportés dans la grande église du Paraclet au 15e s., leurs restes sont enlevés à la Révolution. La sépulture qui les abritent est aujourd'hui l'une des plus visitées du cimetière du Père-Lachaise, à Paris.

C'est dans le cloître de Notre-Dame de Paris que se noua au début du 12e s. l'émouvante et tragique histoire d'amour entre le philosophe Abélard et Héloïse, nièce du chanoine Fulbert.

Ancienne abbaye du Paraclet *(6 km au Sud-Est)*
Abélard s'y installa avec un seul clerc. Il commença par construire un oratoire fait de roseaux et de chaume. Il fut rapidement rejoint par une foule de disciples, qui campèrent autour de l'oratoire. Ce dernier fut alors édifié en pierre : « Il fut appelé Paraclet, en mémoire de ce que j'y étais venu en fugitif et qu'au milieu de mon désespoir, j'y avais trouvé quelque repos dans les consolations de la grâce divine », écrit Abélard. **Héloïse** en devint abbesse en 1129. De l'abbaye, il ne reste qu'un cellier sous les bâtiments d'une ferme briarde. Derrière la chapelle, un obélisque marque l'emplacement de la crypte où se trouvaient les cercueils d'Héloïse et d'Abélard. *De mi-juil. à fin août : visite guidée (1/4h) tlj sf dim. 10h-12h, 14h-18h. 10F.*

Pont-sur-Seine *(9 km à l'Est par la N 19)*
Capitale du Morvois, Pont était jadis le siège d'une seigneurie que détinrent les Bouthillier, protégés de Richelieu. Défendue par une enceinte, la ville a gardé son cachet avec ses rues sinueuses et ses hôtels à haut portail.

Église St-Martin — Construite aux 12e et 16e s., elle a été entièrement peinte intérieurement, sous les Bouthillier, de scènes et de motifs ornementaux assez curieux. À droite du chœur, la **chapelle du Rosaire** constitue un rare ensemble décoratif, typique du style Louis XIII.

Orbais-l'Abbaye

Point de départ idéal pour des excursions dans la vallée du Surmerlin et la forêt de Wassy, Orbais-l'Abbaye doit sa renommée à une importante abbaye bénédictine fondée au 7e s. par saint Réol, archevêque de Reims.

La situation
Cartes Michelin n°s 56 pli 15 ou 237 pli 22 — Marne (51). Orbais est situé entre Montmirail et Epernay sur la D 11.

Le nom
Orbais doit son existence au monastère créé par saint Réol ou rieul. Les premiers occupants furent des moines venus du moutier de Rebais d'où l'étymologie « hors rebais » donnée parfois au nom d'Orbais.

Les gens
602 Orbaciens. Jean d'Orbais serait l'architecte de l'église abbatiale et aurait été appelé par la suite par l'archevêque de Reims à reconstruire la cathédrale.

visiter

Église★
Elle est constituée du chœur et du transept de l'abbatiale ainsi que de deux des travées primitives de la nef (l'une servant de porche, l'autre à l'intérieur). Les autres travées et la façade à deux tours furent détruites en 1803. La construction (12e-13e s.) fut dirigée selon toute vraisemblance par Jean d'Orbais, l'un des maîtres d'œuvre de la cathédrale de Reims. *Rameaux-Toussaint : 14h-18h.* ☎ 03 26 59 20 35.

Intérieur — Le **chœur★**, à déambulatoire et chapelles rayonnantes, est considéré comme le prototype de celui de la cathédrale de Reims ; le rond-point est remarquable par l'équilibre de ses lignes : des arcades aiguës supportent un triforium élancé et des fenêtres hautes que surmontent des « oculi ».
L'entrée du transept qui sert de nef est garnie de stalles réalisées au début du 16e s. : les parcloses portent des effigies d'apôtres, à l'exception des deux premières ornées de sculptures représentant à droite l'*Arbre de Jessé*, à gauche la *Vierge*. Détailler miséricordes et jouées aux amusantes figures de fantaisie.

Bâtiments conventuels — Il en reste une grande partie. On peut y voir une salle du 13e s. à double travée couverte de croisées d'ogives. Elle sert de chapelle d'hiver.

alentours

Église de Fromentières *(6 km au Sud)*
Elle renferme un monumental retable flamand du début du 16e s., peint et sculpté, qu'un curé de Fromentières acheta à Châlons, en 1715, pour 12 pistoles, faible somme en regard de sa valeur actuelle. Ce chef-d'œuvre est signé d'une « main coupée », emblème légendaire d'Anvers.

Retable★★ — *Derrière le maître-autel.* Derrière des volets peints relatant des épisodes du Nouveau Testament apparaissent trois étages de scènes aux délicates figurines qui, à l'origine, étaient peintes de couleurs vives et se détachaient sur des fonds dorés. Les personnages évoquent la *Vie* et la *Passion du Christ* avec un sens du détail familier et une intensité d'expression exceptionnels.

À OBSERVER
La disposition originale des arcs-boutants du transept et de l'abside se rejoignant sur la même culée de contrefort ; la flèche légère, qui surmonte la croisée du transept, et date du 14e s.

La chapelle absidiale abrite un vitrail du 13e s. représentant des scènes de l'Ancien Testament. Les fenêtres hautes conservent quelques fragments de vitraux en grisaille.

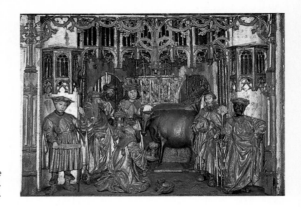

Détail du magnifique retable flamand du 16ᵉ s. de l'église de Fromentières.

Montmort-Lucy *(9,5 km au Sud-Est)*

Occupant un site plaisant au-dessus du Surmelin, Montmort-Lucy est un point de départ pour d'agréables promenades dans la vallée et dans les forêts voisines

◀ Château — Placé sur une éminence et commandant le passage du Surmelin, ce château, dont certaines parties remontent au 12ᵉ s., fut reconstruit à la fin du 16ᵉ s. En 1914, c'est sur sa pelouse que le général von Bülow annonça la retraite de la Marne.

Présentant un appareil de briques à parements de pierre blanche, il garde un aspect féodal avec des douves de 14 m de haut. On découvre le four à pain bien conservé, un portail Renaissance (1577), la salle des gardes et la cuisine. On redescend vers la partie basse du château par une rampe à chevaux rappelant celle d'Amboise. *De mi-juil. à mi-sept. : visite guidée (1h) tlj sf lun. 14h30-16h30, dim., 15 août, Pentecôte à 14h30, 15h30, 17h, 17h30. 30F.* ☎ *03 26 59 10 04.*

Église — Entourée d'un cimetière, elle suscite l'intérêt par son porche, sa nef romane, son premier transept du 13ᵉ s., son second transept et son chœur du début du 16ᵉ s. (vitraux de la même époque). Dans la nef, chaire du 18ᵉ s.

> **L**e château appartient au début du 18ᵉ s. à Pierre Rémond de Montmort (1678-1719), mathématicien reconnu qui publia un *Essai d'analyse sur les jeux du hasard.*

Pays d'**Othe**

On garde forcément un bon souvenir de ce petit pays vallonné et verdoyant. Lorsque la nature revêt son camaïeu de bruns, quel bonheur de partir de longues heures à la cueillette de girolles, trompettes, pieds de moutons... Quel autre bonheur que d'y faire de longues balades à pied, à vélo ou à cheval...

La situation

Cartes Michelin nᵒˢ 61 plis 15, 16 ou 237 plis 46, 47 — Aube (10). Le pays d'Othe, entre Yonne et Seine, présente un curieux contraste avec la plaine de la Champagne crayeuse qu'il domine. 🄱 *Mairie, av. Georges-Clemenceau, 10160 Aix-en-Othe,* ☎ *03 25 46 75 00.*

Le nom

En pur ligure, *Utta* signifie une réunion d'arbres : rien d'étonnant donc à ce qu'on ait baptisé ainsi ce pays parsemé de bosquets et que le nom ait ensuite évolué en Otha puis Othe. Reste une question taraudante : que diable venaient faire les Ligures ici ?

Les gens

Les Othéens sont surtout connus en tant que producteurs de cidre fermier dont la tradition remonte au 16ᵉ s.

carnet d'adresses

circuit

76 km — environ 3h

Aix-en-Othe

« Capitale » du pays d'Othe, ce bourg est bâti sur la rive droite de la Nosle. Il doit son nom à deux sources qui jaillissent dans un parc.

Prendre la D 374 vers Villemoiron-en-Othe.

> **VISITE**
> Le musée du Cidre et sa collection de pressoirs et d'alambics :
> M. Hotte, 10130 Eaux-Puiseaux,
> ☎ 03 25 42 15 13.

Villemoiron-en-Othe

L'**église** est éclairée par de belles verrières du 16ᵉ s.

Après le village, tourner à gauche dans la D 121 et poursuivre par la D 53.

La route traverse la forêt de « La Vente de l'Avocat », puis descend dans un vallon tapissé de champs.

Maraye-en-Othe

Ce village tout en longueur est cerné de forêts.

Prendre à gauche la D 72.

Au lieu dit « Les Boulins », un petit plan d'eau a été aménagé devant un ancien lavoir.

Tourner à droite dans la D 23.

Après Forêt-Chenu, de belles **perspectives**★ sur les grands damiers des cultures céréalières et au-delà sur les massifs forestiers du Chaourçois.

Tourner à droite dans la N 77.

► **U**n pavillon de chasse du 17ᵉ s., restauré, a hébergé d'illustres personnages parmi lesquels le chancelier Michel Le Tellier, la duchesse d'Alincourt...

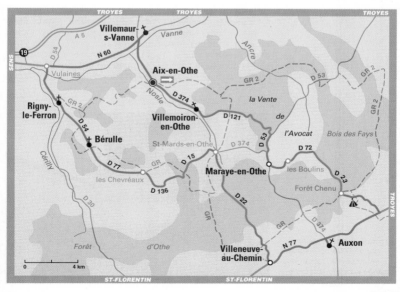

Paysage de pommiers en fleurs dans le pays d'othe.

Auxon

À la lisière de la forêt d'Othe, Auxon possède une **église** du 16e s., à trois nefs. À l'intérieur, statues des 14e et 16e s. (entre autres un *Saint Hubert* près de son cheval) et verrières des 15e et 16e s. *Possibilité de visite guidée sur demande préalable. Mairie, ☎ 03 25 42 11 61 ou Office de tourisme, ☎ 03 25 70 04 45.*

Villeneuve-au-Chemin

Au-dessus du village s'élève une statue de la Vierge, haute de 7 m, surmontant la chapelle St-Joseph.

Quitter la N 77 et prendre la D 22 à droite jusqu'à St-Mards-en-Othe. Tourner à gauche dans la D 15, puis la D 136 jusqu'au lieu dit « Les Chévréaux », et là prendre la D 77 et la D 54 jusqu'à Bérulle.

Bérulle

Ce fut le fief de la famille de Bérulle. Le cardinal Pierre de Bérulle (1575-1629) eut une influence politique considérable dans son opposition aux protestants. Il contribua à la réforme catholique du 17e s. afin de restaurer la rigueur de la religion. Il fut le fondateur en France de la congrégation de l'Oratoire en 1609.
L'**église** du village de style Renaissance date du 16e s., ses fonts baptismaux sont de la même époque. Le chœur est orné de beaux vitraux du 16e s. *S'adresser à Mme Verhoye, à la mairie ou au presbytère.*

Rigny-le-Ferron

Son **église** possède un riche ensemble de verrières du 16e s. ainsi qu'un très beau groupe de la *Vierge de Pitié* en pierre polychrome. *Visite sur demande auprès du presbytère.* ☎ 03 25 46 69 20.

Poursuivre sur la D 54, puis tourner à droite dans la N 60 et la suivre jusqu'à Villemaur-sur-Vanne.

Villemaur-sur-Vanne

Ce village fut érigé au 17e s. en duché-pairie pour le chancelier Séguier. L'**église** (12e et 16e s.) possède un clocher en charpente recouvert de bardeaux. À l'intérieur, très beau **jubé★** en bois (1521). Le lutrin (16e s.) et les boiseries du chœur (17e s.) viennent de St-Loup de Troyes. *Visite guidée sur demande préalable.* ☎ 03 25 40 55 22 ou 03 25 40 55 03.

Rejoindre Aix-en-Othe par la D 374.

Le jubé en bois fut sculpté par deux frères, maîtres menuisiers à Troyes : les panneaux évoquent la vie de la Vierge et la Passion.

Provins ★★

Tous les matins, lorsque les habitants du plateau briard ou de la vallée de la Voulzie se lèvent, ils portent leur main à leur front et regardent au loin en s'étonnant : « Mais que vois-je là-bas à l'horizon?... Mais bien sûr, c'est la tour de César et le dôme de l'église St-Quiriace de Provins ». Cette cité féodale, haut lieu de foires au Moyen Âge, est aujourd'hui un agréable lieu de divertissements.

La situation

Cartes Michelin n°s 61 pli 4 ou 237 pli 33 — Seine-et-Marne (77). À 1h de la capitale, en empruntant la N 19 ou l'A 4, Paris-Metz, sortie n° 13, ou l'A 5, Paris-Troyes, sortie n° 16. ☑ *Chemin de Villecrin, BP 44, 77160 Provins,* ☎ *01 64 60 26 26.*

Le nom

La légende veut que Provins ait été un *castrum* romain occupé par le général Probus en 271, mais le nom serait plutôt d'origine celtique : *probro* signifiant hauteur et *Wim* ou *gwin* : entouré d'eau.

Les gens

11 608 Provinois dont les glaisiers ou gueules grises qui doivent leur statut de mineurs à Alain Peyrefitte.

comprendre

La ville basse d'origine monastique se développa à partir du 11e s., autour d'un prieuré bénédictin fondé à l'endroit où les reliques de saint Ayoul, abbé de Lérins, avaient été miraculeusement retrouvées. La vocation commerciale de Provins, l'une des deux capitales du comté de Champagne, se confirma avec Henri le Libéral (1152-1181).

Les foires de Provins — Avec celles de Troyes, les deux foires de Provins étaient les plus importantes foires de Champagne. La première se tenait en mai-juin, la seconde en septembre-octobre. Chacune se divisait en trois temps : d'abord la « montre », les marchands exposent leurs marchandises, comparent les prix et la qualité ; ensuite la vente proprement dite, les marchandises s'échangent ; enfin les paiements, acheteurs et vendeurs font leurs comptes, ils recourent aux changeurs, notaires et gardes de foires. La valeur des marchandises présentées étant importante, les risques de vol, d'abus de confiance et de fraude étaient accrus.

Pendant la foire, la ville ressemblait à une grande halle dans laquelle se pressait une foule bigarrée d'hommes du Nord et de Méditerranéens. Les marchands des villes drapantes avaient acheté des bâtiments qui leur servaient d'entrepôt et de logement. Les transactions s'effectuaient en livres provinoises, d'où l'importance des banquiers-changeurs italiens pratiquant des conversions complexes. À la fin du 13e s., ils devinrent les véritables maîtres des foires, lesquelles, sous leur impulsion, se mirent à ressembler de plus en plus à des places de change où la circulation des créances prenait le pas sur celle des marchandises. La première foire annuelle s'installait près du château sur la colline, la seconde près de St-Ayoul.

La ville médiévale — Deux bourgs distincts se développèrent : le « châtel » ou ville haute et le « val » ou ville basse. Plus tard, ils furent compris dans une même enceinte. Au 13e s. la ville dépasse les 10 000 habitants, chiffre considérable pour l'époque. Les comtes de Champagne faisaient de longs séjours à

EXPLOITATION

Les argiles du bassin de Provins sont exploitées aujourd'hui en carrières à ciel ouvert (les « glaisières ») de façon industrielle.

ANTI-VOL

Pour remédier au vol et à la fraude, les comtes de Champagne avaient créé une institution très efficace : les **gardes de foires**, secondés par des lieutenants et des sergents. D'un simple rôle de police au départ, ils exercèrent au 13e s. un véritable pouvoir de justice régi par la coutume.

COMMERCE

Autour des marchands gravitent les tisserands, foulons, teinturiers, toiliers, tondeurs, sans oublier les agents de change, gardes chargés de la police et autres représentants de la justice du comte. De nombreux juifs, toute une population de taverniers, aubergistes et autres commerçants traditionnels se joignent à l'animation de la ville.

Provins où ils entretenaient une cour brillante. **Thibaud IV** le Chansonnier (1201-1253) encourage les lettres et les arts. Il est l'auteur de chansons qui comptent parmi les textes les plus beaux du 13e s. Au 14e s. les activités de Provins déclinent. Ses foires disparaissent au profit de Paris et Lyon. La ville subit les dommages de la guerre de Cent Ans et connaît un effacement durable.

Rosier de Provins ordinaire
par Pierre-Joseph Redouté

LES ROSES

Edmond de Lancastre (1245-1296), frère du roi d'Angleterre, ayant épousé Blanche d'Artois, la veuve de Henri le Gros comte de Champagne, devient pendant quelques années suzerain de Provins. Il introduit dans ses armes une fleur alors très rare : la rose rouge. La tradition veut que ce soit Thibaud IV qui ait rapporté de la septième croisade et fait prospérer à Provins, des plants en provenance de Syrie.

Cent cinquante ans plus tard, la guerre des Deux-Roses ayant pour objectif la conquête du trône d'Angleterre, oppose la rose rouge de la maison de Lancastre à la rose blanche des York.

Au Moyen Âge, les pétales produits en grande quantité étaient largement utilisés en pharmacopée.

De nos jours, les roses sont de nouveau à l'honneur. C'est au cours du mois de juin qu'il faut venir à Provins pour admirer ses massifs de roses. On visite les pépinières et roseraies J. Vizier, rue des Prés.

carnet pratique

Classée Ville d'Art, Provins met à la disposition des visiteurs des guides agréés par les Monuments Historiques.

OÙ DORMIR

● *Valeur sûre*

Chambre d'hôte Clos Thibaud de Champagne – *1 r. du Souci - 77520 Cessoy en Montois - 16 km au SO de Provins par N 19 et D 75 - ☎ 01 60 67 32 10 - ⌑ - 3 ch. : 385/535F - repas 150F.* Dans ce petit village, cette ancienne ferme briarde joliment rénovée a gardé son caractère régional. Le jardin et la vue sur la campagne environnante ajoutent au charme de ces chambres à la quiétude bienfaitrice.

Hôtel Aux Vieux Remparts – *3 r. Couverte - ☎ 01 64 08 94 00 - ▣ - 25 ch. : 390/650F - ⌑ 50F - restaurant 145/360F.* Dans cet immeuble moderne des années 1980, au cœur de la cité des roses, vous trouverez des chambres sobres et spacieuses. Côté cuisine, la carte est simple et classique. À choisir surtout en été pour sa terrasse calme et ombragée.

OÙ SE RESTAURER

● *À bon compte*

Petit Écu – *9 pl. du Châtel - ☎ 01 60 67 62 22 - fermé déc. à fév. - 98/115F.* Au cœur du vieux Provins, sur la charmante place du Châtel, cette jolie maison à colombages propose une formule originale le week-end autour d'un buffet d'inspiration médiévale. En semaine, les menus sont plus classiques.

OÙ BOIRE UN VERRE

Auberge du Châtel – *2 r. Couverte, ☎ 01 64 08 97 34. Ouv. tlj à partir de 9h.* La décoration hétéroclite de ce bar lui confère un vague air de pub rétro. C'est aussi, à sa manière, une galerie puisque les tableaux et autres statuettes exposés sont à vendre. Terrasse dans une cour ombragée.

Le jardin Saint-Ayoul – *6 pl. Saint-Ayoul, ☎ 01 64 00 38 75. Ouv. mar.-dim. 9h30-1h.* Modeste et sans prétention, ce café propose des prestations originales : vous pourrez y acheter des livres à prix réduits, surfer sur Internet et participer aux soirées à thème (philosophie, poésie, etc.) qui y sont organisées en fin de semaine. Si vous avez l'âme musicienne, un piano est à votre disposition pour égrener quelques notes le temps de votre passage.

MANIFESTATIONS

À l'assaut des remparts - Tournoi de chevalerie – *Avr. : sam.-dim. et j. fériés 16h ; mai-juin : lun.-mar., jeu.-ven. 14h30, sam.-dim. et j. fériés 16h ; juil.-août : mar.-sam. 16h ; sept.-nov. : sam.-dim. et j. fériés 16h.* Près de la porte Saint-Jean et au fond des douves, vous serez plongé au cœur de deux spectacles médiévaux au réalisme impeccable. Vous découvrirez d'abord le fonctionnement des machines de guerre et des armes de combat. Vous assisterez ensuite à un tournoi de chevalerie avec combats à cheval à la lance ou à l'épée, et combats à pieds.

Les Aigles des remparts – *R. de Jouy. Avr. : lun.-ven. 14h30, 16h, sam.-dim. et j. fériés 14h30, 17h30 ; mai-juin : lun.-ven. 11h30, 13h, 14h30, 16h, sam.-dim. et j. fériés 14h30, 17h30 ; juil.-août : tlj 14h30, 17h30 ; sept.-oct. : lun.-ven. 14h30, sam.-dim. et j. fériés 14h30, 17h30.* C'était l'une des distractions préférées des seigneurs du Moyen Âge que d'assister au spectacle des rapaces en vol libre. Après le spectacle, une visite de la volerie sous la houlette des fauconniers s'impose.

PROVINS

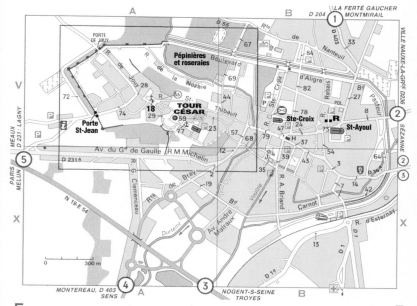

se promener

LA VILLE HAUTE★★

Visite : 2h. En voiture, prendre la voie, s'embranchant sur l'avenue du Général-de-Gaulle, qui était jusqu'au 18e s. la route normale d'accès à la ville. Se garer. Avant de prendre l'allée des Remparts, observer la porte St-Jean.

Porte St-Jean

Édifiée au 13e s., cette porte trapue est flanquée de deux tours en éperon partiellement masquées par des contreforts ajoutés au 14e s. pour étayer un pont-levis. Les pierres sont taillées en bossage pour offrir plus de résistance. Le système défensif comportait, en outre, une herse en bois ferré qui coulissait dans de profondes rainures encore visibles, ainsi qu'une porte en bois à deux vantaux s'ouvrant sur la ville et renforcée par un fléau.

De part et d'autre de la porte, les corps de garde étaient reliés, au rez-de-chaussée, par un passage souterrain, à l'étage, par une galerie. Jusqu'en 1723, une tour de guet surmontait l'ensemble.

Remparts★★

L'enceinte de la ville haute est la plus ancienne de Provins. Construite aux 12ᵉ s. et 13ᵉ s. sur une ligne de défense préexistante puis souvent remaniée, elle constitue un bel exemple d'architecture militaire médiévale. La partie la plus intéressante s'étend entre la porte St-Jean et la porte de Jouy. La muraille, dominant les fossés à sec, est renforcée par des tours arborant des formes diverses : carrées, rectangulaires, semi-cylindriques ou en éperon.

La tour d'angle, dite « tour aux Engins », relie les deux courtines. Elle tire son nom d'une grange à proximité, où étaient emmagasinées les machines de guerre. Ses murs atteignent près de 3 m d'épaisseur.

À l'intérieur des remparts, des spectacles ont lieu en saison : les « **Aigles de Provins** », spectacle de rapaces en vol libre, « **À l'assaut des remparts** » machines de guerre médiévales, de Pâques à la Toussaint et **Tournoi de chevalerie**.

De la tour aux Engins à la porte de Jouy se succèdent cinq ouvrages de défense ; entre les premier et deuxième, la brèche dite « aux Anglais » est de 1432.

De la porte de Jouy du 12ᵉ s. ne restent que les jambages et la base des tours en éperon qui s'appuient sur le fossé.

Suivre la rue de Jouy.

Des maisons basses à longs toits de tuiles ou à étage en avancée. Le **caveau St-Esprit** *(ouvert lors de manifestations)* appartenait à un ancien hôpital ravagé par un incendie au 17ᵉ s.

Place du Châtel★

Cette vaste place rectangulaire est bordée d'anciennes demeures. En en faisant le tour dans le sens des aiguilles d'une montre, on découvre : à l'angle Sud-Ouest, la maison des Quatre Pignons du 15ᵉ s. à pans de bois ; à l'angle Nord-Ouest, la maison des Petits-Plaids du 13ᵉ s., où le prévôt rendait la justice et qui conserve en contrebas une salle voûtée d'ogives ; au Nord, l'hôtel de la Coquille, dont le portail d'entrée en plein cintre se signale par une coquille de St-Jacques ornant la clef ; à l'angle Nord-Est, les vestiges de l'église St-Thibault du 12ᵉ s. ; en contrebas, dans la rue qui porte son nom, la maison où serait né en 1017 saint Thibault.

Répertoire des rues et sites, voir page précédente.

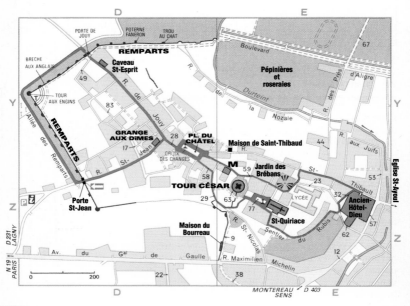

Au centre, la croix des Changes, édicule gothique sur lequel étaient affichés les édits des comtes ; à côté, un vieux puits à cage de fer forgé.

Prendre la rue du Palais.

Maison romane

C'est l'une des plus anciennes maisons provinoises. La façade en courbe est percée de trois baies en plein cintre. Celle de la partie basse est encadrée de moulures en pointes de diamant ; celles de l'étage, jumelées, sont séparées par une colonnette. Elle abrite le musée de Provins et du Provinois.

Jardin des Brébans

De la butte aménagée en jardin public, vue sur la masse, toute proche, de l'église St-Quiriace. Les bâtiments du lycée Thibaud de Champagne, sur l'éperon de la ville haute, sont construits sur l'emplacement de l'ancien palais des comtes de Champagne qui datait du 12ᵉ s. et accueillait en 1556 l'un des plus anciens collèges français.

Prendre la rue St-Thibault.

Ancien Hôtel-Dieu

Fondé au 11ᵉ s. par le comte Thibaud Iᵉʳ, l'ancien palais des comtesses de Blois et de Champagne conserve son portail du 13ᵉ s. en arc brisé, une porte romane à voussure en plein cintre reposant sur deux colonnettes et un vestibule du 12ᵉ s. voûté d'arêtes.

Suivre le sentier du Rubis et prendre à droite vers la collégiale.

> **D**ans l'ancien Hôtel-Dieu, un retable Renaissance de pierre sculptée montrant une Vierge à l'Enfant invoquée par une donatrice agenouillée.

Collégiale St-Quiriace

Elle remonte au 11ᵉ s. La construction de l'église actuelle commença dans les années 1160, à l'initiative d'Henri le Libéral. L'édifice fut terminé par le dôme au 17ᵉ s., la nef restant réduite à deux travées. Le clocher, isolé, s'écroula en 1689. Sur la place, plantée de tilleuls, la croix marque son emplacement.

Le **chœur**★ et le déambulatoire carré furent les premiers construits (2ⁿᵈᵉ moitié du 12ᵉ s.). Observer les indices du début du gothique : arcatures en plein cintre du triforium aveugle, griffes à la base des colonnes. La travée droite du chœur reçut en 1238 seulement sa voûte « octopartite » (assemblage de quatre arcs d'ogives), curieuse disposition architecturale propre à cette région. Pour en assurer la stabilité, on éleva alors les arcs-boutants extérieurs. Le dessin plus varié des baies correspond à des campagnes de construction ultérieures, échelonnées jusqu'au 16ᵉ s.

> **HÔTES**
>
> En 1176, un chapitre de 44 chanoines desservait cette collégiale palatine, située près du château comtal. Ces chanoines avaient certes une fonction religieuse, mais ils représentaient aussi un foyer de culture et constituaient un vivier dans lequel le comte puisait son personnel.

Tour César★★

Ce superbe donjon du 12ᵉ s. est flanqué de quatre tourelles. Il était rattaché autrefois au reste de l'enceinte de la ville haute. Le toit pyramidal a été construit au 16ᵉ s. *(visite de l'intérieur ci-dessous).*

Revenir à la place du Châtel par la rue Jean-Desmarets et la rue de l'Ormerie.

Prendre la rue Couverte, puis à gauche la rue St-Jean.

Sur la droite se trouve la **grange aux dîmes**, construction du 13ᵉ s., d'aspect militaire.

visiter

Tour César★★

Pénétrer sous la voûte et prendre l'escalier à droite jusqu'à l'accueil, puis contourner la tour par la gauche.

La chemise qui enserre la base du donjon fut ajoutée par les Anglais pendant la guerre de Cent Ans pour y ranger de l'artillerie, d'où son surnom de « Pâté aux Anglais ».

La tour César, emblème de la ville impose le respect avec ses 44 m de haut.

Au 1er étage, la salle des Gardes comporte une voûte formée de quatre arcades et percée d'un orifice par lequel on ravitaillait les soldats occupant l'étage supérieur et on recueillait les informations des guetteurs. Tout autour, les couloirs d'échauguettes, aujourd'hui disparues, mènent à des réduits ayant servi de cachots. Au pied de l'escalier conduisant à la galerie supérieure se trouve la chambre du Gouverneur.

De la galerie, autrefois couverte, qui ceinture le donjon à hauteur des tourelles, la **vue★** s'étend sur la cité et la campagne briarde ; à l'Ouest, la ville haute enserrée derrière la ligne des remparts ; au Nord, l'ancien **couvent des Cordelières,** fondé au 13e s. par le comte Thibaud IV de Champagne abrite aujourd'hui le Centre André François-Poncet, annexe de la Bibliothèque nationale.

Par des escaliers très étroits, on atteint l'étage supérieur. Sous la belle charpente du 16e s. sont installées les cloches de St-Quiriace recueillies là depuis que l'église a perdu son clocher. *Avr.-oct. : 10h-18h ; nov.-mars : 14h-17h. Fermé 25 déc. 17F.*

Grange aux Dîmes★

Ce bâtiment a appartenu aux chanoines de St-Quiriace, qui le louaient aux marchands lors des foires. Lorsque l'activité des foires déclina, elle servit d'entrepôt aux dîmes prélevées sur les récoltes des paysans. Au rez-de-chaussée s'étend une grande halle. Une exposition évoque Provins au temps des foires de Champagne. Deux autres caveaux gothiques occupent les sous-sols et servaient d'entrepôts. *Avr.-août : 10h-18h ; sept.-oct. : 14h-18h, w.-end 10h-18h ; nov.-mars : w.-end, j. fériés, vac. scol. zone C 14h-17h. Fermé 25 déc. 22F.*

Les voûtes sur croisées d'ogives reposent sur deux rangées de piliers ronds surmontés de chapiteaux à feuillages.

Musée de Provins et du Provinois

Une porte basse conduit à la cave, où autour d'un pilier du 11e s. sont disposés des sarcophages mérovingiens et des chapiteaux.

Au rez-de-chaussée sont réunies des **collections de sculptures et de céramiques★**. Témoignages de l'art médiéval et Renaissance provinois, les statues en pierre ou en bois polychrome proviennent d'églises disparues. La variété et la continuité dans le temps des céramiques dues aux glaisières du bassin provinois sont remarquables : poteries néolithiques, tuiles gallo-romaines, fragments de bols et de coupes à décor sigillé (orné de sceaux et de poinçons), vases funéraires, carreaux de pavement à décor incrusté (12e-13e s.), pichets, épis de faîtage. Des bijoux de l'âge du fer et du bronze, des boucles de ceinturons mérovingiens en fer et des sarcophages mérovingiens à décor typiquement local en arêtes de poisson complètent cet ensemble. *Juin-oct. : 14h-18h ; nov.-mai : w.-end, j. fériés, vac. scol. zone C 14h-18h. Fermé 25 déc. 22F.* ☎ *01 64 01 40 19.*

Église St-Ayoul

En 1048, Thibaud Ier installa des moines de Montier-la-Celle à St-Ayoul. Ceux-ci édifièrent une église, achevée en 1084, dont il reste le transept. En 1157, un incendie ravagea le prieuré reconstruit pendant les dix années qui suivirent. Les trois portails de la façade forment une avancée devant le pignon percé de trois fenêtres en tiers-point du 13e s. Les hautes statues romanes décapitées décorant le portail central évoquent celles du portail de St-Loup-de-Naud.

Remarquer les boiseries de Pierre Blasset (1610-1663) : maître-autel et son retable, lambris enrichis de caissons sculptés en bas-relief aux collatéraux Nord et Sud. Épitaphe de l'artiste à gauche de la porte de la sacristie.

Dans le bas-côté gauche, un **groupe de statues**★★ en marbre rehaussé d'or du 16e s. retient l'attention : une Vierge à la grâce un peu précieuse et deux anges musiciens aux vêtements magnifiquement drapés.

> **DE MAIN DE MAÎTRE**
> Pour remplacer les parties disparues du **portail central**★, on a confié au sculpteur Georges Jeanclos (1933-1997) le soin de réaliser des figures sculptées. Ainsi différentes statues en bronze patiné viennent s'inscrire avec naturel parmi les reliefs médiévaux.

Au tympan, le Christ en majesté dans une mandorle accompagné de deux évangélistes ; au linteau, trois scènes évoquant la vie de la Vierge et au trumeau, une illustration de l'Ancien Testament.

Tour N.-D.-du-Val

De l'ancienne collégiale, fondée au 13e s. par la comtesse Marie de Champagne et rebâtie aux 15e et 16e s., il ne subsiste plus que ce clocher imbriqué dans les vestiges de la porte Bailly. Coiffée d'un toit en comble surmonté d'un lanterneau, la tour abrite les cloches de St-Ayoul.

Église Ste-Croix

Succédant à l'ancienne chapelle St-Laurent-des-Ponts, elle aurait reçu son vocable actuel après le transfert par Thibaud IV d'un fragment de la Vraie Croix lors de la septième croisade. À la suite d'un incendie, le bas-côté Nord fut doublé dans le style flamboyant du début du 16e s. ; à l'intérieur, il est séparé du premier collatéral par de belles colonnes en hélice. Au-dessus de la croisée du transept s'élève le clocher roman surmonté d'une flèche moderne. Au chevet la corniche à modillons apparentée au style bourguignon est intéressante.

> La façade à trois pignons attire l'attention par la riche décoration flamboyante et Renaissance que présente le portail latéral gauche.

Souterrains à graffiti

Rue St-Thibault, à gauche du portail de l'ancien Hôtel-Dieu. Provins possède un réseau de souterrains d'une grande densité. Ceux ouverts à la visite correspondent à une couche de tuf, affleurant à la base de l'éperon qui porte la ville haute. L'accès se fait par une salle basse voûtée d'arêtes de l'ancien Hôtel-Dieu. Ordonnancés de façon géométrique, ils comportent des cellules latérales et leurs parois sont couvertes de graffiti.

La destination de ces galeries, non reliées aux caveaux des maisons de la ville haute, reste une énigme. *Avr.-oct. : visite guidée (3/4h) à 15h et 16h, w.-end et j. fériés 10h30-18h ; nov.-mars : w.-end, j. fériés, vac. scol. zone C à 14h, 15h, 16h. Fermé 25 déc. 22F.*

alentours

Voulton *(7 km au Nord de Provins)*
Après un parcours jalonné de noms d'origine monastique — les Filles-Dieu, St-Martin-aux-Champs — on atteint cette **église** gothique au fort clocher coiffé en bâtière. Dans la nef, les grosses piles à colonnes alternent avec les colonnes rondes qui reçoivent la retombée des arcades.

> **SE METTRE EN HUIT**
> La structure de la voûte « octopartite » couvrant la travée précédant le chœur mérite qu'on la remarque.

St-Loup-de-Naud★ *(9 km au Sud-Ouest de Provins)*
Ce village autrefois fortifié est perché sur un éperon. Il faut en apprécier la silhouette en arrivant du Sud-Ouest par la D 106.

Église★ — Commencée au début du 11ᵉ s., elle faisait partie d'un prieuré bénédictin. Le porche et les deux travées de la nef qui s'y rattachent furent bâtis au 12ᵉ s.
Le **portail★★**, sous le porche, très bien conservé, présente par sa disposition une analogie avec le Portail royal de Chartres : *Christ en majesté* entouré des symboles des Évangélistes au tympan, apôtres abrités sous des arcatures au linteau, statues-colonnes dans les ébrasements, personnages dans les voussures. Les sculptures de *St-Loup* marquent la transition qui aboutira au réalisme gothique.
À l'intérieur, les progrès de l'architecture aux 11ᵉ et 12ᵉ s. sont très nets. On passe du roman primitif du chœur au début de la technique gothique à l'entrée de la nef. Celle-ci comprend tout d'abord deux travées du 12ᵉ s. sur lesquelles ouvre la tribune du porche. Ces travées, qui se divisent chacune en deux arcades jumelles, sont voûtées sur croisée d'ogives. Les deux travées suivantes, plus anciennes, sont voûtées l'une en berceau et l'autre d'arêtes. Le carré du transept est couvert par une coupole, les bras du transept non saillant, du début du 12ᵉ s., par un berceau. Le chœur, datant de la fin du 11ᵉ s., offre un berceau et son abside est voûtée en cul-de-four.

Détail du portail de l'église de St-Loup-de-Naud.

Beton-Bazoches *(18 km au Nord de Provins)*
Ce village possède un grand **pressoir à cidre**
construit en 1850. Il se compose d'une meule de
grès de 2 m de diamètre qui était actionnée par un
cheval et de deux pressoirs en chêne et en orme
dont le système de pressage était entraîné par une
roue à écureuil. ⚐ *Visite guidée (1/2h) 8h-20h. 12F.*
☎ *01 64 01 06 96.*

Donnemarie-Dontilly *(19 km au Sud-Ouest de
Provins)*
Ce bourg très étendu se dissimule dans un repli du
Montois, région de collines assez boisée marquant la
retombée du plateau de la Brie, au Sud-Est, sur la
vallée champenoise de la Seine.

Église N.-D.-de-la-Nativité — Construite au 13ᵉ s., elle
apparaît, majestueuse, à flanc de pente, dressant son
clocher à près de 60 m de hauteur. Intérieurement,
cette église gothique est ceinturée, sur les trois côtés
de la nef, par un triforium. La lumière y pénètre
surtout par les baies du chevet plat et par la grande
rose ; quelques vitraux en médaillon de la couronne
intermédiaire remontent aux 12ᵉ-13ᵉ s.

ANCIENNES GALERIES
Au Nord de l'église, deux
élégantes galeries du
16ᵉ s. délimitaient un
cimetière. Une chapelle
termine la galerie Nord. Il
s'agirait d'un ancien
« charnier ».

Rampillon *(20 km à l'Ouest de Provins)*
Sur une butte, il appartient aux comtes de Champagne et à l'évêché de Sens avant de passer aux mains
des chevaliers de Saint-Jean-de-Jérusalem au 13ᵉ s. Il
est intéressant pour son église qui domine le plateau
de la Brie.

Église★ — Du 13ᵉ s., elle faisait partie d'une
commanderie de templiers brûlée par les Anglais en
1432. Une tour, dite des Templiers, est accolée à
l'église. Le robuste clocher carré s'élève sur le bas-
côté droit, coiffé d'un toit en double bâtière. Au portail latéral à droite, Couronnement de la Vierge.
Les sculptures du portail principal sont une pure
merveille : au tympan, le Christ-Juge, au linteau, la
Résurrection des morts ; au trumeau, saint Éliphe, et,
dans les ébrasements, les douze Apôtres ; au-dessous
de leurs statues, calendrier flanqué de la Présentation au temple et de l'Adoration des mages.

Reims ★★★

Champagne ou art gothique ? Et pourquoi pas les deux ! Reims est pour tous une étape inoubliable avec la visite de la cathédrale et du palais du Tau, de la basilique et du musée St-Remi mais bien sûr sans oublier les caves champenoises à la renommée mondiale.

La situation

Cartes Michelin n°s 56 plis 6, 16 ou 241 pli 17 — Marne (51). Délimitée par une ceinture de boulevards tracés au 18e s., la ville se prolonge maintenant par de vastes faubourgs aux grands ensembles, certains à la limite du vignoble. L'A 4 permet de gagner rapidement le centre-ville en longeant le **Centre des Congrès** conçu en 1994 par l'architecte Claude Vasconi. 🛈 *2 r. Guillaume-de-Machault, 51000 Reims,* ☎ *03 26 77 45 25.* L'Office de tourisme est installé dans les vestiges restaurés de la maison du trésorier du chapitre des Chanoines.

Le nom

Il vient de la tribu des Rèmes dont la capitale était *Durocortorum.*

Les gens

Agglomération 206 362 Rémois. Clovis, saint Remi, Charles VII, Colbert, J.-B. de la Salle, Drouet d'Erlon, Bernard Fresson, Paul Fort, Roger Caillois, le Breton Patrick Poivre d'Arvor, tous ont un lien avec la ville.

L'ASCENSION DES COLBERT

Les Colbert sont issus d'une vieille famille d'entrepreneurs maçons et de marchands rémois qui s'intéressent peu à peu aux offices, charges royales gratifiantes très recherchées par la bourgeoisie. Nicolas Colbert (1590-1661), le père, banquier-négociant, quitte Reims où les affaires dépérissent et s'installe à Paris. Après une période de difficultés, la fortune lui sourit : il noue de solides relations et en profite pour établir ses enfants. L'aîné, Jean-Baptiste (né à Reims en 1619), commis de Le Tellier, est nommé contrôleur général des Finances à la chute de Fouquet (1661).

Jean-Baptiste Colbert joue un rôle capital dans l'organisation administrative de la monarchie, mais plus encore dans l'orientation de la vie économique. Le colbertisme entreprend de stimuler le travail productif en créant de grandes manufactures comme les Gobelins. La Champagne profite de ces initiatives en faveur du commerce : une manufacture d'armes (royale en 1688) est créée à Charleville ; le textile se redresse, même si cela ne dure pas très longtemps.

Le clan Colbert fut en rivalité permanente avec celui de Michel Le Tellier et de son fils Louvois, dont la suprématie s'affirme à la mort de Jean-Baptiste Colbert en 1683.

---

comprendre

Reims antique — L'origine de Reims est très ancienne. Après la conquête romaine, elle devient capitale de la province de Belgique. La ville se développe à partir de la fin du 1er s. et prend sa véritable forme de ville romaine. Ne subsistent que la porte de Mars et le cryptoportique du forum. Dès le 3e s., comme partout en Gaule, les invasions provoquent un rétrécissement de l'espace urbain. Placée au carrefour de routes stratégiques, sa fonction militaire ne cesse de prendre de l'ampleur.

En 407, tout le Nord-Est de la Gaule est dévasté, Reims n'est pas épargnée : **saint Nicaise** est massacré devant sa cathédrale, il devient le premier martyr de la cité.

Voulant élargir ses frontières, Clovis, roi des Francs, battit le romain Syagrius à Soissons en 486. Quelques années plus tard, il fit le vœu de se convertir à la religion chrétienne qui était celle de sa femme, s'il gagnait la bataille sur les Alamans. Ce fut la victoire de Tolbiac qui lui permis d'étendre son territoire jusqu'au Rhin.

Le baptême de Clovis — On le situe peu avant l'an 500. Le jour de Noël, **Remi** (440-533) évêque depuis l'âge de 22 ans, baptise Clovis, scellant ainsi l'union des Francs et du christianisme. Grégoire de Tours a narré l'événement dans son *Histoire des Francs*. La ville pavoise, une procession se déroule de l'ancien palais impérial jusqu'au baptistère situé près de la cathédrale. Lorsqu'il y fut entré pour le baptême, Remi l'interpella d'une voix éloquente en ces termes : « Courbe doucement la tête, fier Sicambre ; adore ce que tu as brûlé, brûle ce que tu as adoré. »

Le rayonnement de la Reims médiévale — Sous l'épiscopat de Remi, la vocation religieuse de Reims avait pris une importance décisive. L'événement le plus marquant fut le sacre impérial de Louis le Pieux en octobre 816 dans la vieille cathédrale. À cette époque, au 9e s., sous les épiscopats d'Ebbon et d'Hincmar, le rayonnement artistique de l'**école de Reims** atteint son apogée tandis qu'une nouvelle cathédrale s'élève. Aux 11e, 12e et 13e s., la ville se développe et s'embellit de prestigieux édifices : l'abbatiale St-Remi et la cathédrale Notre-Dame. De 1160 à 1210, la superficie bâtie a presque doublé et la ville atteint les limites de son extension médiévale. Reims a définitivement confirmé sa vocation de ville du sacre. Celui de Charles VII le 17 juillet 1429 fut le plus émouvant. Jeanne d'Arc assista à la cérémonie, son étendard à la main : « Il a été à la peine, il était juste qu'il fût à l'honneur. »

Le cérémonial du sacre — Il fut réglé dès le 12e s. et observé pour les 25 sacres, de Louis VIII à Charles X (1223 à 1825). Le jour du couronnement, un dimanche matin, deux évêques allaient en procession chercher le roi au palais archiépiscopal qu'une galerie de bois ornée de tapisseries reliait à la cathédrale. Le cortège arrivé à la porte du roi, un chantre frappait et le dialogue suivant se poursuivait, par trois fois : « Le grand chambellan : que demandez-vous ? — Un des évêques : le roi. »

L'évêque disait enfin : « nous demandons Louis que Dieu nous a donné pour roi. » La porte s'ouvrait aussitôt et la compagnie était conduite au lit de parade du roi. Les

Entrée du roi Charles X à Reims en mai 1825 - Aquarelle de Charles Develly (1783-1849).

évêques menaient ensuite le roi à la cathédrale. Le roi prenait place dans le chœur. Ensuite il s'agenouillait au pied de l'autel, puis s'asseyait sous le dais. A ce moment, la Sainte Ampoule, apportée de St-Remi, était placée sur l'autel près de la couronne de Charlemagne et de son épée Joyeuse, du sceptre, de la main de justice, des éperons, du livre des Cérémonies, d'une camisole de satin rouge garni d'or, d'une tunique et enfin du manteau royal de velours violet à fleurs de lys.

Ayant prêté serment, le roi montait à l'autel où les dignitaires le ceignaient de son épée et lui fixaient ses éperons. Avec une aiguille d'or, l'archevêque prenait dans la Sainte Ampoule une goutte du Saint Chrême qu'il mélangeait avec les huiles consacrées sur la patène de saint Remi ; il procédait ensuite à l'onction sur la tête, le ventre, les épaules, le dos, les jointures des bras. Le roi revêtait alors le manteau, recevait l'anneau, le sceptre et la main. Puis, avec l'assistance des pairs, l'archevêque le couronnait, le menait au trône, sous le jubé, l'embrassait et criait : « Vivat Rex æternum. » Après acclamations des assistants, lâcher de colombes et salve de mousqueterie, le « Te Deum » était entonné. Enfin le roi regagnait l'archevêché. La cérémonie se concluait par un banquet. Le lendemain, il se rendait à l'abbaye de Corbeny vénérer les reliques de saint Marcoul qui donnaient le pouvoir de guérir les écrouelles.

Les guerres — Au cours de la guerre de 1914-1918, Reims a subi les bombardements allemands au cours desquels de nombreux édifices civils et religieux ainsi que des maisons furent incendiés. Elle fut détruite à 80 %. La Seconde Guerre mondiale épargna la ville, sauf le quartier autour de la gare. C'est d'ailleurs à Reims que fut signée la capitulation des forces allemandes le 7 mai 1944 dans le collège technique où le général Eisenhower avait établi son quartier général.

découvrir

CAVES DE CHAMPAGNE★★

Les grands établissements se groupent dans le quartier du Champ de Mars et sur les pentes crayeuses de la butte St-Nicaise, trouée de galeries dites « crayères », souvent gallo-romaines, dont l'intérêt documentaire se double d'un attrait historique. La profondeur et l'étendue des galeries se prêtent aux vastes installations des caves de champagne où s'élabore le précieux vin des fêtes.

Pommery

En 1836, Narcisse Gréno fonde une maison de champagne et s'associe à Louis Alexandre Pommery. À la mort de ce dernier, sa veuve prend la direction et s'avère douée de grandes qualités de chef d'entreprise. Elle lance les champagnes « bruts », fait construire en 1878 les bâtiments actuels dans le style élisabéthain, fait relier 120 anciennes crayères gallo-romaines par 18 km de galeries, acquiert de nombreux vignobles, ce qui permet à la maison Pommery d'avoir l'un des plus beaux domaines de la Champagne viticole (300 ha). La visite permet de découvrir les étapes de l'élaboration du champagne à travers les crayères ornées de sculptures du 19e s. et de voir un foudre de 75 000 l, œuvre d'Émile Gallé. *Pâques-oct. : visite guidée (1h) 10h-17h de préférence sur rendez-vous ; nov.-Pâques : lun.-ven. sur rendez-vous. Fermé fin déc. à déb. janv. et 1er nov. 40F (enf. : 20F). ☎ 03 26 61 62 56.*

Taittinger

Des négociants en vin rémois, les Fourneaux, se lancent dès 1734 dans la commercialisation des vins mousseux. En 1932, Pierre Taittinger arrive à la tête de la maison qui prend son nom. Propriétaire de 250 ha de vignobles, de 6 vendangeoirs sur la Montagne de Reims, du château de la Marquetterie à Pierry, de l'hôtel des Comtes de Champagne à Reims, la maison Taittinger possède en outre de superbes caves. Leur visite permet de découvrir 15 millions de bouteilles dont le contenu vieillit dans la fraîcheur des crayères gallo-romaines creusées en pyramide et dans les cryptes de l'ancienne abbaye St-Nicaise (13ᵉ s.) détruite à la Révolution. *Visite guidée (1h) 9h30-12h, 14h-16h30, w.-end et j. fériés 9h-11h, 14h-17h (déc.-fév. : tlj sf w.-end). Fermé 1ᵉʳ janv. et 25 déc. 25F.* ☎ *03 26 85 84 33.*

Veuve Clicquot-Ponsardin

La maison fut fondée en 1772 par Philippe Clicquot, mais c'est son fils qui la développa et surtout la veuve de ce dernier, née Ponsardin, qui créa la société sous son nom actuel. « La Grande Dame du Champagne » — son surnom a été donné à la cuvée spéciale — eut de remarquables initiatives dont celle du remuage dès 1816. Aujourd'hui, avec 265 ha de vignes, cette maison, qui exporte les 3/4 de sa production, est très connue à l'étranger. Ses caves sont aménagées dans des crayères gallo-romaines. *Visite guidée sur demande quelques j. av. (1h1/5) tlj sf dim. à 10h30, 14h30 et 16h30 (nov.-mars : fermé sam.). Gratuit.* ☎ *03 26 89 54 41.*

Ruinart

Créée en 1729 par le neveu du moine dom Thierry Ruinart, grand ami de dom Pérignon, cette maison prit un grand essor pendant la Restauration. Très affectée par les guerres mondiales, elle prit un nouvel élan à partir de 1949. Aujourd'hui, dans le cadre du groupe Moët-Hennessy, le champagne Ruinart représente le haut de gamme. Ses caves occupent trois niveaux d'un ensemble exceptionnel de crayères gallo-romaines. *Visite guidée (1h1/2) tlj sf w.-end et j. fériés sur demande préalable auprès du service visites et réceptions, 4 r. des Crayères, 51053 Reims. Gratuit.* ☎ *03 26 77 51 51.*

Piper-Heidsieck

La maison fut fondée en 1785 par Florens-Louis Heidsieck. Les différentes opérations de l'élaboration du champagne sont expliquées par un audiovisuel, puis la visite des caves qui s'étendent sur 16 kilomètres à 20 m sous terre se fait en nacelle. *Visite guidée (1/2h) 9h-11h45, 14h-17h15 (déc.-fév. : tlj sf mar. et mer.). Fermé 1ᵉʳ janv. et 25 déc. 40F.* ☎ *03 26 84 43 44.*

Mumm

Créée en 1827, cette maison connut de grandes heures au 19ᵉ s. en Europe et en Amérique. Aujourd'hui, elle possède 420 ha de vignes. Ses 25 km de caves se visitent. *Mars-oct. : visite guidée (1h) 9h-11h, 14h-17h ; nov.-fév. : lun.-ven. 9h-11h, 14h-17h, w.-end 14h-17h. Fermé 1ᵉʳ janv. et 25 déc. 25F.* ☎ *03 26 49 59 70.*

Détail du foudre exécuté pour l'exposition de St-Louis du Missouri en 1904.

carnet pratique

Classée Ville d'Art, Reims met à la disposition des visiteurs des guides agréés par les Monuments Historiques.

OÙ DORMIR

VALEUR SÛRE

Porte Mars – 2 pl. de la République - ☎ 03 26 40 28 35 - 24 ch. : 330/400F - ☒ 45F. Bâtisse de 1920 où il fait bon prendre un thé près de la cheminée du petit salon cosy. Un drink dans le cadre raffiné du bar. Et sous la verrière de la salle, son petit-déjeuner gourmand. Joli décor de photos et de glaces anciennes. Chambres confortables et personnalisées.

Hôtel Continental – 93 pl. Drouet-d'Erlon - ☎ 03 26 40 39 35 - fermé 23 au 27 déc. - 50 ch. : 320/610F - ☒ 49F. À l'ombre de la cathédrale, c'est une imposante maison bourgeoise du 19e s. Grand hall ouvrant sur un salon de belle hauteur de plafond, poutré et sculpté, arborant fièrement un lustre d'époque. Chambres confortables, mansardées au dernier étage.

Grand Hôtel du Nord – 75 pl. Drouet-d'Erlon - ☎ 03 26 47 39 03 - fermé 21 déc. au 4 janv. - 50 ch. : 250/320F - ☒ 35F. Chambres confortables et fleuries dans ce bel immeuble de 1920 situé sur une place piétonne. Choisissez les chambres de derrière, plus silencieuses. Et après les balades animées du centre-ville, profitez des salons aménagés aux étages.

Hôtel la Cathédrale – 20 r. Libergier - ☎ 03 26 47 28 46 - 17 ch. : 265/350F - ☒ 40F. Situé dans la grande rue qui mène à la cathédrale, cet hôtel coquet vous réserve un accueil chaleureux. Les petites chambres aux lits capitonnés sont gaies et lumineuses et de jolies gravures anciennes décorent la salle des petits-déjeuners.

OÙ SE RESTAURER

À BON COMPTE

Le Forum – 32-34 pl. du Forum - ☎ 03 26 47 56 87 - fermé 15 au 30 août, vacances de Noël, dim. et lun. soir - 65/130F. Affiches publicitaires des années 1930, jouets anciens, collection d'objets évoquant l'automobile et la moto, l'atmosphère est plaisante dans ce bistrot ! Une adresse sympathique à deux pas de la place Royale.

Continental – 95 pl. Drouet-d'Erlon - ☎ 03 26 47 01 47 - 99/192F. Situé au centre de la cité des sacres, ce restaurant présente une carte classique dans une salle à manger ancienne, avec poutres et boiseries.

VALEUR SÛRE

Café du Palais – 14 pl. Myron-Herrick - ☎ 03 26 47 52 54 - fermé dim. - 110/160F. Près de la cathédrale, l'ambiance est animée dans ce café fondé en 1930. Sous sa verrière d'époque, dans un décor de tentures rouges, les Rémois y apprécient les copieuses salades, les assiettes composées, le plat du jour et les pâtisseries maison. Vous pourrez aussi y boire un verre de champagne à un prix raisonnable.

Brasserie Le Boulingrin – 48 r. Mars - ☎ 03 26 40 96 22 - fermé dim. - 100/150F. Une institution de la vie rémoise que cette brasserie de 1925 meublée Art déco ! Le patron, très présent dans la salle, orchestre le service et l'ambiance avec cordialité. La carte est inventive et les prix attractifs.

Café du Palais.

Vigneron – Pl. P.-Jamot - ☎ 03 26 79 86 86 - fermé 1er au 19 août, 24 déc. au 3 janv., sam. midi, dim. et j. fériés - 175/250F. Ici, le champagne est à la fête ! Sur les murs de la salle chaude et sympathique, un siècle d'affiches de 1850 à 1950 raconte son histoire. Un petit musée expose l'habitat et l'outillage du vigneron. Et bien sûr, la table régionale ne manque pas de bulles !

UNE PETITE FOLIE !

Le Grand Cerf – 51500 Montchenot - 11 km au S de Reims sur N 51 - ☎ 03 26 97 60 07 - fermé 10 au 31 août, vac. de fév., dim. soir et mer. - 255/420F. En bordure de la nationale, cette auberge champenoise abrite une table étoilée. La salle à manger aménagée en véranda est agréable et donne sur une terrasse et un joli jardin.

OÙ BOIRE UN VERRE

Arrigo's Bar – 35 r. Buirette, ☎ 03 26 47 02 27. Lun.-sam. 18h-2h. Ce bar américain de standing est tenu par un Italien. Demandez à jeter un coup d'œil aux somptueux salons de réception Degermann. Spécialités : cocktails et coupes glacées italiennes.

La Chaise au Plafond – 190 av. d'Épernay, ☎ 03 26 06 09 61. Lun.-sam. 7h-20h. Ouvert en 1910, ce bar-tabac est célèbre pour sa chaise restée figée au plafond depuis le 12 septembre 1914, date à laquelle un obus a terminé sa course dans cet établissement. Terrasse en été. Petite cave à cigares cubains.

Hôtel de la Paix – 9 r. Buirette, ☎ 03 26 40 04 08. Ouv. tlj 16h-1h. Le bar de cet hôtel trois étoiles est l'un des lieux favoris des Rémois, à commencer par nombre de viticulteurs et de restaurateurs qui viennent s'y retrouver. La terrasse donne sur un jardin avec piscine. Spécialités : cocktails et champagnes.

Le Baradaz – 79 bd. du Général-Leclerc, ☎ 03 26 47 83 33. Lun.-jeu. 12h-0h30, ven. 12h-1h30, sam.- dim. 7h-1h30. Fréquenté par la jeunesse rémoise branchée, ce bar original a suspendu un immense dragon au-dessus de la tête des consommateurs. Des animations prisées y sont régulièrement organisées : concerts et soirées DJ (rock, jazz, groove).

Détente

L'Apostrophe – *59 pl. Drouet-d'Erlon, ☎ 03 26 79 19 89. Ouv. tlj 8h-1h.* Situé au cœur de la vie nocturne rémoise, cet établissement au décor moderne comprend un bar au rez-de-chaussée et un restaurant à l'étage. Spécialités : bières et cocktails. Concert de variétés le vendredi.

Le César's Club – *17 r. Lesage, ☎ 03 26 88 24 80. Lun.- ven. 12h-3h, sam.-dim. 14h-3h.* Deux ex-champions de France tiennent cette belle salle qui compte 21 billards (snookers, pool, billards français). Tournois tous les lundis soir à 20h. De temps en temps ont lieu des compétitions régionales et des exhibitions.

Où aller danser

L'Aquarium – *93 bd. du Général-Leclerc, ☎ 03 26 47 34 39. Ouv. tlj 22h-4h.* Cette petite discothèque est très appréciée des jeunes Rémois. Programmation musicale éclectique : disco, rock, techno, soul, funk, garage, trip hop.

Douceurs

Fossier – *25 cours Langlet, ☎ 03 26 47 59 84. Lun. 10h-19h, mar.-sam. 9h-19h.* Fondé en 1845, le biscuitier-chocolatier Fossier est la référence en matière de biscuiterie rémoise (biscuits roses et croquignoles).

Visite de caves

Champagne G.H. Mumm & Cie – *29 r. du Champ-de-Mars, 51100 Reims, ☎ 03 26 49 59 70.* Dégustation et vente (pour la visite voir p. suivantes).

Champagne Piper-Heidsieck – *51 bd Henry-Vasnier, 51000 Reims, ☎ 03 26 84 43 44. www.charles-heidsieck.com.* Dégustation et vente (pour la visite voir p. suivantes).

Champagne Pommery – *5 pl. du Général-Gouraud, 51000 Reims ☎ 03 26 61 62 55. www.pommery.fr.* Dégustation et vente (pour la visite voir p. suivantes).

Ruinart – *4 r. Crayères, 51100 Reims 03 26 77 51 51. www.ruinart.com.* Dégustation et vente (pour la visite voir p. suivantes).

Taittinger – *9 pl. Saint-Nicaise, 51100 Reims, ☎ 03 26 85 45 35. www.taittinger.fr.* Dégustation et vente (pour la visite voir p. suivantes).

Veuve Clicquot-Ponsardin – *12 r. Du Temple, 51100 Reims, ☎ 03 26 89 54 41. www.veuve-clicquot.fr.* Dégustation et vente (pour la visite voir p.suivantes).

se promener

CENTRE-VILLE

Visite : 2h. Quitter le parvis de la cathédrale par la rue Rockefeller et prendre à droite la rue Chanzy.
On passe devant le musée des Beaux-Arts, installé dans les bâtiments de l'ancienne abbaye St-Denis (18ᵉ s.). Continuer la rue Chanzy, tourner à gauche dans la rue de Vesle (piétonne), on voit alors un portail qui permettait d'accéder au transept Sud de l'église St-Jacques.
Tourner à droite dans la rue Marx-Dormoy.

Église St-Jacques

Une nef à triforium, d'un style gothique pur (13ᵉ-14ᵉ s.), précède un chœur gothique flamboyant (début 16ᵉ s.) qu'encadrent deux chapelles Renaissance (milieu 16ᵉ s.) à colonnes corinthiennes. Les vitraux non figuratifs, créés dans les ateliers Simon, ont été conçus par Vieira da Silva pour les chapelles latérales et Sima, pour le chœur. *Fermé dim.*

Drouet d'Erlon, général napoléonien.

Place Drouet-d'Erlon

Cette place piétonne où se sont installés cafés, restaurants, hôtels, cinémas, est le centre animé de la ville.
Au niveau de la fontaine Subé, érigée en 1903, prendre à droite la rue de l'Étape jusqu'à la rue de l'Arbalète.

Hôtel de La Salle★

Édifice Renaissance, bâti de 1545 à 1556, où naquit saint Jean-Baptiste de La Salle. Harmonieusement équilibrée, la façade sur rue est scandée de pilastres, doriques au rez-de-chaussée, ioniques à l'étage. Elle est flanquée d'un pavillon d'entrée à porte cochère qu'encadrent des figures représentant Adam et Ève.
Une frise sculptée, très décorative, traverse toute la façade : triglyphes, médaillons, bustes y alternent.

Né à Reims en 1765, dans une famille populaire, Jean-Baptiste Drouet est l'exemple type de ces soldats de l'an II, qui se hissèrent aux plus hauts sommets de la hiérarchie militaire sous l'Empire. En 1849, la ville de Reims lui a élevé une statue et a donné son nom à une place.

REIMS

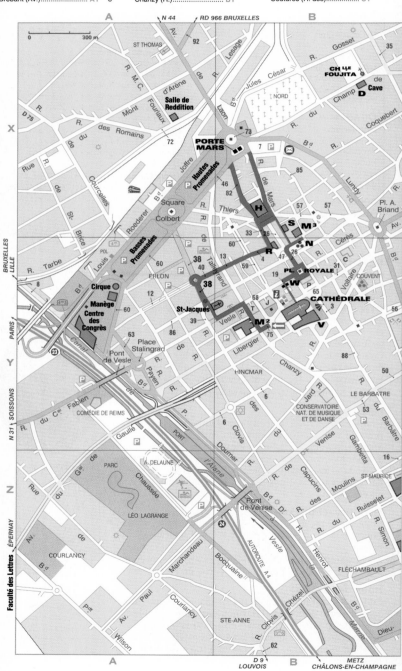

JEAN-BAPTISTE DE LA SALLE

Né en 1651 à Reims, chanoine de la cathédrale en 1667, le jeune Jean-Baptiste appartenait à une riche famille aristocratique qui le destinait à une brillante carrière ecclésiastique. Mais il décide de se consacrer entièrement à l'éducation des pauvres. Il commence par organiser la Communauté des Sœurs du Saint Enfant Jésus. Quelques années plus tard, il fonde sa Communauté des Frères des Écoles chrétiennes, appelée à prendre une immense extension. En 1695, il publie un ouvrage intitulé *La Conduite des écoles*. Jean-Baptiste de La Salle s'éteignit à Rouen en 1719, laissant derrière lui une œuvre considérable dont le laboratoire avait été la région rémoise.

Hôtel de ville

Incendié en 1917, on a pu sauver sa majestueuse façade du début du 17ᵉ s. Beau fronton sculpté d'un bas-relief équestre représentant Louis XIII.

Prendre à gauche la rue du Général-Sarrail.

Basses et Hautes Promenades

AGENDA
À Pâques et à Noël, les Hautes Promenades accueillent la traditionnelle fête foraine.

Ces vastes cours ombragés ont été réalisés au 18ᵉ s. à l'emplacement des fossés et des glacis de l'ancienne enceinte. Les travées latérales permettent le stationnement près du centre-ville. À l'extrémité des Basses Promenades a été placée une superbe grille de fer forgé, érigée en 1774 à l'occasion du sacre de Louis XVI.

Non loin de là, sur le boulevard du Général-Leclerc, s'élèvent deux bâtiments du 19ᵉ s. Réhabilités, le **Cirque** (1 100 places) et le **Manège** (600 places) accueillent diverses manifestations.

Porte Mars★

RECHERCHEZ-LES
Haute de 13,50 m, la porte Mars est percée de trois arches décorées intérieurement de bas-reliefs sculptés, où l'on reconnaît difficilement Jupiter et Léda, Romulus et Rémus.

◄ Arc de triomphe, d'ordre corinthien, érigé en l'honneur d'Auguste, mais postérieur au 3ᵉ s. Au Moyen Âge, il servit de porte aux remparts supprimés au 18ᵉ s.

Prendre la rue de Mars.

Rue de Mars

Au nº 6, la façade est décorée de panneaux de mosaïque illustrant l'élaboration du champagne.

Hôtel des Comtes de Champagne

Cette demeure gothique appartient à la maison Taittinger. À côté se trouvait la maison des Musiciens dont le 1er étage a été reconstitué au musée St-Remi.

Atteindre la place du Forum, ancienne place des Marchés.

Ce panneau en mosaïque illustre le remuage, le dégorgeage et le dosage du champagne.

Cryptoportique gallo-romain

Sur l'emplacement du forum du Reims antique, ce grand monument gallo-romain, semi-souterrain, date du 2ᵉ s. après J.-C. *De mi-juin à mi-sept. : tlj sf lun. 14h-17h. Fermé 14 juil. Gratuit. ☎ 03 26 50 13 74.*

Par la rue Colbert, gagner la place Royale.

Place Royale★

Établie sur les plans de Legendre, en 1760, elle montre les traits distinctifs de l'architecture Louis XVI : arcades, toits à balustres dont les lignes horizontales contrastent avec la silhouette de la cathédrale, à l'arrière-plan. L'ancien hôtel des Fermes, sur le côté Sud, est occupé par la sous-préfecture. La statue de Louis XV par Pigalle, détruite à la Révolution, fut remplacée, sous la Restauration, par une autre de Cartellier.

Prendre à droite la rue Carnot.

Porte du chapitre

Cette porte (16ᵉ s.), avec ses deux tourelles en encorbellement, constituait l'entrée principale de l'enclos canonial.

Un passage sous la porte rejoint la cathédrale.

> **STATUE DE LOUIS XV**
> Le piédestal sur lequel fut fracassée, en 1793, la Sainte Ampoule a conservé les allégories réalisées par Pigalle, où il s'est représenté lui-même en citoyen assis sur des ballots d'étoffe sous la protection du roi vêtu à la romaine.

découvrir

CATHÉDRALE NOTRE-DAME★★★

C'est une des plus grandes cathédrales du monde chrétien par son unité de style, sa statuaire et les souvenirs qui la lient à l'histoire des rois de France.

Édification — Une première cathédrale avait été élevée en 401 par saint Nicaise. Elle fut remplacée au 9ᵉ s. par un édifice plus vaste, détruit lors d'un incendie en 1210. L'archevêque Aubry de Humbert décida alors d'entreprendre la construction d'une cathédrale gothique à l'image de celles qui étaient déjà en chantier (Paris 1163, Soissons 1180 et Chartres 1194). L'élaboration des plans fut confiée au maître Jean d'Orbais et en 1211 la première pierre était posée. En 1285, l'intérieur de la cathédrale était achevé. Les tours s'élevèrent au cours du 15ᵉ s. La construction de quatre autres tours et sept clochers allait être entreprise lorsqu'en 1481 un incendie ravageant les combles arrêta ce projet.

Au 18ᵉ s., la cathédrale souffrit de quelques modifications (suppression du jubé, de vitraux, du labyrinthe) mais passa la Révolution sans grands dommages. Au 19ᵉ s. fut menée une campagne de consolidation et de restauration. Elle s'achevait à peine lorsque la guerre de 1914-1918 frappa la cathédrale de plein fouet. *Parties hautes : de mi-juin à mi-sept. : 10h-11h30, 14h-17h30, dim. 14h-17h30. 25F. S'adresser au palais du Tau.*

Extérieur

L'extérieur de la cathédrale est habité par de nombreuses statues nichées dans chaque recoin. Plus de 2 300 ont été dénombrées, mais certaines, trop abîmées par la guerre et les intempéries, ont dû être déposées et sont exposées au palais du Tau. La plupart furent remplacées par des copies taillées par Georges Saupique et Louis Leygue.

Façade — C'est l'une des plus belles qui soient en France. Elle doit être vue si possible en fin d'après-midi, caressée par le soleil. Les trois portails correspondent aux trois nefs. Ils sont surmontés d'un gâble servant de support au groupe de sculptures qui habituellement se trouve sur le tympan, ici ajouré.

Elles rappellent la sculpture champenoise du 13ᵉ s. : variétés des attitudes, simplicité des vêtements, imitation de la nature.

> **LE DRAME**
> Le 19 septembre 1914, un bombardement mit le feu à la charpente et l'énorme brasier fit fondre les cloches, les plombs des verrières et éclater la pierre. Des obus l'atteignirent tout au long des affrontements, cependant les murs tinrent bon et, à la fin de la guerre, une nouvelle restauration, financée en grande partie par la donation Rockefeller, fut entreprise. L'architecte Henri Deneux conçut alors une charpente en béton ininflammable. En 1937 la cathédrale fut enfin reconsacrée.

> **JUMELLES ?**
> La façade de la cathédrale présente un système d'élévation semblable à celui de Notre-Dame de Paris, mais ses lignes sont magnifiées par le mouvement vertical que créent les tympans, les gâbles et les pinacles aigus, les colonnettes élancées et les gigantesques effigies de la galerie des rois.

Portail central de la cathédrale de Reims : tête de l'ange de l'Annonciation.

Au portail central, consacré à Marie, la *Vierge* au trumeau sourit ; dans les ébrasements de droite : groupes de la *Visitation* et de l'*Annonciation* ; dans ceux de gauche : la *Présentation de Jésus au temple* avec la *Vierge près du vieillard Siméon*, *Saint Joseph* au visage malicieux, portant des colombes ; dans le gâble : *Couronnement de la Vierge par le Christ* (l'original se trouve au palais du Tau). Au-dessus de la rosace et de la scène décrivant le combat de David et Goliath, la galerie des rois compte 56 statues mesurant chacune 4,50 m de haut et pesant 6 à 7 tonnes ; au centre : le baptême de Clovis.

Longer la cathédrale par la gauche.

◄ **Les contreforts** — L'aspect latéral de la nef avec ses contreforts et arcs-boutants a conservé son aspect d'origine, aucune chapelle n'ayant été construite ultérieurement.

Façade du transept Nord — Elle est dotée de trois portails dont la statuaire est plus ancienne que celle de la façade occidentale. Celui de droite provient de l'ancienne cathédrale romane ; le tympan orné d'une *Vierge en majesté* sous une arcade en plein cintre est encadré de beaux entrelacs de feuillages. Le portail du milieu figure, au trumeau, *Saint Calixte pape*. Celui de gauche montre dans les ébrasements six belles statues d'apôtres encadrant le *Beau Dieu* aujourd'hui décapité. Le tympan présente des scènes du *Jugement dernier* aux détails pittoresques. Parmi les damnés du premier registre, on reconnaît un roi, un évêque, un moine, un juge. Au-dessus, les morts se contorsionnent pour sortir de leurs tombes.

Chevet — Du cours Anatole-France s'offre une belle **vue**★ sur le chevet de la cathédrale. La multiplicité des chapelles rayonnantes aux toits surmontés de galeries à arcatures et les deux séries d'arcs-boutants superposées créent une combinaison harmonieuse de volumes.

Intérieur

◄ L'intérieur frappe par son unité, sa sobriété, sa clarté, ses remarquables dimensions avec une longueur totale de 138 m et une hauteur sous voûte de 38 m. L'impression de hauteur, d'élancement, est accentuée par les dimensions de la nef, étroite par rapport à sa longueur, par le tracé des doubleaux formant des arcs très aigus.

La nef s'élève sur trois étages : au-dessus des arcades étayées de piliers cylindriques, un triforium aveugle (qui correspond à l'appui des toitures des bas-côtés) court sous les hautes baies divisées en lancettes par un meneau. Les chapiteaux englobant dans leur pourtour les quatre demi-colonnes engagées dans le pilier sont ornés d'une décoration florale plus ou moins élaborée selon l'étape de la construction. Les plus anciens (en partant du chœur) dessinent des feuilles d'acanthe

---

CATHÉDRALE DES ANGES
C'est le surnom donné à Notre-Dame de Reims car les contreforts sont surmontés de niches abritant chacune un grand ange aux ailes déployées. N'oublions pas l'Ange au sourire *(portail de gauche, le dernier à gauche)*.

À L'HEURE
La cathédrale a conservé une **horloge astronomique** du 15ᵉ s. Chaque heure déclenche deux cortèges de figurines : l'Adoration des Mages et La fuite en Égypte.

traitées en crochet, des monstres et même deux vignerons portant un panier de raisin *(6ᵉ pilier de la nef à droite)*. Les plus récents illustrent avec fidélité et délicatesse la flore locale.

Le chœur ne compte que deux travées mais la partie réservée au culte déborde très largement sur la nef (de 3 travées) : le déroulement des sacres et l'importance du chapitre exigeaient un vaste espace. Autrefois un jubé le clôturait qui servait d'élévation pour le trône royal. Les piliers du chœur diminuent de section et se resserrent à chaque travée, accentuant l'effet d'élévation. Les chapelles rayonnantes qui s'ouvrent sur le déambulatoire sont reliées entre elles par un passage, à la base des ouvertures, très typique de l'architecture champenoise.

Le **revers du portail central** est le mieux conservé. À gauche se déroule la *Vie de la Vierge* : 2ᵉ registre : *L'archange Gabriel annonce à Anne et Joachim la naissance de Marie*, 3ᵉ registre : *les deux époux se rencontrent à la Porte Dorée* ; 4ᵉ registre : *Isaïe présente la crèche* ; 5ᵉ et 6ᵉ registres : *Le massacre des Innocents* ; dernier registre : *La fuite en Égypte*. À droite est représentée la vie de saint Jean Baptiste. En bas, la *Communion du Chevalier*, en habits du 13ᵉ s., figure Melchisédech offrant le pain et le vin à Abraham

Au-dessus, la grande rose (12 m de diamètre) surmonte le triforium qui découpe ses arcatures sur des verrières de même forme. Au-dessous, dans le revers du portail dont le tympan est ajouré, s'inscrit une rose plus petite.

Les vitraux★★ — Ils datent du 13ᵉ s. et ont beaucoup souffert : certains furent remplacés par du verre blanc au 18ᵉ s., d'autres furent détruits pendant la guerre de 1914-1918. Il subsiste ceux de l'abside représentant au centre Henri de Braine le donateur *(partie inférieure de la lancette de droite)* et de part et d'autre les évêques suffragants dépendant de l'archevêque de Reims avec leur église : Soissons, Beauvais, Noyon, Laon, Tournai, Châlons, Senlis, Amiens et Thérouanne.

La grande rosace de la façade, chef-d'œuvre du 13ᵉ s., est dédiée à la Vierge : au centre la *Dormition* et dans les corolles qui l'entourent les apôtres, puis des anges musiciens. Il faut l'admirer en fin d'après-midi quand les rayons du soleil la traversent.

Les maîtres verriers Simon travaillent depuis plusieurs générations à la restauration des verrières. Jacques Simon a refait entre autres les vitraux des Vignerons (**a**). Sa fille Brigitte Simon-Marcq a exécuté une série de verrières abstraites dont celle intitulée les eaux du Jourdain à droite des fonts baptismaux (**b**) *(transept sud)*. Depuis 1974, la chapelle absidale (**c**) est ornée de vitraux de Chagall qui frappent par leur dominante bleue et par leur luminosité. Dessinés par l'artiste, ils furent réalisés par les ateliers Simon. Au vitrail central, le sacrifice d'Abraham *(à gauche)* fait pendant au sacrifice de la croix *(à droite)*. La fenêtre de gauche figure l'arbre de Jessé et celle de droite évoque les grands moments de la cathédrale : baptême de Clovis, sacre de Saint Louis.

> **RETOURNEZ-VOUS !**
> Le **revers de la façade**★★, œuvre de Gaucher de Reims, est unique dans l'histoire de l'architecture gothique. Le mur est creusé de niches dans lesquelles ont été sculptées des statues. Les différents registres sont séparés par une luxuriante décoration florale, évoquant celle des chapiteaux de la nef.

De nombreuses gargouilles ornent la cathédrale de Reims.

CHEVET

c

Déambulatoire

Chapelle
palatine

3

Trésor

2

4

5

Salle du Tau
1

6

Chœur

TRANSEPT

a

Sacristie

d

★★ PALAIS DU TAU
(NIVEAU HAUT)

7

★★★ **CATHÉDRALE**

b

8

9

N

10

NEF

11

vers rez-de-chaussée

e

Parties hautes

FAÇADE

Place   du   Cardinal   Luçon

Rue   Robert   de   Coucy

Rue   du   Cardinal   de   Lorraine

0   20 m

visiter

Palais du Tau★★

◀ Il abrite le trésor de la cathédrale et une partie de la statuaire originale. Le palais des archevêques de Reims existe à cet emplacement depuis 1138. Le bâtiment actuel fut construit en 1690 par Robert de Cotte et Mansart, et conserve une chapelle palatine du 13ᵉ s. et la salle du Tau. Il fut très abîmé par l'incendie du 19 septembre 1914 et sa restauration fut très longue.

Accès par le bras droit du transept de la cathédrale. Dans la salle basse, une exposition montre l'évolution du site de la cathédrale et du quartier canonial disparu (carreaux de pavement, arcades du cloître du chapitre et chapiteaux). De cette salle, on voit le dépôt lapidaire dans la chapelle basse (éléments du jubé). *De mi-mars à mi-nov. : 9h30-12h30, 14h-18h ; de mi-nov. à mi-mars : 10h-12h, 14h-17h, w.-end 10h-12h, 14h-18h. Fermé 1ᵉʳ janv., 1ᵉʳ mai, 1ᵉʳ et 11 nov., 25 déc. 32F (-12ans : gratuit). ☎ 03 26 47 81 79.*

Emprunter les escaliers pour gagner le niveau haut et traverser la salle du Goliath.

La **salle du Tau** (**1**) servait de cadre au festin qui suivait le sacre. Toute tendue d'étoffes fleurdelisées, en partie dissimulées par deux immenses tapisseries d'Arras du 15ᵉ s. qui célèbrent l'histoire de Clovis, elle est couverte d'une belle voûte en carène. L'histoire et les fonctions du palais ainsi que les cérémonies des sacres des rois de France y sont évoquées.

D'OÙ VIENT CE NOM ?
Le palais reçut ce curieux nom de Tau en raison de son plan en forme de T, évoquant les premières crosses épiscopales. Plus tard, son nom passa à la grande salle édifiée à la fin du 15ᵉ s.

Reliquaire de Ste-Ursule, délicat vaisseau de cornaline décoré de statuettes émaillées en 1505.

Le **trésor** (**2**) est disposé dans deux chambres : celle de gauche renferme des présents royaux très rares préservés à la Révolution : le talisman de Charlemagne du 9ᵉ s. qui contient un fragment de la Vraie Croix ; le calice du sacre, coupe du 12ᵉ s. ; le reliquaire de la Sainte Épine, taillé dans un cristal du 11ᵉ s. ; le reliquaire de la Résurrection du 15ᵉ s. ; le reliquaire de sainte Ursule, délicat vaisseau de cornaline décoré de statuettes émaillées en 1505.

La chambre de droite abrite les ornements du sacre de Charles X : le reliquaire de la Sainte Ampoule ; un grand vase d'offrande et deux pains d'or et d'argent, le collier de l'ordre du Saint-Esprit porté par Louis-Philippe, une copie de la couronne de Louis XV.

La **chapelle** (**3**), au portail surmonté d'une *Adoration des Mages*, fut élevée de 1215 à 1235. Elle a reçu comme garniture d'autel la croix et les six chandeliers de vermeil réalisés pour le mariage de Napoléon avec Marie-Louise.

La **salle Charles X (4)** évoque le sacre de 1825. Le manteau royal et les vêtements portés par les hérauts d'armes y sont exposés ainsi qu'un tableau de *Charles X en habit royal* par Gérard.

De l'antichambre des **appartements du roi** (**5**) où est évoquée la restauration des sculptures de la cathédrale, on accède au musée de l'œuvre de la cathédrale.

Dans la **salle du Goliath** (**6**) sont exposées les statues monumentales de saint Paul, saint Jacques, de Goliath, géant de 5,40 m en cotte de mailles, de la *Synagogue* aux yeux bandés et de l'*Église*, très endommagée par un obus.

La **salle des petites sculptures** (**7**) abrite de précieuses têtes finement bouclées provenant des portails du bras Nord du transept et du portail de la Passion de la cathédrale, les statues d'Abraham et de Aaron *(portail Sud)*, deux anges aptères et la tenture de l'histoire de Clovis (la bataille de Tolbiac), Bruxelles 17ᵉ s.

Dans la **salle du Cantique des Cantiques** (**8**), remarquer quatre œuvres précieuses de laine et de soie brodées à l'aiguille (17ᵉ s).

Le **salon carré** (**9**) est orné de tapisseries du 17ᵉ s. représentant des scènes de l'Enfance du Christ, six pièces tissées à Reims. Deux grandes statues de la *Madeleine* et de *Saint Pierre* proviennent de la façade occidentale.

La **salle du roi de Juda** (**10**) contient de grandes statues dont celle de Juda (14ᵉ s., galerie des rois), d'où son nom, trois tapisseries de l'*histoire de la Vie de la Vierge* et la partie supérieure d'un ange faisant partie d'une série composée de sept anges visibles à travers la fenêtre.

Neuf autres pièces de cette tenture se trouvent dans la **galerie du couronnement de la vierge** (**11**) ainsi que trois rois du bras Nord du transept et trois rois du bras Sud et la statue de pèlerin d'Emmaüs qui se trouvait à droite de la grande rose à 27 m du sol.

Basilique St-Remi★★

En 533, saint Remi fut inhumé dans une petite chapelle dédiée à saint Christophe. Mais, peu de temps après, une basilique était édifiée. Dans la seconde moitié du 8ᵉ s., une communauté bénédictine s'installa à la demande de l'archevêque Tilpin : l'abbaye St-Remi était née. En 852, une église nouvelle fut consacrée tandis que les reliques du saint étaient transférées dans une nouvelle châsse. La construction de la basilique actuelle débuta en 1007, mais le projet trop grandiose de l'abbé Airard fut abandonné par son successeur l'abbé Thierry (1035-1044). Celui-ci entreprit la démolition de l'église carolingienne, fit élever les murs et construire le chœur au-dessus de la tombe de saint Remi. C'est sous l'abbé Hérimar que les travaux se terminèrent par le transept et la couverture charpentée. Les 1ᵉʳ et 2 octobre 1049, l'église fut consacrée solennellement par le pape Léon IX.

AVANT DE PARTIR
Voir le *Couronnement de la Vierge* (**e**) provenant du gâble du portail central en haut de l'escalier et sur le perron, dans la cour, l'ange-girouette du 15ᵉ s. (**d**) déposé en 1860.

REMARQUER
La « couronne de lumière » percée de 96 jours symbolisant les 96 années de la vie de saint Remi, copie de celle détruite à la Révolution. Derrière l'autel, le tombeau de saint Remi a été réédifié en 1847 : cependant, les statues des niches proviennent du tombeau antérieur et sont du 17ᵉ s. ; elles figurent saint Remi, Clovis et les douze pairs qui participaient au sacre.

La basilique St-Rémi domine, aujourd'hui, un quartier moderne.

Une nouvelle campagne intervint sous la direction de l'abbé Pierre de Celles, de 1162 à 1181. Le porche du siècle précédent fut abattu et remplacé par une façade et une double travée gothiques ; puis ce fut au tour du chœur, auquel on substitua un nouveau chœur gothique à déambulatoire. La façade du croisillon droit du transept a été refaite de 1490 à 1515 sur l'initiative de Robert de Lenoncourt qui fut abbé de St-Remi avant d'être titulaire de l'archevêché : une statue de saint Michel surmonte le pignon. Enfin, la nef fut couverte par une voûte d'ogives. St-Remi avait donc acquis son aspect actuel. Quelques transformations minimes eurent lieu aux 16e et 17e s.

Transformée en magasin de fourrages sous la Révolution, la basilique fut restaurée au 19e s. et après la guerre de 1914-1918 qui l'endommagea gravement. De nombreux archevêques de Reims et les premiers rois de France y furent inhumés ; la Sainte Ampoule y était conservée.

Intérieur★★★ — Les dimensions de la basilique, longue de 122 m pour une largeur de 26 m seulement, font que le visiteur ressent une impression d'infini, renforcée par la pénombre régnant dans la nef. D'une architecture sobre (11e s.), la nef comporte onze travées à arcades en plein cintre que supportent des colonnes à chapiteaux sculptés d'animaux ou de feuillages. Entouré d'une clôture du 17e s., d'esprit encore Renaissance, le chœur gothique à quatre étages, d'une structure harmonieuse et légère, est éclairé par des baies qui gardent leurs vitraux du 12e s., représentant la Crucifixion, des apôtres, des prophètes et les archevêques de Reims.

Au pourtour du chœur flanqué d'un double collatéral, d'élégantes colonnades séparent le déambulatoire des chapelles rayonnantes selon une disposition qui a fait école en Champagne. Les chapelles présentent des chapiteaux ayant partiellement conservé leur polychromie d'origine et des statues des 13e et 18e s.

Dans la 1re travée du bas-côté gauche, 45 dalles à incrustations de plomb dessinant des scènes bibliques (13e s.) proviennent de l'ancienne abbaye St-Nicaise.

Musée St-Remi★★

Il est installé dans l'ancienne abbaye royale St-Remi, très bel ensemble de bâtiments des 17e et 18e s. conservant quelques parties de l'abbaye médiévale comme le Parloir du 13e s. et la salle capitulaire.

Il présente les collections d'art rémois des origines à la fin du Moyen Âge. Deux exceptions cependant : la section d'histoire militaire et les tapisseries de St-Remi.

On pénètre dans une cour d'honneur donnant accès à un bâtiment à la majestueuse façade Louis XVI.

Le cloître, élevé en 1709, sur les plans de Jean Bonhomme, est adossé à la basilique dont les arcs-boutants s'imbriquent dans l'une des galeries.

Les anciens réfectoires et la cuisine du 17e s. abritent les collections archéologiques gallo-romaines faisant revivre la ville antique de Reims, Durocortorum. On y remarquera quelques belles mosaïques dont le gladiateur Thrace, un grand plan-relief au 1/2 000 et le **tombeau de Jovin★**, magnifique sarcophage romain des 3e et 4e s.

À gauche de l'escalier, trois petites salles sont consacrées à l'histoire du site de l'abbaye : éléments de sculptures du tombeau de l'archevêque Hincmar, exceptionnelle tête en pierre polychrome du roi Lothaire (vers 1140), pied du candélabre en bronze de saint Remi (12e s.), beaux émaux limousins (17e s.) représentant la vie des saints Timothée, Apollinaire et Maur.

De l'ancienne abbaye médiévale, il reste la salle capitulaire, ornée d'une magnifique série de petits chapiteaux romans.

Un circuit d'archéologie régionale se développe autour du cloître. Du paléolithique au néolithique : important outillage, mobilier funéraire des marais de St-Gond, près de Sézanne, illustrés par de nombreuses maquettes.

La période protohistorique est représentée par de nombreuses pièces du département de la Marne, depuis l'âge du bronze jusqu'à la Tène finale et la conquête romaine : objets découverts dans de riches tombes.

Deux ensembles monumentaux : un enduit peint du 3ᵉ s. de Boult-sur-Suippe ayant pour thème le mythe de la mort d'Adonis et les vestiges lapidaires d'un cénotaphe élevé par les Rèmes à la mémoire de Caïus et Lucius, fils adoptifs d'Auguste morts prématurément.

Dans la galerie des arcs-boutants sont exposés des objets issus des saisies révolutionnaires : bâton pastoral de saint Gibrien, triptyque de la Vierge, en ivoire, du 14ᵉ s. Dans la galerie suivante, on peut suivre l'évolution de la sculpture médiévale du 11ᵉ au 16ᵉ s. : tympan sculpté de personnages pleins de grâce, console en bois représentant Samson et le lion.

La salle gothique présente les vestiges de monuments civils et religieux rémois disparus : éléments sculptés de l'église St-Nicaise disparue au 18ᵉ s., mais surtout reconstruction du 1ᵉʳ étage de la façade de la « maison des Musiciens » (13ᵉ s.) ornée de cinq statues.

Section d'histoire militaire — Dans une grande salle, de nombreux uniformes, équipements, armes blanches et à feu, documents, rappellent les faits marquants de l'histoire militaire de la cité. *14h-18h30, w.-end 14h-19h. Fermé 1ᵉʳ janv., 1ᵉʳ mai, 14 juil., 1ᵉʳ et 11 nov., 25 déc. 10F.* ☎ *03 26 85 23 36.*

▶

> **ÉPIQUE**
> Tableau d'Édouard
> Detaille : *La Charge du 9ᵉ cuirassier à Morsbronn.*

Musée des Beaux-Arts★

Il occupe les bâtiments de l'ancienne abbaye St-Denis (18ᵉ s.) dont l'église a disparu au temps de la Révolution. Il présente des collections d'art de la Renaissance à l'époque contemporaine.

Au rez-de-chaussée sont exposés :

— 13 portraits (16ᵉ s.) de princes allemands, dessins rehaussés de gouache et d'huile, d'un extraordinaire réalisme, par **Cranach l'Ancien** et **Cranach le Jeune** ;

— 26 paysages de **Corot** (1796-1875) ainsi qu'une étude de jeune italien assis exécutée à Rome en 1826 ;

— des céramiques présentant la production des plus importantes fabriques françaises et étrangères et quelques sculptures de l'artiste rémois René de Saint-Marceaux (1845-1915).

À l'étage, dans la première salle figurent de curieuses toiles peintes en grisaille, rehaussée de couleurs, dont l'exécution s'échelonne sur les 15ᵉ et 16ᵉ s. et qui comprennent quatre séries de scènes fourmillant de détails pittoresques : *Les Apôtres, La Vengeance de Jésus-Christ* et *La Passion de Jésus-Christ*. Elles servaient peut-être de décor pour les mystères ou sur le passage du roi de St-Remi à la cathédrale lors du sacre.

Portrait de Sibylle de Clèves (1512-1554), électrice de Saxe, peint par Cranach l'Ancien (musée St-Denis à Reims).

Les salles suivantes, présentées chronologiquement, sont consacrées principalement à la peinture française, du 17e s. à nos jours. *Tlj sf mar. 10h-12h, 14h-18h. Fermé 1er janv., 1er mai, 14 juil., 1er et 11 nov., 25 déc. 10F.* ☎ *03 26 47 28 44.*

Musée-hôtel-le-Vergeur★

L'hôtel Le Vergeur (13e, 15e et 16e s.) présente une façade à soubassements de pierre, à bâti de pans de bois et pignons débordants. Une aile en retour, donnant sur le jardin, a été ajoutée à la Renaissance : intéressante frise sculptée de scènes guerrières.

La grande salle gothique du 13e s. et son étage supérieur abritent des peintures, gravures et plans concernant l'histoire de Reims et les fastes des sacres.

◄ Les appartements sont ornés de boiseries, de meubles anciens ; leur décor raffiné évoque la vie quotidienne du baron rémois Hugues Krafft, mécène qui vécut là jusqu'à sa mort en 1935 et fit don de cet hôtel et de ses biens aux Amis du Vieux Reims. *Visite guidée (1h) tlj sf lun. 14h-18h. Fermé entre Noël et Jour de l'an, 1er mai, 14 juil., 1er nov. 20F.* ☎ *03 26 47 20 75.*

> **EXCEPTIONNELLE**
> La collection de gravures de **Dürer**★ parmi lesquelles les séries de l'Apocalypse et de la Grande Passion, est exposée dans un des salons du musée-hôtel-le-Vergeur.

Ancien collège des Jésuites

En 1606, Henri IV donna aux jésuites l'autorisation de fonder un collège à Reims. Ils firent alors édifier (1617-1678) la chapelle qui donne sur la place Museux et les bâtiments qui entourent la cour. Sur l'un des murs, un pied de vigne tricentenaire, ramené de Palestine par les pères jésuites, fournit toujours sa récolte annuelle.

La visite permet de découvrir le réfectoire, orné de boiseries du 17e s. et de peintures de Jean Helart retraçant les vies de saint Ignace de Loyola et de saint François-Xavier. Au milieu de la salle, le plateau de la table, taillé dans une unique planche de chêne, porte le rébus de Jean Godart (JGO et un « dard ») ; une ◄ branche du même arbre a servi pour fabriquer la table du bureau du procureur, à l'étage.

> **C**e riche décor sculpté, aux teintes sombres et chaudes, a servi pour le film de Patrice Chéreau, *La Reine Margot* avec Isabelle Adjani.

Un escalier d'honneur d'inspiration Renaissance mène à la **bibliothèque**★, caverne de boiseries baroques de style Louis XIV. Elle a été évacuée à Paris durant la Première Guerre mondiale. La visite des souterrains comprend un cellier du 17e s., une galerie du 12e et une galerie gallo-romaine. *Visite guidée (3/4h) tlj sf mar. matin à 10h, 11h, 14h15, 15h30, 16h45, w.-end à 14h15, 15h30, 16h45. Fermé 1er janv., 1er mai, 14 juil., 1er et 11 nov., 25 déc. 10F.* ☎ *03 26 85 51 50.*

Planétarium et horloge astronomique

◄ Ils se trouvent au sein de l'ancien collège des Jésuites. Le planétarium peut restituer la voûte céleste à n'importe quelle date et sous n'importe quelle latitude. Les séances proposées vont de la simple découverte du ciel étoilé jusqu'à l'explication détaillée des lois qui régissent notre univers. ♿ *W.-end et vac. scol. zone B : séance à 14h45, 15h30, 16h45 (se présenter 1/4h av.) ; déc.-janv. : présentation de la séance L'Étoile des rois mages à 14h15, 15h30, 16h45. Fermé 1er janv., 1er mai, 14 juil., 1er et 11 nov., 25 déc. 10F.* ☎ *03 26 85 51 50.*

> **L**'horloge astronomique est l'œuvre du Rémois Jean Legros qui travailla de 1930 à 1952 à la mise au point de ce « rêve mécanique ».

Chapelle Foujita★

Conçue et décorée par **Léonard Foujita** (1886-1968), cette chapelle, due au mécénat de la maison Mumm et inaugurée en 1966, commémore l'illumination mystique ressentie en la basilique St-Remi par ce peintre japonais de l'École de Paris, baptisé dans la cathédrale.

◄ L'intérieur est orné de vitraux et de fresques stylisées, représentant des scènes de l'*Ancien* et du *Nouveau Testament*. Au revers de la façade, dans la *Crucifixion*, le

> **OÙ SE CACHE-T-IL ?**
> Chercher Foujita qui s'est représenté à droite dans la foule massée au pied de la croix.

Citroën, type A, 1919,
carosserie Torpedo,
1er modèle fabriqué
par André Citroën.

peintre a mis face à face la *Vierge jeune mère* et la
Vierge de Douleurs tout en noir. *De mai à fin oct. : tlj sf
mer. 14h-18h. Fermé 1er mai et 14 juil. 10F.* ☎ *03 26 47
28 44.*

Salle de Reddition
Eisenhower avait choisi ce collège technique et
moderne comme GQG à la fin de la Seconde Guerre
mondiale. La capitulation allemande y fut signée, le
7 mai 1945, dans la Salle de la Signature qui a
conservé son aspect d'alors avec ses cartes. ♿ *Tlj sf
mar. 10h-12h, 14h-18h. Fermé 1er janv., 1er mai, 14 juil.,
1er et 11 nov., 25 déc. 10F.* ☎ *03 26 47 84 19.*

Musée automobile de Reims-Champagne
Créé en 1985 par Philippe Charbonneaux, styliste en
automobile à qui l'on doit les lignes des R8 et R16, il
abrite 100 véhicules dont de grandes marques telles
Delahaye, Salmson, Porsche, Jaguar ou encore une
limousine Sizaire-Berwick 1919, un coupé Messier
1929. Des autos miniatures, voitures à pédales et
affiches complètent la collection. ♿ *Tlj sf mar.
10h-12h, 14h-18h. 35F (enf. : 15F).* ☎ *03 26 82 83 84.*

alentours

Fort de la Pompelle *(9 km au Sud-Est)*
Quitter Reims par l'avenue H. Farman.
La masse informe et blanchâtre du fort couronne une
butte s'élevant à 120 m d'altitude. Cet ouvrage fut
construit de 1880 à 1883 pour renforcer la ceinture
des huit forts élevés en 1875 pour la défense de
Reims. Il fut constamment l'objectif des Allemands qui
l'occupèrent du 4 au 23 septembre 1914 puis, chassés,
l'attaquèrent à de multiples reprises, au cours de la
bataille de Champagne. La résistance de la Pompelle
permit les deux victoires de la Marne.
Les galeries abritent des souvenirs de la Première
Guerre mondiale dont une **collection de casques allemands**★ : casques à pointe à boule (artilleur), coiffures
coloniales des troupes d'Empire, colbacks fourrés des

> **BALADE**
> On peut faire le tour du
> fort d'où sont visibles
> les tranchées et les
> casemates, côté Sud.

hussards ; certains arborent le lion des Reiters (cavaliers) saxons ou l'aigle des cuirassiers de la garde impériale. *Tlj sf mar. 10h-17h (avr.-oct. : fermeture à 19h). Fermé 1er janv., 1er nov., 25 déc. 20F.* ☎ *03 26 49 11 85.*

circuit

MASSIF DE ST-THIERRY

50 km — 1h1/2. Quitter Reims par l'avenue de Laon, N 44 ; après la Neuvillette, prendre la 1re route à gauche (D 26).
La D 26 gravit les pentes du massif de St-Thierry, avancée de la falaise de l'Île-de-France, analogue à la Montagne de Reims, mais avec moins de vignes, plus de bois. Cette région est riche en modestes églises romanes précédées d'un porche.

St-Thierry
Ce village, sur les hauteurs dominant la plaine de Reims, possède une église du 12e s. à porche.

Église — L'édifice s'ouvre par une galerie couverte d'un toit et adossée à la façade. Des colonnettes ornées de chapiteaux à feuillages portent de chaque côté quatre arcades romanes. Derrière le porche, une tour à trois étages s'élève, percée de plusieurs baies. L'intérieur est très sobre : une nef charpentée, deux bas-côtés, un chœur voûté en plein cintre terminé par une abside et deux absidioles en cul-de-four.

Monseigneur de Talleyrand, archevêque de Reims et oncle du célèbre ministre, fit construire sous Louis XVI un **château** à l'emplacement d'une abbaye fondée au 6e s. par saint Thierry. De l'ancien monastère subsistent les cinq piliers romans de la salle capitulaire du 12e s. Cette salle est devenue l'oratoire du monastère actuel.

Chenay
Vues en direction de la Montagne de Reims.

À Trigny, prendre à droite la D 530.
On traverse une région sablonneuse, productrice d'asperges et de fraises.

Hermonville
Église — Un imposant porche à arcatures occupe toute la largeur de la façade de l'église (fin 12e s.) dans laquelle on entre par un beau portail à imposte de bois et niche abritant une Vierge du 18e s. L'intérieur est d'un style gothique primitif très homogène que fait ressortir davantage encore un autel à baldaquin du 18e s.

Poursuivre par la D 30 qui franchit le faîte du massif. À Bouvancourt, tourner à gauche dans la D 375.

Peu avant d'arriver à Pévy, charmante vue plongeante sur le village et, au-delà, sur la vallée de la Vesle.

Pévy
Ce village niché au creux de son vallon possède une intéressante église.

Église — La nef romane contraste avec le haut chœur gothique que coiffe un clocher en bâtière ; à l'intérieur, fonts baptismaux romans et retable en pierre (16e s.) relatif à saint Jean Baptiste.

Descendre par la D 75 jusqu'au niveau de la Vesle qu'il faut franchir à Jonchery ; revenir à Reims par la N 31.

Rethel

Un site plaisant sur les bords de l'Aisne et du canal des Ardennes... Rethel est véritablement un endroit agréable pour se poser, celui pour les littéraires de relire quelques vers de Verlaine qui y fut professeur puis fermier, celui pour les gastronomes d'y goûter son boudin blanc de grande renommée.

La situation

Cartes Michelin n°ˢ 56 pli 7 ou 241 pli 13 — Ardennes (08). Sur la N 51 entre Reims et Charleville-Mézières. ⋆ *mairie, 08300 Rethel, ☎ 03 24 39 51 45.*

Le nom

Le duché fut vendu en 1663 au mari d'Hortense Mancini, nièce de Mazarin qui le paya avec une dot du cardinal, sous condition que le fief portât le nom de Mazarin. Voilà comment Rethel s'appela Mazarin de 1663 à la Révolution.

Les gens

7 923 Rethelois. Le célèbre éditeur **Louis Hachette** y est né en 1800. Qui n'a pris le train a, un jour ou l'autre, acheté un journal, un livre, ou un paquet de chewing-gum dans un des innombrables Relais H qui fleurissent dans les gares françaises.

SPÉCIALITÉ GASTRONOMIQUE : LE BOUDIN BLANC

Ne quittez pas Rethel sans avoir goûté son fameux boudin blanc, réalisé à partir de viande fraîche de porc de premier choix et sans conservateur. Le boudin blanc a reçu la marque Ardennes de France, label d'excellence garantissant la qualité du produit. Il est préparé sous différentes formes : en portion, en brioche, petits boudins destinés aux cocktails, au barbecue ou aux brochettes, crêpes farcies au boudin.
Une foire au boudin blanc a lieu chaque année le dernier week-end d'avril.

Boudin blanc, l'une des spécialités de la gastronomie ardennaise.

visiter

Église St-Nicolas

L'église occupe une position dominante sur une colline ▶ qui fait face à celle qui portait le château. L'église de gauche des 12ᵉ-13ᵉ s. a été revoûtée au début du 16ᵉ s. ; elle était affectée aux moines d'un prieuré bénédictin dépendant de l'abbaye St-Remi de Reims. L'église de droite (15ᵉ-16ᵉ s.) servait à la paroisse. Toute l'exubérance du gothique flamboyant s'exprime sur un portail terminé en 1511 : remarquer, au trumeau, la statue de saint Nicolas et, au pignon, une *Assomption* qui semble inspirée du célèbre *Couronnement de la Vierge* de la cathédrale de Reims. *Juil.-août : 14h30-17h30 ; sept.-juin : s'adresser au presbytère.* ☎ *03 24 38 41 50.*

ORIGINAL
Cet édifice gothique comprend, en fait, deux sanctuaires juxtaposés auxquels s'ajoute, hors œuvre, une tour imposante.

alentours

Asfeld *(22 km au Sud-Ouest par les D 18 puis D 926)*
Sur la rive gauche de l'Aisne, ce village, ancien fief des comtes d'Avaux, fut doté par Jean-Jacques de Mesmes d'une très curieuse église baroque.

Église St-Didier★ — Elle fut élevée en 1683 sur les plans ▶ du père dominicain François Romain qui avait construit le Pont-Royal à Paris. Bâtie en brique, elle a la forme d'une viole avec son vestibule menant à une rotonde

RACCOURCIS
Des passages, appelés tournelles, permettent de faire le tour de l'église sans la traverser.

Détail des toits de l'église St-Didier à Asfeld.

couverte d'une coupole aplatie et cantonnée de quatre chapelles. À l'extérieur, une colonnade de briques raccorde le péristyle ovale à la rotonde.

À l'intérieur, de grosses colonnes soutiennent le dôme de la coupole, tandis qu'à l'étage de petites ornent les tribunes et courent autour de l'édifice.

Juniville *(15 km au Sud de Rethel)*

Après avoir été professeur à Rethel où il se prend d'affection pour un de ses élèves, Lucien Létinois, le poète **Verlaine** (1844-1896) s'installe dans ce village en tant que fermier de 1880 à 1882. L'ancienne auberge Au Lion d'Or qu'il avait l'habitude de fréquenter a été transformée en musée.

Musée Verlaine — *Se renseigner pour les horaires. 20F.* ☎ *03 26 55 23 40.*

Il est reconstitué avec des meubles d'époque ; des documents évoquent sa vie et son œuvre. C'est ici que Verlaine fit éditer *Sagesse.*

Hagnicourt *(27 km au Nord-Est par la N 51)*

Hagnicourt se cache au plus profond des **Crêtes,** région accidentée à vocation pastorale, qui sépare la vallée de la Meuse de celle de l'Aisne. Il occupe un **site** bucolique au creux d'un vallon étroit, dont les pentes tapissées de prairies sont coiffées de bois.

Au milieu du vallon, l'**église** (15ᵉ s.) est posée sur une éminence boisée. Un parc touffu entoure le **château d'Harzillemont,** des 16ᵉ-18ᵉ s. (terrain militaire).

circuit

LE PORCIEN *(42 km — environ 2h).*

Il doit son nom à un petit port sur l'Aisne, appelé depuis Château-Porcien. C'est une région argileuse entre la vallée de l'Aisne et la dépression subardennaise. Les paysages sont tantôt vallonnés, tantôt immenses et plats.

Quitter Rethel au Nord-Est par la N 51.

Novy-Chevrières

Vestige d'un des nombreux prieurés établis par l'abbaye de la Sauve-Majeur près de Bordeaux, l'église Notre-Dame (17ᵉ s.) est imposante par son architecture.

Poursuivre la N 51.

Remarquez le buffet d'orgues orné d'anges et de panneaux représentant des instruments de musique ainsi que la chaire en bois sculpté du 18ᵉ s.

Saulces-Monclin

Dans le cimetière où repose le romancier Jean-Paul Vaillant, auteur de *Majacotte* (histoire d'un cloutier ardennais), la chapelle du 13ᵉ s. est précédée d'un porche en charpente en bois.

Prendre la D 8.

On traverse **Novion-Porcien,** ancienne capitale du Porcien, située dans le vallon verdoyant du Plumion. C'était le passage de la voie romaine Reims-Cologne.

Continuer la D 8 vers Wasigny.

Wasigny

À l'entrée du village, le château (16ᵉ-17ᵉ s.) occupe un site plaisant auprès de la rivière.

Prendre au Sud de Wasigny la D 10 vers Sery.

Sery

Les Romains construisirent un camp sur des levées de terre dénommées monts de Sery formant un paysage vallonné. Un sentier botanique balisé (3 km) permet de découvrir la richesse de la flore : orchidées, plantes et arbustes typiques des savarts (endroit où paissaient les moutons).

Regagner Rethel par la D 10 qui traverse **Sorbon**, village natal de Robert de Sorbon, théologien fondateur de la Sorbonne en 1257.

Cette belle halle du 15ᵉ s. est située au centre de Wasigny.

Revin

À vous de choisir ! Des deux méandres presque fermés de la Meuse et creusés dans le massif ardennais, le méandre Nord porte la ville ancienne et son église du 18ᵉ s., le méandre Sud est le fief des usines spécialisées dans les appareils ménagers et les articles sanitaires ! Si vous ne souhaitez pas vous perdre dans les méandres d'un dilemme cornélien, joignez l'utile à l'agréable...

La situation

Cartes Michelin nᵒˢ 53 pli 18 ou 241 pli 6 — Ardennes (08). Revin est dominé par le mont « Malgré Tout » d'où l'on a une vue sur la forêt des Ardennes.
🛈 *17 r. Victor-Hugo, 08500 Revin, ☎ 03 24 40 19 59.*

Le nom
Ruivinium. Ce serait peut-être le nom d'un homme germanique rug-win...

Les gens
9 371 Revinois. Georges Sand qui visita Revin en 1869 fut tellement charmée par ce site grandiose qu'elle en fit le cadre d'un roman qu'elle intitula *« Malgré Tout »,* en souvenir du mont qui domine la ville.

visiter

Maison espagnole

> **Quai Edgar-Quinet**
> Quelques maisons à pans de bois construites au 16ᵉ s. subsistent le long de ce quai.

Quai Edgar-Quinet et à l'angle de la rue Victor-Hugo. Transformée en musée, cette maison à pans de bois présente chaque année une exposition sur la tradition ardennaise. Un très intéressant intérieur ardennais a été reconstitué au 1ᵉʳ étage dans les années 1920-1930. Au 2ᵉ étage, collection de poêles en fonte fabriquées dans des anciennes entreprises revinoises. *De déb. mai à fin sept. : 14h-18h, w.-end et j. fériés 10h-12h, 13h30-18h. 10F.* ☎ *03 24 40 34 91.*

Cette maison espagnole devenue musée, tient son nom de la conquête des Espagnols.

Galerie d'art contemporain
Mer., w.-end et j. fériés : 14h-18h. Fermé en août et 1ᵉʳ mai. Gratuit. ☎ *03 24 40 10 72.*
Dans un bâtiment en bordure du parc **Maurice Rocheteau**, elle accueille notamment la collection Georges Cesari (1923-1982). *Été : 10h-20h ; hiver : tlj sf dim. 10h-18h. Fermé j. fériés. Gratuit.*

itinéraire

LA ROUTE DE L'ARDOISE
12 km — environ 1h. Quitter Revin par la D 988.
La route court le long de la Meuse, se glissant dans une vallée très étroite.

Fumay
Ancienne capitale de l'ardoise connue pour ses ardoises violettes alignées sur les bords de la Meuse, Fumay s'est spécialisée dans la fabrication de câbles téléphoniques. La ville ancienne, aux rues étroites et tortueuses, occupe un site original, à cheval sur le pédoncule d'un méandre de la Meuse. Du pont, vue sur l'étagement du vieux quartier.

Musée de l'Ardoise — Aménagé dans l'ancien couvent des Carmélites, il évoque huit siècles de dur labeur des mineurs du schiste appelés escailleurs ou scailleteux, de « scaille » signifiant ardoise. Les deux dernières exploita-

Une salle du musée de l'ardoise.

tions ont fermé en 1971. *Avr.-sept. : 10h-18h (dernière entrée 1h av. fermeture) ; oct.-mars : 13h-17h, w.-end sur demande. 15F. ☎ 03 24 41 10 25.*

Un bas-relief *(avenue Jean-Jaurès)* à la mémoire des scailleteux a été sculpté par Georges-Armand Favaudon.

La N 51 vers Givet, longeant la Meuse, mène en vue de la gare et du pont de Haybes.

Haybes

Du pont de Haybes, on découvre une jolie vue sur cette coquette station surnommée Haybes-la-Jolie.

De multiples promenades peuvent être effectuées au départ d'Haybes, notamment au **point de vue de la Platale :** vue sur Fumay *(2 km d'Haybes par la petite route touristique de Morhon : pique-nique aménagé)*, et à celui du **Roc de Fépin** *(8 km à l'Est par la D 7, route d'Hargnies ; accès signalé)*.

Les Riceys

Après avoir parcouru chacune des trois agglomérations jadis fortifiées composant Les Riceys, vous aurez bien mérité un petit verre de vin rosé, l'excellente spécialité du pays que Louis XIV appréciait déjà beaucoup à l'époque. Alors un petit effort !

La situation

Cartes Michelin n°s 61 Sud des plis 17, 18 ou 241 plis 45, 46 — Aube (10). Le nom de chaque agglomération a été déterminé par rapport à leur position sur la rivière de la Laignes. **🛈** *3 pl. des Héros-de-la-Résistance, 10340 Les Riceys, ☎ 03 25 29 15 38.*

Le nom

Le nom *Reciacus* est mentionné pour la première fois dans une charte à la fin de l'époque mérovingienne.

> **BACCHUS À LA FÊTE**
> La foire du Grand Jeudi qui a toujours lieu le jeudi avant Pâques, réunit autour de la halle à Ricey-Haut tout ce qui se rapporte au travail de la vigne et de la culture.

Au-delà du vignoble et des rosiers qui préviennent éventuellement des menaces de maladie de la vigne, s'élève l'église de Riceys-Bas.

Les gens

1 420 Ricetons. Les vignerons ont le privilège de posséder le plus grand terroir de Champagne (850 ha dont 677 plantés) ainsi que trois appellations d'origine contrôlée : le champagne et deux vins tranquilles, les coteaux champenois et le fameux rosé des Riceys.

LE ROSÉ DES RICEYS

Le rosé, introduit à Versailles par des canats (maçons et terrassiers) chargés d'aménager le palais, était très apprécié par Louis XIV. Il est élaboré uniquement à partir de raisins de pinot noir, provenant des coteaux les plus ensoleillés. La vinification est difficile : après une macération, la fermentation, phase la plus délicate que le vigneron doit surveiller avec soin pour guetter le moment précis (à une heure près) où apparaît ce goût délicat au palais qui fait la particularité de ce rosé.

se promener

Ricey-Bas

L'**église St-Pierre** — Ce bel édifice du 16e s. a une riche façade à triple portail. À l'intérieur, dans les chapelles de la Passion des bas-côtés Nord et Sud, on peut voir deux retables en bois sculpté. Les orgues proviennent de l'abbaye de Molesmes. *Visite guidée dim. sur demande. Office de tourisme.* ☎ *03 25 29 15 38.*

AGENDA

Chaque année, le 1er mai, une randonnée « circuit des cadoles » (15 km environ) est organisée aux Riceys, avec repas en plein air (s'inscrire à l'Office de tourisme ☎ 03 25 29 15 38).

LES CADOLES

Les cadoles ou loges en pierres sèches ont été édifiées par les vignerons pour se protéger des intempéries et y prendre leurs repas lors des travaux dans les vignes. De forme circulaire, ces cabanes ont été construites avec les pierres plates trouvées sur place et posées simplement les unes sur les autres. Aujourd'hui, on les découvre principalement au bord des vignes ou dans les bois, plus ou moins envahies par la végétation.

carnet pratique

OÙ DORMIR

● *À bon compte*

Chambre d'hôte Ferme de la Gloire Dieu – *10250 Courteron - 10 km à l'E des Riceys par D 70 puis N 71 -* ☎ *03 25 38 21 77 -* ⌨ *- 3 ch. : 180/210F - repas 110F.* Pâtés, charcuteries et volailles produits à la ferme se dégustent autour de la table d'hôte. Pour peu que vous séjourniez dans les chambres de cette coquette ferme fortifiée du 16e s. nichée au creux d'un vallon.

OÙ SE RESTAURER

● *À bon compte*

Le Magny – *10340 Les Riceys -* ☎ *03 25 29 38 39 - fermé fév., mar. soir et mer. - 70/210F.* Goûtez ici une cuisine généreuse, amoureusement créée par un chef qui s'inspire des terroirs de la Bourgogne et de la Champagne. Vous serez au calme dans des chambres fraîches. Et les petits-déjeuners sont excellents. Piscine de surcroît !

VISITE DE CAVES

Morel - *93 r. du Général-de-Gaulle,* ☎ *03 25 29 10 88.*
Morize – *122 r. du Général-de-Gaulle,* ☎ *03 25 29 30 02.*
Coquet – *Rte de Gye-sur-Seine,* ☎ *03 25 29 33 83.*

*La cadole en pierres sèches
sert à abriter le vigneron
lors des intempéries.*

Ricey-Haut

L'**église St-Vincent** — Elle présente la particularité d'être composée de deux églises combinées, une seconde nef ayant été aménagée en allongeant le transept.
Sur la place, remarquer la halle à la charpente imposante.

Rocroi ★

Un vrai cas d'école pour les passionnés d'architecture militaire. Vue du ciel, cette petite ville du 16ᵉ s. est au cœur d'une étoile à dix branches. Vue d'en bas, Rocroi refaite par Vauban, s'articule autour d'une immense place d'armes, enserrée par les murailles de son enceinte fortifiée. Pas étonnant donc qu'elle fut baptisée Roc Libre sous la Révolution et qu'elle résistât un mois aux alliés en 1815. Encore moins qu'elle vous fascine aujourd'hui.

La situation

Cartes Michelin nᵒˢ 53 pli 18 ou 241 pli 6 — Ardennes (08). Située sur le plateau ardennais, la ville se trouve à 6 km de la frontière belge. 🛈 *Pl. d'Armes, 08230 Rocroi,* ☎ *03 24 54 20 06.*

Le nom

C'est celui de son fondateur, Raoul Iᵉʳ ou Raul, seigneur du lieu. Au carrefour de chemins, le village prend le nom de Croix de Raul puis Raulcroix.

Les gens

2 566 Rocroyens, tous fiers du duc d'Enghien qui n'avait que 21 ans lorsqu'il remporta la bataille de Rocroi le 19 mai 1643.

> **LE ROCROI**
> C'est le nom d'un fromage à pâte molle à croûte lavée, à base de lait de vache écrémé, dont la fabrication remonte au 15ᵉ s. *Fromagerie Jean Pire, rue de la Grande-Chaudière, Taillette 08230 Rocroi,* ☎ *03 24 54 10 84.*

LA VALEUR N'ATTEND PAS LE NOMBRE DES ANNÉES

La bataille de Rocroi fut livrée le 19 mai 1643, quelques jours après la mort de Louis XIII. Elle mit aux prises les Espagnols de dom Francisco Mellos et les troupes royales commandées par le jeune duc d'Enghien, futur prince de Condé, que l'Histoire immortalisa sous le nom de **Grand Condé**. Venu de Péronne, le duc d'Enghien rencontra l'armée espagnole à environ 2 km au Sud-Ouest de Rocroi, en bordure d'une zone marécageuse, les « rièzes ». Le 19 au petit jour, il attaqua le centre du dispositif adverse et le rejeta. Malheureusement, à l'aile gauche française, la situation était critique, les maréchaux de L'Hôpital et La Ferté Sennecterre étant encerclés par l'ennemi. C'est alors que, par une manœuvre hardie, le duc d'Enghien leur prêta la réserve de son aile droite qu'il lança sur les piques de l'infanterie espagnole, mettant celle-ci, réputée invincible, en déroute. Voyant la bataille perdue, le **comte de Fontaine** (ou Fuentes), impotent, fit former le carré aux troupes qui lui restaient. Trois fois les Français chargèrent, trois fois ils reculèrent. Ayant pénétré enfin dans le carré, ils firent un massacre. Mellos et Fontaine périrent.

visiter

Les remparts

Ils constituent une enceinte bastionnée caractéristique de l'architecture militaire du temps de Vauban. En partant de la porte de France, au Sud-Ouest, suivre le « sentier touristique » qui parcourt le front Est, permettant de se rendre compte de la complexité des défenses.

Musée

Dans l'ancien corps de garde, il vous propose un spectacle audiovisuel interactif montrant le déroulement de la bataille de Rocroi, une reconstitution de celle-ci au moyen de petites figurines en plomb ainsi que quelques documents se rapportant à l'histoire de la place forte. *De mai à mi-oct. : 10h-12h, 14h-18h ; de mi-oct. à fin avr. : 14h-17h. Fermé 1er janv. et 25 déc. 25F.*

Vue aérienne des fortifications de la ville de Rocroi.

Saint-Dizier

Fonderies, forges et aciéries ont fait de Saint-Dizier un important centre métallurgique entouré de belles forêts. Les amateurs d'Art nouveau seront à la fête et ne manqueront pas le circuit des fontes ornementales égrenant ça et là dans la ville, de très beaux spécimens.

La situation
Cartes Michelin n°s 61 pli 9 ou 241 pli 30 — Haute-Marne (51).
On peut reconnaître la trame urbaine : au centre-ville, l'ancien château devenu sous-préfecture et les vestiges de fortifications le long de l'Ornel ; à l'Ouest le quartier de la Noue, ancien faubourg des mariniers ou brelleurs ; à l'Est le faubourg de Gigny, autrefois village de vignerons et plus au Sud la banlieue ouvrière de Marnaval dont l'église a été construite en briques de laitier (scories des usines métallurgiques).
🛈 *Pavillon du Jard, 52100 St-Dizier,* ☎ *03 25 05 31 84.*

Le nom
C'est une altération de Didier, évêque de Langres qui fut décapité après la prise de la ville (voir à Langres). À la Révolution, la ville fut débaptisée et appelée pendant un temps Belle-Forêt-sur-Marne.

Les gens
33 552 Bragards, contraction de « Allez, braves gars » donné par François Ier en hommage à leur résistance devant l'armée de Charles Quint en 1544.

découvrir

En 1900, **Hector Guimard** choisit les fonderies de St-Dizier pour créer des fontes ornementales de style Art nouveau. De nombreuses maisons ont été décorées dans ce style à l'extérieur comme à l'intérieur : balcons, appuis de croisées, palmettes, panneaux de porte, rampes.

CIRCUIT DES FONTES ORNEMENTALES
Partir de la place de la Liberté (Office de tourisme).
À l'entrée de la rue de la Commune-de-Paris, au n° 29, panneau de porte aux tulipes 1900.

Prendre la rue de l'Arquebuse.

Rue de l'Arquebuse
Au n° 1, grille, rampe d'escalier et appuis de croisée 1900 ; aux 1 bis et 1 ter, appuis de croisée Guimard ; au 31, appuis de croisée, panneaux de portes, soupirail Guimard ; au 33, appuis de croisée 1900.

Tourner à gauche dans la rue du Colonel-Raynal.

Balcon en fonte de style art Nouveau au 22 rue Lamartine.

carnet d'adresses

Où DORMIR
● *À bon compte*
Chambre d'hôte M. et Mme Marsal – *4 rte d'Eurville - 52140 Chamouilley - 9 km au SE de St-Dizier par N 67 -* ☎ *03 25 55 02 26 - 4 ch. : 180/220F.* En bordure d'une petite départementale, devancée par une cour et son jardinet, une jolie maison en pierre du pays. Le sympathique accueil, le bon confort et les prix attrayants compensent le léger manque de caractère des chambres rénovées.

Où SE RESTAURER
● *À bon compte*
Cigogne Gourmande – *52100 Perthes - 10 km à l'O de St-Dizier par N 67 -* ☎ *03 25 56 40 29 - fermé 15 au 30 juil., 17 au 23 fév. et dim. soir - 80/295F.* Vous serez charmé par le cadre très soigné de cette maison de province. Jolies tables espacées et beaux tissus, argenterie et cristal vous invitent à déguster une cuisine régionale et copieuse. Chambres au calme.

Rue du Colonel-Raynal
Au n° 4, appuis de croisée ; au 6, appuis de croisée et panneau de porte Guimard ; au 8, appuis de croisée. Avant de prendre à gauche la rue du Général-Maistre, remarquer à droite au n° 39 des appuis de croisée.

Rue du Général-Maistre
À l'angle de la rue, au n° 24, appuis de croisée ; au 15, panneaux de porte Guimard ; au 13, panneaux de porte Guimard et appuis de croisée 1900.
Revenir à la place par la rue Robert-Dehault.

QUARTIER DE LA NOUE

PETIT POUCET
Plutôt que de jalonner votre visite de petits cailloux, demandez le plan des voyottes du quartier de la Noue à l'Office de tourisme.

Ce faubourg était animé par les bateliers ou brelleurs qui livraient à Paris par flottage sur la Marne des trains de bois (les brelles) dans des barques à fond plat appelées marnois. Le retour s'effectuait à pied. Ils vivaient dans des maisons basses en torchis s'ouvrant sur une cour derrière laquelle s'étendaient des jardins et des champs. Ces petites voies ou **voyottes** (80 environ), situées perpendiculairement à l'avenue de la République sont encore visibles aujourd'hui.

Une des voyottes donnant sur l'avenue de la République.

visiter

Musée

JURASSIC PARK
Vous y verrez les restes du plus gros iguanodon de France : 11 m de long dont 2 m de colonne vertébrale.

Dominant le square W.-Churchill, il rassemble d'intéressantes collections en paléontologie (fossiles trouvés dans la région), en ornithologie (les oiseaux regroupés par habitat sont présentés dans les vitrines d'origine), en archéologie et quelques fontes Guimard.

alentours

Vallée de la Blaise *(voir ce nom)*

Lac du Der-Chantecoq★★ *(voir ce nom)*

Abbaye de Trois-Fontaines *(11 km au Nord)*
Sortir de St-Dizier par la D 157 et la D 16.
Au cœur de la forêt, l'ancienne abbaye de cisterciens, fille de Clairvaux, fondée en 1118, fut reconstruite au milieu du 18e s. et en grande partie détruite pendant la Révolution. Par un portail monumental du 18e s., on accède à la cour d'honneur, puis au parc de 3 ha agrémenté de statues.

Détail des vestiges de l'ancienne abbatiale cistercienne située aux environs de St-Dizier.

Osne-le-Val *(32 km au Sud-Est)*
Au 19e s., c'était le berceau de la fonte d'art en France. Un bâtiment de l'**usine du Val d'Osne,** qui a fermé ses portes en 1986 après plus d'un siècle d'activité, accueille chaque année une exposition sur les fontes d'art (gravures, photos, démonstration de coulée de bronze). ♿ *De fin juil. à mi-sept. : visite guidée sur demande préalable (1h1/2) dim. 14h30-18h30. 15F.* ☎ *03 25 94 81 02.*

Marais de **Saint-Gond**

Plus de 3 000 ha ! Hier, l'enfer des soldats pendant la Première Guerre mondiale. Aujourd'hui, le paradis des grenouilles ! On imagine bien ce que peut être le vacarme produit par les croassements incessants de ces milliers d'amphibiens qui sortent de leurs gonds et se gonflent crânement pour devenir plus gros que leurs rivaux bovins.

La situation
Cartes Michelin n⁰ˢ 56 plis 15, 16 et 61 plis 5, 6 ou 241 pli 29 — Marne (51). Au pied de la falaise de l'Île-de-France qui forme le rebords du plateau briard, les eaux des marais de St-Gond alimentent avec parcimonie le cours supérieur du Petit Morin. Entre la Côte des Blancs et les coteaux du Sézannais, ces marais s'étendent sur 15 km. Découvrir la richesse de la faune et de la flore le long du parcours botanique à Reuves.

Le nom
Le marais doit son nom à un ermite qui s'était retiré là au 7ᵉ s. ; il était le neveu de saint Wandrille. Ses reliques sont conservées dans l'église d'Oyes.

Les habitants
Des grenouilles dont St-Gond était censé faire taire le croassement.

comprendre

La Bataille de la Marne — En septembre 1914, les marais de St-Gond et les hauteurs avoisinantes furent témoins des combats acharnés entre la 2ᵉ armée allemande de von Bülow et la 9ᵉ armée française sous les ordres du **général Foch**. L'« enlisement » de la Garde prussienne dans les marais a été raconté par ce dernier : « Le 6, elle avait traversé les marais et s'était emparée de Bannes, qui est à l'une de leurs extrémités. Mais quand elle en voulut déboucher et pousser sur Fère, elle fut prise par l'artillerie du colonel Besse... Quatre fois la Garde — poursuit Foch — avec un courage, un entêtement auxquels il faut rendre hommage, essaya de déboucher de Bannes : quatre fois ses colonnes oscillèrent, tourbillonnèrent. La Garde, ou du moins la fraction de ce corps qui s'était glissée dans Bannes, eut vraiment là son tombeau. » Foch réussit à contenir l'ennemi, puis, à partir du 10, à le refouler en direction de la Marne.

circuit

MARAIS ET VIGNOBLE
36 km au départ de Mondement (Nord-Est de Sézanne) — environ 1h1/2
Ce parcours permet de découvrir les étendues marécageuses, dont une partie a été assainie et transformée en prairies ou en culture (maïs). Les pentes Sud des buttes calcaires qui les bordent sont plantées en vignes produisant un « blanc nature » apprécié.

Mondement
Clé du dispositif militaire français couvrant les approches de la Seine, la butte de Mondement (alt. 223 m), dominant les marais, fut disputée avec acharnement du 7 au 9 septembre 1914. Le parc du château connut des combats d'une extrême violence entre

> **MONUMENT COMMÉMORATIF**
> Il est construit en ciment teinté de rouge et atteint 32 m de haut. Une victoire ailée le surmonte. La vue s'étend sur les marais de St-Gond jusqu'au mont Aimé et aux coteaux champenois.

Marais de Saint-Gond

*Admirer la tour octogonale
située sur la croisée du
transept.*

la division marocaine du général Humbert et les troupes allemandes qui furent obligées de se retirer, laissant 3 000 cadavres sur place.

Allemant

La petitesse de ce village, accroché au bord de la colline, étonne en regard de l'importance de son église gothique flamboyante à haute tour de croisée et double transept. Du cimetière attenant, **vue** sur la falaise de l'Île-de-France à gauche, les marais de St-Gond, la plaine de Fère-Champenoise à droite.

Coizard

Charmante église romane rustique.

Villevenard

Village vigneron. L'**église** du 12ᵉ s. attire les regards par ses belles proportions, sa nef romane à petites baies en plein cintre. L'ensemble a été restauré avec goût.

Sainte-Menehould

Nous pourrions ici vous vanter sa position clé au début du défilé des Islettes, les grandes forêts de l'Argonne l'environnant, évoquer la fuite de Louis XVI, les batailles qui s'y déroulèrent... Une fois n'est pas coutume : nous penserons avant tout à notre estomac et vous conseillerons de faire une étape gastronomique dans cette petite ville aux pieds de porcs succulents.

La situation

Cartes Michelin nᵒˢ 56 pli 19 ou 241 pli 22 — Marne (51). Dominée par une butte appelée « le château », la ville est traversée par la N 3. ⬛ *5 pl. du Général-Leclerc, 51800 Ste-Menehould,* ☎ *03 26 60 85 83.*

Le nom

Au 5ᵉ s., Sigmar, comte de Perthes, était gouverneur d'Astenay. Il eut plusieurs filles dont la plus jeune s'appelait Manehould. Cette dernière se distingua par sa bonté et sa piété. Aussi la ville était appelée tantôt Astenay, tantôt Ste Manehould qui devint Ste-Menehould.

Les gens

5 178 les Ménehildiens. Selon la tradition, c'est à **dom Pérignon,** enfant du pays, qui étudia l'assemblage de différents crus, que l'on doit le champagne. Une statue lui a été érigée dans le jardin public.

DERNIER RELAIS AVANT VARENNES

À la suite des difficultés causées par la question religieuse, le roi se résolut à quitter secrètement Paris pour rejoindre le marquis de Bouillé à Metz. De là, à la tête des troupes que Bouillé avait concentrées, et appuyé au besoin par une armée autrichienne, il serait revenu sur Paris pour y rétablir son autorité. Dans la nuit du 20 au 21 juin 1791, le roi, accompagné de la reine, de ses deux enfants et de sa sœur, Madame Élisabeth, quitta les Tuileries. La fuite avait été soigneusement préparée, mais à Ste-Menehould, au moment où la berline relayait, J.-B. Drouet, fils du maître de poste, reconnut le roi. Ardent patriote, il soupçonna une fuite vers la frontière. Devançant la lourde voiture en empruntant un chemin de traverse, il galopa jusqu'à Varennes où il donna l'alarme. Aujourd'hui, la gendarmerie est à l'emplacement de la maison de poste où Louis XVI fut reconnu.

carnet pratique

OÙ DORMIR ET SE RESTAURER

● À bon compte

Cheval Rouge – 1 r. Chanzy - ☎ 03 26 60 81 04 - fermé 22 nov. au 12 déc., dim. soir (sf hôtel) et lun. sf été - 20 ch. : 240/310F - ☑ 35F - restaurant 90/250F. Ne craignez pas d'emprunter le chemin de Louis XVI... Ici, les chambres sont modernes et bien meublées et la cuisine traditionnelle est préparée avec finesse. À déguster de préférence dans la salle à manger avec ses poutres et sa superbe cheminée en pierre.

SPÉCIALITÉS

Les pieds de porc – C'est un plat riche et savoureux. Louis XVI en raffolait, et c'est en prenant le temps d'en déguster qu'il se fit, dit-on, reconnaître. Chaque restaurant a un peu ses secrets de fabrication. Les pieds, flambés, nettoyés, sont cuits dans un bouillon où se retrouvent oignons, carottes, vin blanc, épices, herbes aromatiques, à feu très doux, jusqu'à 40h lorsque le pied reste entier. C'est cette longue cuisson qui rend les os friables et permet de les croquer et d'en déguster la moelle.

Refroidis dans le bouillon, les pieds sont passés dans le beurre fondu et la chapelure (mais ils peuvent être aussi préparés en sauce). Ils sont ensuite grillés et réchauffés au four, avant d'être dégustés, accompagnés d'une purée de pommes de terre ou de pois cassés.

La sauce Sainte-Menehould – Autre invention champenoise, c'est une fondue d'oignons déglacée au vin blanc et renforcée de moutarde et de cornichons.

visiter

Place du Général-Leclerc

Coupée par la route nationale, cette place où se dresse l'**hôtel de ville** (1730) offre un bel ensemble architectural, en briques roses à chaînes de pierre et toitures d'ardoises bleutées, dû à Philippe de la Force qui reconstruisit la cité après l'incendie de 1719.

Musée

De mai à fin oct. : w.-end et j. fériés 15h-18h. Gratuit. Mairie. ☎ 03 26 60 80 21.

Dans un hôtel particulier du 18e s., il rassemble des collections régionales variées : histoire, artisanat, métiers d'autrefois, art religieux et surtout géologie.

Butte du château

Accès en voiture par une rampe ou à pied par un chemin et des escaliers.

C'est le quartier de la ville haute, à l'aspect de village champenois avec de vieilles maisons basses à pans de bois, fleuries de géraniums.

D'en haut, une belle **vue★** sur la ville basse avec ses toits couverts de tuiles romaines et l'église St-Charles (19e s.). L'**église Notre-Dame** ou église du château est entourée de son cimetière. Des 13e et 15e s., elle porte sur les murs, refaits au 18e s., des alignements de briques et de « gaize », pierre blanche du pays.

▶ **MODÈLE RÉDUIT**
Une maquette (plus de 2 000 sujets) représente la bataille de Montfaucon qui eut lieu le 28 juin 888 opposant le roi carolingien Eudes et ses troupes aux Normands qui remontaient la Meuse.

alentours

Château de Braux-Ste-Cohière★ *(5,5 km à l'Ouest)*

ᕫ *De mi-juin à fin août : tlj sf mar. 10h-12h, 14h-19h, dim. 10h-12h, 14h-20h. 35F. ☎ 03 26 60 83 51.*

Les bâtiments ont été édifiés aux 16e et 17e s. par Philippe de Thomassin, gouverneur de Châlons, sous Henri IV. Ils abritaient une unité d'élite de soldats appelés chevau-légers, dont le roi de France portait l'uniforme sur le champ de bataille. Dumouriez et son état-major s'y installèrent pour y organiser la bataille de Valmy.

Aujourd'hui siège de l'**Association culturelle Champagne-Argonne**, il sert de cadre à de nombreuses manifestations culturelles : spectacle audiovisuel en multivision sur la région, expositions, festival musical.

Un parcours permet d'admirer l'architecture des bâtiments autour de la cour d'honneur : les anciennes écuries dont la charpente est couverte d'éclatés de chêne

VEILLÉE MUSICALE
Chaque année est organisé le « Noël des Bergers de Champagne », avec cortège et messe de minuit.

Ce vaste quadrilatère flanqué de tours aux quatre angles charme par la couleur de ses murs rayés de briques et de « gaize » blanche se reflétant dans les profondes douves en eau qui le cernent.

supportant les tuiles, le logis des officiers et son toit à la Mansart, le colombier où se trouve le **musée régional d'Orientation** (géologie, histoire locale, arts populaires). Une agréable promenade mène à travers plusieurs **jardins** ou « chambres », séparés par des haies de plantes et d'arbustes variés, donnant l'illusion de perspective. Dans le parc, remarquer une des allées d'entraînement que longe un fossé pour le dressage des chevaux.

Valmy *(12 km à l'Ouest)*
Près de ce petit village, voisin de la forêt d'Argonne, eut lieu le 20 septembre 1792, entre Français et Prussiens, un engagement qui se termina par une victoire française.

Un succès décisif — Ayant réussi à franchir à Grandpré les défilés de l'Argonne et à déborder l'armée de Dumouriez, les Prussiens, attaquant en direction de l'Est, avaient derrière eux le pays qu'ils avaient pour mission d'envahir, tandis que Dumouriez faisait face à la France qu'il était chargé de défendre.

Après une violente canonnade, les Prussiens tentèrent de gravir le plateau de Valmy. Mais les Français, jeunes volontaires dont l'ardent patriotisme suppléait à l'inexpérience, firent bonne contenance, encouragés par **Kellermann.** Aux cris de « Vive la Nation », ils tinrent en échec les Prussiens et, le soir, Brunswick donnait l'ordre de retraite. En fait, la bataille de Valmy ne fut qu'un modeste engagement : sur une masse de 90 000 hommes, il y eut 184 Prussiens et 300 Français blessés ou tués. Mais ses conséquences psychologiques furent énormes ; elle contribua à affermir la Révolution. En effet, deux jours après, la République était proclamée.

LONGUE VUE
Le Moulin de Valmy a été reconstitué en 1947 exactement à l'image de celui auprès duquel se trouvait Kellermann au moment de l'attaque des colonnes prussiennes. Autour, quatre tables d'orientation indiquent la position des armées en présence le 20 septembre 1792. Du moulin, vue étendue sur la Champagne et la forêt d'Argonne.

Sedan

Bataille, siège, défaite, capitulation ! Sedan a rarement été synonyme d'épisodes glorieux pour les armées françaises. Pourtant au 21e s., comme par revanche, l'imposant château fort et les vaillantes demeures des 17e et 18e s. sont toujours là, fiers de l'être.

La situation
Cartes Michelin nos 53 pli 19 ou 241 pli 10 — Ardennes (08). Sedan est relié à Charleville-Mézières par l'A 203 et se situe à quelques kilomètres de Bouillon, ville belge. 🄩 *Pl. du Château, BP 322, 08202 Sedan, ☎ 03 24 27 73 73.*

Le nom
La légende veut que Sedanus, fils du roi gaulois Bazon, vint s'établir à cet endroit et lui donna son nom. En fait, le nom Sedan n'apparaît qu'en 997 et en 1023, dans un texte confirmant les possessions de l'abbaye de Mouzon.

Les gens
21 667 Sedanais. Joueur puis entraîneur, Yannick Noah, natif de Sedan, s'est fait connaître dans le monde de la raquette et de la saga musicale.

comprendre

Heurs et malheurs — Jusqu'au 15ᵉ s., la ville appartient aux moines de Mouzon, puis aux évêques de Liège. Elle passa ensuite aux mains des La Marck (1424) puis des La Tour d'Auvergne (1594) d'où allait sortir le grand Turenne et fut rattachée à la France en 1642.

Le vainqueur de Nördlingen — Henri de La Tour d'Auvergne, vicomte de **Turenne,** était le petit-fils de Guillaume le Taciturne. Élevé dans le protestantisme, Turenne entra au service de la France en 1630. Il participe à la guerre de Trente Ans, combat les Espagnols et s'empare de Turin (1640). Fait maréchal de France en 1643, il commande l'armée d'Allemagne et remporte la bataille de Nördlingen (1645).

Prenant le parti de la Fronde, il se retrouve aux côtés des Espagnols à Rethel en 1650. Mais il se réconcilie avec la Cour et se retourne finalement contre les frondeurs : il bat Condé à Bléneau et à Paris en 1652, ce qui ouvre les portes de la capitale au jeune Louis XIV. Il continue la guerre contre les Espagnols et Condé, gagne les batailles d'Arras (1654) puis des Dunes (1658) qui obligent l'ennemi à signer le traité des Pyrénées.

Nommé maréchal-général en 1660, Turenne participe à toutes les guerres de Louis XIV. Après avoir reconquis l'Alsace, il trouve la mort à la bataille de **Sasbach** le 27 juillet 1675. Converti par Bossuet, il avait abjuré la foi protestante en 1668. Il fut inhumé à St-Denis mais Bonaparte fit transférer ses restes aux Invalides en 1800.

La capitulation du 2 septembre 1870 — Sedan, dépourvue d'artillerie et d'approvisionnements, ressemble néanmoins à une place de guerre lorsque l'armée de Mac-Mahon vient s'y enfermer le 30 août 1870.

La bataille commence le 1ᵉʳ septembre à Bazeilles mais l'essentiel se joue au **plateau d'Illy.** Malgré plusieurs charges éblouissantes des généraux Margueritte et Galliffet, les troupes françaises doivent refluer vers le glacis de Sedan, après avoir essuyé de lourdes pertes infligées par l'artillerie prussienne.

Napoléon III, pour éviter un massacre, rencontre Guillaume. Le 3 septembre, Napoléon, escorté par un peloton de hussards de la Mort, part pour Cassel. Tout au long de la route, il se fait injurier par les soldats de son armée. À la nouvelle du désastre de Sedan, Paris accomplit une nouvelle révolution : le 4 septembre, la foule envahit le Corps législatif et la République est proclamée.

découvrir

L'INDUSTRIE DRAPIÈRE
Elle connut un grand essor dans la seconde moitié du 17ᵉ s. et surtout au 18ᵉ s. Installées en centre-ville, les manufactures comprenaient une maison de maître sur la rue, des ateliers dans les ailes et un corps arrière fermant la cour intérieure. Avec l'évolution des techniques au 19ᵉ s., les fabriques furent abandonnées et trans-

---

IMPACT ÉCONOMIQUE
En 1685, la révocation de l'édit de Nantes porta un coup sensible à la draperie de Sedan, développée par les protestants, et supprima la florissante Académie de la religion réformée.

EN MAI 1940
C'est à Sedan, occupée durant la Première Guerre mondiale, que la IIIᵉ République joua son destin, à l'issue d'une bataille qui aboutit à la percée allemande en direction de la mer.

DANS DE BEAUX DRAPS !
Sedan n'a pas seulement résonné du canon. La ville a aussi une grande renommée manufacturière. L'itinéraire recommandé permet de découvrir cet aspect prestigieux de Sedan.

carnet d'adresses

formées progressivement en demeures tandis que le Dijonval était transformé en musée. On en voit encore quelques traces aujourd'hui.

N° 33 place de la Halle

Cet hôtel du 18ᵉ s. qui ouvre sur la place et sur le Promenoir des Prêtres, était la propriété des Poupart-Neuflize et servait sans doute de logis-entrepôt. Le corps principal est prolongé par des ailes en quart de cercle puis droites comme au Dijonval. Escalier à rampe en fer forgé.

N° 1 rue du Mesnil

Face au n° 1 de la rue du Mesnil, remarquez la maison des « Petits Chiens », construite en 1747, elle a appartenu à un fabricant de draps.

Hôtel de Lambermont en 1626, puis fabrique royale de draps, appelée les Gros Chiens. La première cour est ornée de têtes au-dessus des fenêtres qui représenteraient Élisabeth de Nassau et sa famille ainsi que quelques personnes de son entourage.

N° 3 rue Berchet

Ancienne teinturerie acquise en 1823 par Rousseau, propriétaire de la manufacture des Gros Chiens.

N° 8 rue de Bayle

Hôtel particulier et ancienne fabrique de Laurent Cunin-Gridaine, ministre de l'Industrie et du Commerce de 1840 à 1848. La façade est ornée à chaque extrémité d'un pilastre d'ordre colossal et d'une corniche saillante. Regarder au rez-de-chaussée les appuis en forme de banc.

N° 1 rue des Francs-Bourgeois

Au-delà de ces pittoresques toits d'ardoises des maisons, vue sur le château fort de Sedan.

Cet immeuble du 18ᵉ s., qui était probablement une draperie appartenant à la famille Béchet, est décoré de baies à linteaux en segment d'arc, de balconnets curvilignes et d'un escalier à rampe en fer forgé.

SEDAN

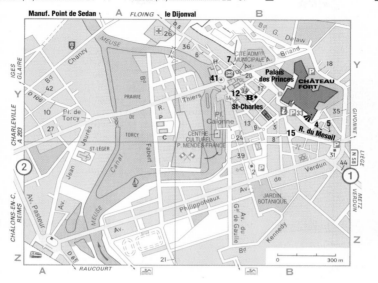

N° 1 place Turenne

Ancienne fabrique Jean Labauche. Le portail sur cour est plus décoré que celui qui donne sur la rue. On peut voir dans la cour le système permettant de monter les ballots.

N° 1 rampe des Capucins

Ancienne manufacture de draps fins. Au fond de la cour à droite, un escalier à noyau central et balustres en bois dessert l'ensemble.

visiter

Château fort ★★

De mi-mars à mi-sept. : visite guidée (1h1/2) 10h-12h, 13h-17h (juil.-août : 10h-18h) ; de mi-sept. à mi-mars : tlj sf lun. 13h30-16h30, w.-end, j. fériés, vac. scol. 10h-12h, 13h30-16h30. Fermé 1er janv. et 25 déc. 45F (enf. : 30F).

Avec ses 35 000 m² sur 7 niveaux, le château fort de Sedan est le plus étendu d'Europe. Cet ensemble est bâti sur un éperon rocheux encadré par deux ruisseaux. Son édification se fit par étapes. En 1424, Évrard de La Marck fait commencer les travaux en réutilisant une partie d'un ensemble monastique comprenant une église du 11e s. De cette époque datent le plan triangulaire, les tours jumelles et les remparts. Ceux-ci, hauts de 30 m, entourés de fossés, ont été complétés au 16e s. par des bastions transformant le château en place forte.

Les princes de Sedan avaient leurs appartements dans cette enceinte. Le logis seigneurial fut détruit en partie au 18e s. par la création d'une rampe d'accès aux terrasses : la **Galerie Sud.**

Au début du 17e s., Henri de La Tour d'Auvergne fait édifier une nouvelle résidence : le château bas ou **palais des Princes** en dehors de l'enceinte.

BERCEAU

Henri de La Tour d'Auvergne, vicomte de Turenne, naquit au château de Sedan le 11 septembre 1611. On peut présumer que la chambre où est né Turenne est la salle à la colonne qui faisait partie des appartements de la princesse.

Le château fort fut ensuite domaine militaire pendant plus de trois siècles, de 1642 à 1962, date à laquelle la ville de Sedan en devint propriétaire et entreprit de le restaurer. Au cours de la visite des tours et des remparts, des **panoramas** sur la ville et ses toits d'ardoise.

Historium — Tout au long du circuit *(panneaux explicatifs)*, plusieurs scènes, constituées de mannequins, évoquent la vie des princes, soldats ou domestiques sous la principauté de Sedan.

Y sont également rassemblées des collections archéologiques (produits des fouilles effectuées dans les sous-sols du château : poteries médiévales, céramiques), des pièces d'ethnographie régionale et des documents sur l'histoire de Sedan. Une grande salle est consacrée aux guerres de 1870 (panorama de la bataille) et de 1914-1918. Dans la **grosse tour,** on admirera la charpente rayonnante, remarquable ouvrage du 15ᵉ s.

Tour du château — On peut faire le tour de la place forte en voiture ou se promener à pied le long du boulevard du Grand Jardin (bancs) jusqu'à la résidence des Ardennes qui domine la ville. De l'esplanade où a été reconstruit le tombeau du maréchal Fabert (1599-1662), la **vue**★ est remarquable sur la vallée de la Meuse.

Le Dijonval

Av. du Général-Margueritte. Cette manufacture royale de draps fut fondée en 1646 par Nicolas Cadeau. L'activité industrielle s'y est poursuivie jusqu'en 1958. Son imposante façade du 18ᵉ s. est dominée par un pavillon central à fronton surmonté d'un campanile. Sur cour, la façade possède des ailes en quart de cercle prolongées par de longues ailes droites. Le **musée des Anciennes Industries du Sedanais** y a pris place aujourd'hui. *Visite sur demande préalable.* ☎ 03 24 27 73 73.

Manufacture du point de Sedan

On peut voir les tisseurs sur leurs métiers datant de 1878, permettant de fabriquer des tapis en laine de Nouvelle-Zélande, sur canevas en lin. Le dessin du tapis est réalisé grandeur nature sur papier millimétré et traduit sur un carton dont les perforations correspondent chacune à un point du tapis dans le coloris choisi (système mécanique Jacquard). Il faut plus d'un mois pour réaliser un tapis, de sa création à sa finition, en passant par l'installation de plusieurs milliers de bobines de laine dans les différentes couleurs. & *Tlj sf dim. 8h-12h, 14h-18h. Fermé j. fériés. Gratuit.* ☎ 03 24 29 04 60.

Église St-Charles

Cet édifice, fondé en 1593, fut un temple calviniste jusqu'à la révocation de l'édit de Nantes. En 1688, Robert de Cotte lui adjoint un vaste chœur en rotonde.

Ancien hôtel de ville

Il fut construit en 1613 d'après les dessins de Salomon de Brosse. Remarquer la façade à bossages ornée de motifs vermiculés.

AVEC LE TEMPS...
Dans la salle multimédia, un intéressant spectacle audiovisuel retrace les grandes heures du château fort.

Les nombreuses fenêtres sont décorées de coquilles représentant des rocailles ou des motifs géométriques.

UN POINT C'EST TOUT
Aujourd'hui, s'il n'y a plus de dentelle à Sedan (on n'en conserve d'ailleurs que trois exemplaires dont un au musée d'Alençon. Mais si la dernière fabrique de draps a fermé ses portes, on continue d'y confectionner des tapis pour des clients prestigieux, souverains, ambassades...

Homme au travail à la manufacture du point de Sedan.

alentours

Aérodrome de Sedan-Douzy : musée des Débuts de l'aviation *(10 km à l'Est)*

Il est consacré au pionnier de l'aviation Roger Sommer (1877-1965), pilote et constructeur de 1908 à 1912. Autour d'une réplique du biplan 1910, ayant servi à la première liaison aérienne aux Indes en 1911, sont exposés des documents du début du siècle. Une importante collection de cartes postales évoque des pilotes célèbres tels Blériot, Farman. L'aviation moderne est illustrée par une centaine de maquettes d'appareils. ♿ *Juin-août : tlj sf lun. 10h-12h, 14h-18h ; mai et sept. : tlj sf lun. 14h-18h ; avr. et oct. : w.-end et j. fériés 14h-18h. Fermé nov.-mars. 13F.* ☎ *03 24 26 38 70.*

Bazeilles *(3 km au Sud-Est par N 43)*

Un épisode très émouvant de la bataille de Sedan s'est déroulé à Bazeilles. Le 31 août et le 1er septembre 1870, des éléments épars du 12e corps français résistèrent aux troupes du 1er corps bavarois. Ayant épuisé presque toutes leurs munitions, les défenseurs de la dernière maison acceptèrent de se rendre. Le lendemain, Sedan capitulait.

Maison de la dernière cartouche — Le musée contient ▶ de nombreux objets français et allemands, recueillis sur le champ de bataille, ainsi que des documents trouvés dans les décombres des maisons incendiées. Des photocopies des lettres envoyées par Gallieni à sa famille relatent les détails du combat.

Au 1er étage, la chambre où s'est déroulé l'ultime combat a conservé son ameublement et sa disposition. *De déb. janv. à mi-déc. : tlj sf lun. 9h-12h, 13h30-17h. 10F.* ☎ *03 24 27 15 86.*

À proximité reposent dans un ossuaire environ 3 000 soldats français et allemands.

Château de Bazeilles — Construit vers 1750 pour un ▶ riche drapier sedanais, Louis Labauche, il se compose d'un corps de bâtiment que prolongent deux pavillons en saillie *(l'aile droite fut détruite par un incendie en mars 1989)*. L'avant-corps central est couronné d'un fronton décoré des initiales du constructeur insérées dans un encadrement rocaille. Côté parc, la façade est plus classique.

Dans le parc dessiné à la française, on découvre deux charmants pavillons, une curieuse orangerie de forme ovale abritant un restaurant et un colombier ainsi que les anciennes écuries aménagées en hôtel. *Visite uniquement des extérieurs.* ☎ *03 24 27 09 68.*

Bouillon★ *(14 km au Nord-Est de Sedan)*

Belge, Bouillon doit sa naissance à son château fort qui occupait une position-clé sur une des grandes voies de pénétration en Belgique. C'est la petite capitale de la vallée de la Semois dont les vieux toits d'ardoise se pressent au bord de la rivière formant ici une large boucle.

Château — Sur une arête rocheuse, la forteresse est le plus important vestige de l'architecture militaire médiévale en Belgique. Dès le 10e s., son existence est attestée.

LES DERNIÈRES CARTOUCHES
Tableau peint par Alphonse de Neuville qui a choisi pour cadre la scène historique de la bataille qui se tint à Bazeilles.

Remarquer les masques sculptés surmontant les fenêtres à petits carreaux. Leurs visages expressifs, souvent espiègles, évoquent bien l'esprit du 18e s.

ATOMES CROCHUS
Une association franco-belge pour la promotion touristique des pays de Sedan et de Bouillon, riches d'un patrimoine historique, a été créée pour développer les intérêts touristiques entre la France et la Belgique.

Sézanne

Que les coteaux avoisinants qui produisent un agréable vin blanc nature ne vous fassent pas perdre le Nord au milieu des rues tortueuses de cette petite ville paisible, nichée au flanc d'une colline truffée de souterrains et de caves.

La situation

Cartes Michelin n°s 61 pli 5 ou 237 plis 22, 34 — Marne (51). De la route d'Épernay par la D 51 au Nord, **point de vue** sur la ville. Une ceinture de mails, tracés à l'emplacement des fossés des remparts, délimite son noyau ancien. ∄ *Pl. de la République, BP 21, 51120 Sézanne,* ☎ *03 26 80 51 43.*

Le nom

Sézannia était déjà connue du temps des Romains et faisait partie de la Gaule chevelue (appelée ainsi car les habitants portaient les cheveux longs).

Les gens

5 833 Sézannais. En route pour le front de l'Est, ils sont nombreux à avoir, ne fut-ce qu'une nuit, séjourné à Sézanne : Philippe le Bel, Charles le Bel, Condé pendant le siège de la ville par les protestants, Henri IV, Richelieu, Louis XIV, Marie-Thérèse d'Autriche, Marie Leczinska, Napoléon et bien d'autres.

se promener

Église St-Denis

> **À REMARQUER**
> Le « puits Doré », à couronnement de fer forgé, situé devant la façade Ouest de l'église et l'horloge encadrée par deux frises sculptées sur la Tour carrée.

◄ De style gothique flamboyant, avec une tour Renaissance, elle s'élève au centre de la ville, en lisière de la place de la République. Au pied de l'imposante tour carrée, haute de 42 m, sont collées de minuscules habitations.
Par un escalier à double volée montant à un petit portail aux vantaux de bois sculptés Renaissance, on pénètre dans l'église. L'intérieur, de style gothique flamboyant, est d'une rare unité. On y admire les voûtes compartimentées, en étoile.

Mail des Cordeliers

Cette allée de marronniers longe les anciens remparts et le château dont subsistent deux tours rondes arasées.

carnet d'adresses

OÙ DORMIR

• *À bon compte*

Croix d'Or – *53 r. Notre-Dame -* ☎ *03 26 80 61 10 - fermé 2 au 15 janv. et mar. d'oct. à avr. -* ▱ *- 13 ch. : 200/300F -* ⌕ *35F - restaurant 80/280F.* C'est une charmante maison du centre-ville, pimpante en été avec sa façade couverte de vigne vierge. Chambres très classiques et confortables. Dans la salle à manger qui ne manque pas d'allure, poissons et coquillages vous sont proposés.

• *Valeur sûre*

Chambre d'hôte Domaine Équestre Montgivroux – *51120 Mondement-Montgivroux - 8 km au NE de Sézanne par D 39 et D 45 -* ☎ *03 26 42 06 93 -* fermé nov. à mars - 6 ch. : 350/400F. À cheval, à pied ou en auto cette grande ferme champenoise des 17e et 19e s. vous accueille au cœur d'une campagne vallonnée. Les chambres aux couleurs du Maghreb sont le lieu de séjour idéal pour les amateurs de chevaux.

OÙ SE RESTAURER

• *À bon compte*

La Mezzanine – *6 r. Bouvier-Sassot -* ☎ *03 26 81 50 10 - fermé 1er au 15 août, 4 au 17 janv., dim. soir et lun. - 98/250F.* Cette maison ancienne au centre de la ville propose des menus simples mais bien composés. Poutres, colombages et mezzanine forment un décor plaisant. Menus pour les enfants.

alentours

Corroy

18 km à l'Est par la N 4, puis de Connantre la D 305.

Église — *De mi-juin à fin sept. : w.-end 9h-19h.* ☎ *03 26 81 09 38.*

Elle est remarquable par son porche champenois du 13ᵉ s. plaqué sur la façade. Ce porche s'ouvrant par une arcature de baies géminées est couvert d'une savante charpente carénée du 15ᵉ s. À l'intérieur de l'église, la longue nef charpentée du 12ᵉ s. donne sur le chœur, l'abside et deux chapelles construits à la fin du 16ᵉ s.

circuit

FORÊT DE TRACONNE

54 km — environ 2h.

Couvrant près de 3 000 ha, cette forêt, remarquable par la profondeur de ses sous-bois, est principalement exploitée en taillis de charmes sous futaie de chênes.

Quitter Sézanne à l'Ouest par la D 239. À Launat, tourner à gauche vers le Meix-St-Époing et 500 m plus loin à droite vers Bricot-la-Ville.

> **DANS LA NATURE**
> 🚶 Nombreux sentiers pédestres dont un sentier de découverte balisé par des panneaux et des pancartes sur les arbres.

Bricot-la-Ville

Ce ravissant village perdu dans une clairière de la forêt, avec sa petite église, son manoir, son étang tapissé de nénuphars, fut, du 12ᵉ au 16ᵉ s., le site d'une abbaye de moniales bénédictines.

Poursuivre jusqu'à Châtillon-sur-Morin (église fortifiée).

La route suit la vallée du Grand Morin : clairières et bosquets se succèdent, harmonieusement disposés comme dans un jardin anglais.

À Châtillon-sur-Morin, prendre à gauche la D 86 qui rejoint la D 48. Aux Essarts-le-Vicomte prendre à gauche la D 49.

L'Étoile

En bordure de ce vaste rond-point herbeux où est érigée une colonne de grès surmontée d'une croix en fer forgé (18ᵉ s.), on aperçoit un hêtre tortillard provenant du bois des Faux de Verzy.

Prendre la D 49 vers Barbonne-Fayel, puis tourner à droite.

Fontaine-Denis-Nuisy

Dans le transept gauche de l'**église,** une fresque du Jugement dernier du 13ᵉ s. représente les damnés rôtissant dans un vaste chaudron.

Prendre la D 350 vers St-Quentin-le-Verger.

Un dolmen s'élève juste après le hameau de Nuisy sur la droite.

À St-Quentin-le-Verger prendre à gauche la D 351, puis à droite la route de Villeneuve-St-Vistre. La D 373 ramène à Sézanne.

La Thiérache ardennaise

Bienvenue aux randonneurs et aux passionnés de vieilles pierres. La Thiérache et ses églises fortifiées vous attendent de pied ferme. Un bon moyen de tester votre forme ainsi que vos connaissances…

La situation

Cartes Michelin nᵒˢ 53 plis 17, 18 ou 241 plis 5, 9, 10 — Ardennes (08). La Thiérache forme une tâche verdoyante dans les plaines crayeuses et dénudées de Champagne. C'est un pays humide à vocation forestière et surtout herbagère. Elle s'étend également dans les départements du Nord et de l'Aisne.

Le nom

Le mot dériverait de Theorosia silva, forêt de Thierre ou de Thier Hasche, terrain de chasse.

carnet d'adresses

OÙ DORMIR

● *Valeur sûre*

Chambre d'hôte la Cour des Prés – *08290 Rumigny - ☎ 03 24 35 52 66 - fermé nov. à mars - ⊞ - 2 ch. : 400/420F.* L'accueil est délicieux dans cette maison forte, construite en 1546 par le prévôt de Rumigny. Ses deux chambres ont le charme des vieilles demeures privées. Visite du château et dîners-concerts estivaux accessibles à tous.

Abbaye de Sept Fontaines – *08090 Fagnon - 8 km au SO de Charleville-Mézières par D 139 puis D 39 - ☎ 03 24 37 38 24 - fermé 4 au 24 janv. - ▣ - 23 ch. : 460/850F - ☑ 55F - restaurant 125/350F.* Comment ne pas se laisser bercer par la douceur et le calme du grand parc qui entoure cette demeure majestueuse ? Ici, pas de luxe, mais des chambres aux couleurs personnalisées, vastes au 1er étage et mansardées sous les toits. Terrain de golf.

OÙ SE RESTAURER

● *À bon compte*

Auberge de l'Abbaye – *08460 Signy-L'Abbaye - ☎ 03 24 52 81 27 - fermé 7 jan. au 28 fév., mar. soir et mer. - 75/160F.* Campagnarde et sympathique, cette auberge à la façade de pierre est située dans un petit village pittoresque. La cuisine est simple et régionale. Les chambres sont petites et bien tenues. Et l'accueil chaleureux.

Type même de l'église refuge, l'église d'Aouste présente un aspect robuste.

circuit

LES ÉGLISES FORTIFIÉES

111 km — 1 journée.

Région-frontière jusqu'au règne de Louis XIV, la Thiérache fut sans cesse envahie. Elle était parcourue par les armées de mercenaires à la solde de l'Espagne et par celles du roi de France. Pour protéger leurs villages des hordes de pilleurs, les habitants fortifièrent leurs églises à la fin du 16e s. et au 17e s. C'est ainsi que la plupart des édifices datant des 12e s. et 13e s. se virent nantis de hauts donjons carrés percés de meurtrières, de tours rondes, d'échauguettes leur conférant de curieuses silhouettes. À l'intérieur, ces églises étaient aménagées pour recevoir les combattants et abriter les villageois. Les plafonds des nefs s'expliquent par l'existence d'une autre pièce à l'étage supérieur.

Signy-l'Abbaye

Dans un site accidenté, au fond du vallon de la Vaux, Signy est né d'une célèbre et riche abbaye cistercienne, fondée en 1134 par saint Bernard et détruite en 1793. Ce village est un lieu de séjour agréable pour les promeneurs.

Forêt de Signy

🚶 Sentiers pédestres à partir de la Fontaine rouge et à partir du parking vers le Gros Frêne.

◄ Couvrant 3 535 ha, la forêt domaniale de Signy comprend deux massifs séparés par le vallon de la Vaux : la Petite Forêt (chênes et hêtres) au Sud-Est et la Grande Forêt, plus humide (chênes, frênes et érables), au Nord-Ouest. La forêt est aménagée en futaie régulière en vue de la production de bois d'œuvre de qualité.

Quitter Signy-l'Abbaye au Nord-Ouest par la D 27.

Liart

À l'origine du village, un oratoire aurait été élevé à Notre-Dame du Lierre pour abriter la statue d'une vierge enlacée de lierre d'où son nom.

DU PAIN SUR LA PLANCHE

Rendez-vous à la ferme pédagogique de Liart pour l'histoire et la fabrication du pain. Informations et réservations à la maison de la Thiérache, ☎ 03 24 54 48 33.

Sur la façade médiévale de l'**église N.-D- de Liart★** a été dressé un puissant donjon rectangulaire au 17e s. avec bretèches, créneaux, lucarnes et meurtrières. Au chevet, la tour octogonale renferme un escalier donnant accès à un comble, refuge surélevé aménagé au-dessus du chœur.

Aouste

L'**Église St-Rémi★** fut construite au 17e s. sur des vestiges du 15e s. Le portail principal de l'église est surmonté de machicoulis à trois bretèches auxquels est accotée une tourelle à pans coupés. La tour carrée qui flanque la tourelle percée de meurtrières est consolidée par des contreforts en pierre.

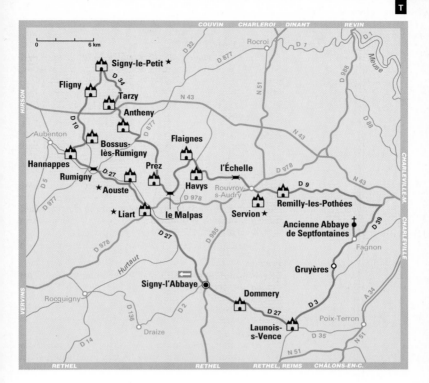

Prendre à gauche la D 36 et à la Férée la D 236 à droite.

Ancienne abbaye de Bonnefontaine

Propriété privée. Bonnefontaine fut fondée en 1152 par Nicolas II de Rumigny qui y installa des moines de Signy. Cette abbaye cistercienne est établie dans un site dégagé, à l'extrémité d'immenses prairies formant terrasse au-dessus de la dépression Charleville-Hirson.

Les ruines de l'église gothique se cachent sous les arbres, mais on distingue bien le majestueux bâtiment abbatial du 18e s., en briques roses et à toit d'ardoises.

À Blanchefosse prendre à droite la D 10 puis par la D 977 encore à droite au mont St-Jean, gagner Rumigny.

Rumigny

À l'entrée du village, admirer à droite la façade sur jardin du château.

Sur les bords de l'Aube, le château de la **Cour des Prés** est un édifice Renaissance fortifié à la demande de François Ier. Au rez-de-chaussée, deux salles aux vastes cheminées et salons aux boiseries du 18e s. ; à l'étage, les chambres donnent sur la galerie de tableaux de famille.

Hannappes

Bien qu'elle ne soit pas fortifiée, l'**église St-Jean-Baptiste** permettait aux villageois de se réfugier lors des invasions.

Prendre la D 31 à droite après l'église.

Bossus-les-Rumigny

L'**église** possède encore deux tourelles crénelées dont l'une est percée de meurtrières. Le chœur est surmonté d'une salle percée également de meurtrières.

Prendre la D 10 à droite vers Fligny.

Fligny

Le chœur de l'**église St-Étienne** est surmonté d'une salle-refuge percée de canardières et flanquée d'une tour ronde d'accès fortifiée avec sa tour.

Portail de l'église St-Jean-Baptiste d'Hannappes.

Continuer sur la D 10.

Signy-le-Petit

Au milieu d'une grande place s'élève l'imposante **église★** qui a la particularité de posséder des tourelles d'angle en brique. Le château fut reconstruit au 18e s., puis remanié au 19e s.

Prendre la direction de Rocroi et Charleville puis à droite la D 34 vers Tarzy.

Tarzy

Élevée sur une butte, l'**église** possède une tour à pans coupés percée de meurtrières, à gauche du clocher.

Antheny

Le bourg plusieurs fois incendié a conservé des maisons 16e et 17e s. à bretèches. Au milieu d'un cimetière, ceint d'un mur, l'église St-Remy possède une tour carrée flanquée de contreforts dont les fenêtres supérieures ont été bouchées aux 15e-16e s. pour se défendre.

Poursuivre la D 34 par Champlin et Estrebay.

Prez

L'**église** est dédiée à saint Martin, évêque de Tours. Au-dessus du chœur, un comble a été aménagé pour la défense. Au 16e s. fut ajoutée une tour ronde percée de meurtrières. Le pourtour du chœur est revêtu de panneaux de stuc illustrant la vie du Christ.

Poursuivre la D 34.

On passe devant **Le Malpas**, ferme fortifiée construite par un seigneur écossais. Le bâtiment rectangulaire est flanqué de quatre tours d'angle percées de meurtrières.

Prendre la D 32, 1 km plus loin environ à gauche vers La Cerleau, puis la D 36 à droite vers Flaignes.

Flaignes-Havys

Flaignes a été donné par Clovis à St-Remi lors de son baptême à Reims. L'**église St-Laurent** étonne par la masse imposante de son chœur et sa tour ronde qui le flanque. Sa petite nef est appuyée sur des contreforts puissants.

L'église d'Havys de forme rectangulaire est flanquée à l'angle Nord-Ouest d'une tour ronde.

Havys

L'église **St-Gery** possède une tour ronde percée de meurtrières sur tout le pourtour aussi bien pour éclairer l'escalier intérieur que pour surveiller les alentours.

Poursuivre la D 20 puis prendre à gauche vers l'Échelle.

L'Échelle

Château — Face à l'église, le château a fière allure. La façade principale est encadrée de deux tours rondes du 16e s. À l'angle Nord-Ouest, l'échauguette est appelée tour du Massacre en souvenir de la guerre de Trente Ans.

Hôtel Beury — Bâti au 18ᵉ s. cet hôtel dresse sa façade de pierres ocre face au château. Devenu relais de voyageurs au 19ᵉ s., il accueille depuis 1996, un **Centre d'art et de littérature.** Salles d'exposition d'art contemporain, **café littéraire**, résidences d'artistes, jardin y ont été aménagés.

Après Rouvroy-sur-Audry, on gagne Servion.

Servion
Impasse St-Étienne. L'**église★**, désaffectée, est devenue un centre culturel grâce à l'association des compagnons de St-Étienne. Dans la nef unique, autrefois couverte d'un plafond, on découvre trois piscines, des meurtrières. Deux tours rondes encadrent le porche d'entrée. La tour Nord comporte deux casemates superposées.

Remilly-les-Pothées
Remarquer surtout l'impressionnant clocher carré de l'église. L'ancienne maison forte du 16ᵉ s. est devenue une agréable demeure.

Poursuivre la D 9.

Ancienne abbaye de Sept-Fontaines
L'ancienne abbaye de Sept-Fontaines, de l'ordre des Prémontrés date de 1698. Elle doit son nom à sept sources aujourd'hui captées. Propriété de la famille Vendroux, Charles de Gaulle aimait se promener dans le parc en compagnie de sa fiancée Yvonne. Dans son livre *« Cette chance que j'ai eue »*, Jacques Vendroux évoque les vacances de son beau-frère Charles de Gaulle.

Traverser **Gruyères** niché au creux d'un vallon où se détachent une église fortifiée et un château (14ᵉ-19ᵉs.).

Suivre la D 39.

Launois-sur-Vence
Ce petit village possède un ancien **relais de postes et de messageries** du 17ᵉ s. Celui-ci facilitait les communications entre Amsterdam et Marseille, surtout lors de la fondation de Charleville-Mézières. L'ensemble, bien conservé, forme un quadrilatère autour d'une grande cour intérieure et comprend le logis du maître des Postes, la halle aux diligences et sa belle charpente, les écuries, la bergerie, la cave à cidre voûtée.

C'est aujourd'hui l'Office de tourisme et le Centre rural d'animation culturelle proposant de nombreuses manifestations.

LAUNOIS, CENTRE TOURISTIQUE

3ᵉ w.-end d'avr. : grande fête du tourisme ardennais.
Dernier w.-end d'avr. : salon régional du patrimoine et de l'habitat rural.
W.-end autour du 1ᵉʳ mai : salon du jardinage et de l'environnement paysager en Ardenne.
2ᵉ w.-end de mai : foire régionale de l'antiquité.
W.-end de Pentecôte : salon gastronomique régional des produits de terroir du Nord-Est.
4ᵉ w.-end de juin : festival des métiers d'art et de création en Champagne-Ardenne.
2ᵉ w.-end d'août : grande foire des vacanciers en Ardenne.
4ᵉ w.-end de sept. : floralies d'automne en Ardenne et marché paysan.
1ᵉʳ dim. d'oct. : salon de la voiture ancienne.
3ᵉ w.-end d'oct. : foire gastronomique « boire et manger en Ardenne ».
1ᵉʳ dim. de déc. : salon de Saint-Nicolas et de Noël.
Ainsi que
2ᵉ dim. de chaque mois : marché d'antiquaires-brocanteurs et collectionneurs.

Prendre la D 27 à droite vers Dommery.

Dommery
Le village devait son nom, maison de Remy, au séjour qu'y aurait fait le saint évêque. Remarquer la tour imposante de l'**église** et les fenêtres bouchées au chevet suite aux invasions.

Troyes ★★★

Troyes est incontestablement une magnifique ville. Son centre historique regorge de vieilles rues pavées, aux charmantes maisons à colombage souvent un peu bancales pour ajouter à leur beauté, un brin de poésie. Ces ruelles sont parfois si étroites qu'on peut se passer des choses d'un côté à l'autre de la rue... Troyes est aussi une ville d'art, riche en églises aux superbes vitraux, en musées, en hôtels particuliers. Vous l'avez compris : on ne se lasse pas de s'y prélasser. Et si vos enfants restent de bois devant tant de merveilles, vous pouvez toujours leur faire miroiter une visite des magasins usines aux marques griffées...

La situation

Cartes Michelin n°s 61 plis 16, 17 ou 241 pli 37 — Aube (10).
La ville dépasse la ceinture de boulevards délimitant le centre, et s'entoure de faubourgs et de zones industrielles. 🖪 *16 bd Carnot, 10000 Troyes, ☎ 03 25 82 62 70.*

ÇA SAUTE AUX YEUX !
Observez un plan, vous y constaterez que le centre de la ville a, curieusement, la forme d'un « bouchon de champagne ».

Le nom

Augustabona devint la capitale de la tribu gauloise, les Tricasses, qui lui laissèrent son nom.

Les gens

Agglomération 122 763 Troyens qui n'ont aucun rapport avec la tragédie lyrique de Berlioz ou encore le poème épique de Virgile en 12 chants « l'Énéide ».

comprendre

Saint Loup et Attila — Bâtie à l'emplacement d'une forteresse gauloise, la cité des Tricasses est évangélisée au 3e s. Le plus illustre de ses évêques, saint Loup, occupe le siège épiscopal durant 53 ans.
En 451, Attila et les Huns envahissent la Gaule, pillant et détruisant tout sur leur passage. Reims est incendiée, l'ennemi est devant Troyes. Saint Loup se rend au camp d'Attila et s'offre en otage pour le salut de sa ville. Le rayonnement de ses vertus impressionnent le chef des Huns qui accepte de se détourner de Troyes.

JOLIE DOT
Lorsque la dernière héritière des comtes de Champagne, Jeanne, épouse le roi de France, Philippe le Bel, en 1284, elle apporte la province dans sa corbeille de mariage.

Les comtes de Champagne — Sous la dépendance des évêques jusqu'au 10e s., la cité passe ensuite aux mains des comtes de Champagne. Certains de ces comtes embellissent et enrichissent leur capitale. L'un d'eux, Henri Ier, fonde à lui seul 13 églises, 13 hôpitaux — dont l'hôtel-Dieu de Troyes —, agrandit la ville et mérite le beau surnom de « libéral ».
Son petit-fils, Thibaud IV, poète et chevalier, partage la renommée du poète local Chrestien de Troyes, auteur de maintes chansons de geste. C'est Thibaud IV qui crée les foires de Troyes, sortes d'expositions universelles jouissant de la franchise, qui deviennent bientôt célèbres.

Le honteux traité de Troyes — Dans la lutte qui oppose les Armagnacs aux Bourguignons, **Isabeau de Bavière**, épouse du roi Charles VI, fait le jeu des Bourguignons et des Anglais. Abandonnant Paris, favorable aux Armagnacs, la reine fait à Troyes le piètre honneur de la choisir pour capitale.
Le 21 mai 1420, Isabeau signe avec les Anglais le traité de Troyes qui déshérite le dauphin et livre la France aux envahisseurs. Le pacte est scellé par le mariage de Henri V, roi d'Angleterre, avec Catherine de France. Le prince anglais est proclamé régent du royaume en atten-

dant de devenir roi, à la mort de Charles VI. Anglais et Bourguignons s'installent en maîtres à Troyes. La ville est délivrée par Jeanne d'Arc en 1429.

Un important foyer artistique – À Troyes, les ateliers sont nombreux dès le 13e s., mais c'est à partir de la Renaissance que le mouvement artistique devient intense. Les artistes troyens se caractérisent alors par un style très original. Au moment où la vague de l'italianisme déferle sur la France, ils continuent à travailler dans le cadre de la grande tradition médiévale. Leur école d'architecture rayonne sur toute la Champagne et ses influences se manifestent en Bourgogne. Une pléiade de sculpteurs – parmi lesquels Jean Gailde et Jacques Julyot – exécutent quantité d'œuvres charmantes.

Les vitraux produits du 14e au 17e s. par les ateliers de peintres verriers peuvent être admirés dans les églises de la ville. Parmi les maîtres verriers de cette époque, citons Jehan Soudain et *Linard Gontier*. Cette tradition artistique se maintient au 17e s. avec le peintre Mignard et le sculpteur Girardon, nés à Troyes.

La capitale de la bonneterie – « Pays des bonnets de coton », ainsi désigne-t-on Troyes jusqu'à ce que le bonnet de coton soit relégué au magasin des accessoires de vaudeville. En 1505, entrent en scène les premiers bonnetiers troyens, fabricants de bonnets et de bas tricotés à la main.

En 1745, les administrateurs des hôpitaux de Troyes font venir à l'hôpital de la Trinité (hôtel de Mauroy) des métiers à fabriquer les bas afin de procurer du travail aux enfants pauvres qu'ils hébergent. Cette initiative est couronnée de succès. La manufacture de la Trinité ayant été imitée, la communauté des Bonnetiers compte 40 membres en 1774. À la Révolution, Troyes centralise la vente de l'industrie bonnetière de la région et son importance s'accroît au cours du 19e s. grâce aux constructeurs de métiers à bonneterie locaux qui mettent les bonnetiers de Troyes dans une situation privilégiée.

À l'heure actuelle, la bonneterie groupée en 250 entreprises reste l'industrie dominante de Troyes et du département où elle occupe environ 15 000 personnes.

La Vierge au raisin est un bel exemple de la sculpture troyenne du 16e s.

LES ANDOUILLETTES DE TROYES

À la fin du 16e s., Troyes était alors aux mains des Ligueurs. Une armée royaliste ayant mis le siège devant la ville, le gouverneur, se réfugia dans la tour de la cathédrale tandis que les assaillants se répandaient dans les faubourgs. Or, c'est dans le quartier St-Denis que l'on fabriquait les andouillettes. Les soldats du roi ne résistèrent pas à la tentation. Surpris en pleine euphorie, les amateurs d'andouillettes furent massacrés par centaines et la ville resta aux mains des Ligueurs.

se promener

LE VIEUX TROYES ★★

Environ 4 h. Au Moyen Âge, Troyes comptait deux quartiers distincts : la Cité (dans la tête du bouchon), centre aristocratique et ecclésiastique autour de la cathédrale ; et le Bourg (dans le corps du bouchon), bourgeois et commerçant, où se tenaient les foires de Champagne.

Architecture troyenne – Les maisons à colombage se composent d'une charpente en poutres de chêne entre lesquelles est intercalé le torchis, mélange de terre et de paille. Les étages en encorbellement, reposant souvent sur des consoles sculptées, sont surmontés de pignons pointus à auvent et de toits en tuiles plates. Dans les demeures plus riches apparaît l'appareil champenois, damier de briques et de moellons de craie. Les hôtels particuliers les plus élégants sont construits en pierre, matériau qui était fort onéreux étant donné l'éloignement des carrières de pierre dure.

Partir de la place Alexandre-Israël. Se garer derrière l'hôtel de ville ou le long du bd Gambetta.

Place Alexandre-Israël

Cette grande place bordée de cafés est dominée par la ▶ façade Louis XIII de l'**hôtel de ville**.

Prendre la rue Champeaux.

UN MAL POUR UN BIEN

En 1524, un incendie ravagea la ville. Ses habitants, connaissant alors un plein essor économique, en profitèrent pour construire des demeures plus luxueuses que l'on découvre aujourd'hui en parcourant le vieux Troyes.

DEVISE

Au-dessus du porche d'entrée de l'hôtel de ville, devise révolutionnaire restée sous sa forme initiale : « Liberté, Égalité, Fraternité ou la Mort ».

carnet pratique

Classée Ville d'Art, Troyes met à la disposition des visiteurs des guides agréés par les Monuments Historiques.

OÙ S'INFORMER

À l'**Office de tourisme**, bureau principal, *16 bd Carnot,* ☎ *03 25 73 00 36 ;* en centre-ville, *r. Mignard (face à l'église St-Jean).*

OÙ FLÂNER

Un **circuit touristique** pour piétons *(environ 1h1/2)* permet de découvrir les sites les plus remarquables grâce à une signalétique en ville, sur les monuments, et à un dépliant disponible à l'Office de tourisme.
En été *(déb. juil. à déb. sept.,* durée : 2h environ), des **visites guidées** du vieux Troyes ont lieu tlj à heures fixes : visites traditionnelles, visites à thème, visites nocturnes (se renseigner auprès de l'Office de tourisme).

OÙ DORMIR

● *Valeur sûre*

Le Champ des Oiseaux *– 20 r. Linard-Gonthier -* ☎ *03 25 80 58 50 - 12 ch. : 480/820F -* ☲ *60F.* Bel hôtel près de la cathédrale, composé de trois maisons à colombages des 15e et 16e s., restaurées par les compagnons du devoir. Chambres personnalisées aux couleurs lumineuses et au mobilier de charme. Bibliothèque. Jardin et cour intérieure pavée.

Troyes *– 168 av. du Gén.-Leclerc -* ☎ *03 25 71 23 45 -* 🅿 *- 23 ch. : 260/295F -* ☲ *39F.* Pour faire une halte à la sortie de la ville. Les chambres de cet hôtel moderne sont fonctionnelles, bien entretenues et correctement insonorisées. Agréable salon sous verrière agrémenté de plantes vertes.

OÙ SE RESTAURER

● *À bon compte*

Bistrot DuPont *– 5 pl. Ch.-de-Gaulle - 10150 Pont-Ste-Marie - 3 km au NE de Troyes par N 77 -* ☎ *03 25 80 90 99 - fermé dim. soir et lun. - 88/150F.* Ce bistrot vous accueille avec abondance de sourires et de fleurs. Dans un cadre simple et soigné, les plats « canaille » sont bien adaptés au style de la maison. Terrasse en été.

Salon de Thé Potron Minet *– 1 cour du Mortier-d'Or -* ☎ *03 25 73 62 42 - fermé 8 au 30 août et lun. - 60/80F.* Aux beaux jours, savourez une pâtisserie ou l'une des tourtes maison sur la terrasse entourée de remarquables bâtisses à colombages. À l'intérieur, la décoration élégante et épurée sied à ce salon de thé installé dans ce bâtiment du 16e s.

● *Valeur sûre*

Aux Crieurs de Vin *– 4/6 pl. Jean-Jaurès -* ☎ *03 25 40 01 01 - fermé dim., lun. et 1 sem. en août - 110F.* Amateurs de bonnes bouteilles, cette maison saura vous séduire. D'un côté, la boutique de vins et spiritueux, de l'autre, le bistrot à l'atmosphère rétro. Côté cuisine, les plats retour du marché et le choix de poissons raviront les connaisseurs.

Bistroquet *– Pl. Langevin -* ☎ *03 25 73 65 65 - fermé dim. soir - 110/164F.* Un air de brasserie parisienne au centre de la ville piétonne de Troyes. Grande salle joliment éclairée par une verrière décorée au plafond, banquettes de cuir, plantes vertes. Et une ambiance animée. Carte exclusivement à base de produits frais. Terrasse avec arbustes et lampadaires.

Valentino *– Cour Rencontre -* ☎ *03 25 73 14 14 - fermé 23 au 29 août, 3 au 16 janv., sam. midi et lun. - 110/270F.* Un chef motivé en cuisine et un patron « artiste » : cela donne, en plein centre piétonnier une cuisine inventive et un cadre original. La salle à manger ornée d'œuvres d'art contemporaines est agréablement complétée par une véranda.

OÙ BOIRE UN VERRE

Le Tricasse *– 16 r. Paillot-de-Montabert,* ☎ *03 25 73 14 80. Lun.- ven. 11h-3h, sam. 15h-3h.* Le pub le plus renommé des nuits troyennes s'est installé dans un cadre de standing et affectionne un joyeux éclectisme musical qui va du jazz à la salsa, en passant par la house. Parmi les fêtards, on compte nombre d'étudiants en école de commerce et autant d'ingénieurs. Billards et jeu de fléchettes. Spécialité : rhum.

Le Chihuahua *– 8 r. Charbonnet,* ☎ *03 25 73 33 53. Lun.- sam. 21h-3h.* Ce bar dancing branché a élu domicile dans un caveau. On y organise une soirée à thème (tequila, techno...) chaque jeudi et un concert de rock une fois par mois. Le barman s'en tire à merveille avec les cocktails tex-mex.

Le Bougnat des Pouilles *– 29 r. Paillot-de-Montabert,* ☎ *03 25 73 59 85. Lun.-sam. 18h-3h.* C'est le jeune patron de l'établissement qui déniche lui-même les crus de son bar à vin chez les petits propriétaires de la région. Il prête régulièrement les cimaises de ses murs à des expositions de peinture et de photographie. L'ambiance est des plus tranquilles et la musique oscille langoureusement entre jazz, blues et world music.

La Cocktaileraie *– 56 r. Jaillant-Deschainets,* ☎ *03 25 73 77 04. Mar.-sam. 17h-3h, dim. 18h-3h.* Les hommes d'affaires et les jeunes couples amoureux apprécient ce bar de standing ; les uns parlent discrètement de stock options et de Dow Jones, les autres se chuchotent des mots doux ; à tous la carte offre une centaine de cocktails, environ 45 whiskies et de nombreux champagnes de prestige.

Le Grand Hôtel *– 4 av. Maréchal-Joffre,* ☎ *03 25 79 90 90. Le Jardin de la Louisiane : mar-ven., dim. 12h-14h30, 19h30-24h, sam. 19h30-0h. Le Croco : ouv. tlj 7h-23h. Le Caveau : ven.-sam. et j. fériés 22h-4h.* Situé en face de la gare SNCF, ce complexe hôtelier offre un ensemble complet de distractions : trois restaurants, deux bars (Le jardin de la Louisiane et Le Croco) et une discothèque (Le Caveau).

Le Relais Saint-Jean *– 51 r. Paillot-de-Montabert,* ☎ *03 25 73 89 90. Ouv. tlj. jusqu'à 1h.*

Cet hôtel trois étoiles possède un bar de standing, élégamment meublé de noir et baigné, comme il se doit, de lumière tamisée. C'est le lieu idéal pour rassembler ses esprits avant de partir vers le Bougnat, le Tricasse ou le Chihuahua, situés juste à côté. Spécialités : cocktails et whiskies.

Le Montabert – *R. Paillot-de-Montabert*. Bar où se réunissent les jeunes pour écouter les derniers tubes.

La Choppe – *R. de la République*. Grand choix de bières, whiskies et cocktails.

La Gouttière – *Ruelle des Chats*. Un bar bien sympathique qui propose des boissons sans alcool et des soirées à thème (café-philo, concerts, expositions...).

Le café du Musée – *R. de la Cité*. Ce café est le rendez-vous des amateurs de bières (plus de 300 sortes).

OÙ SORTIR LE SOIR ?

Au Bureau – *Pl. Claude-Huez*, ☎ *03 25 73 05 06. Lun.-jeu. 9h-1h, ven.-sam. 9h-3h, dim. 17h-1h*. Avec son décor apprêté et pourtant convivial, cet établissement est conforme à ceux du même nom qui existent un peu partout en France. Soirée karaoké chaque vendredi et samedi, soirée à thème (latinos, jazz) le mercredi et le jeudi. Grand choix de bières et de whiskies.

Spectacle **« Chemin des Bâtisseurs de Cathédrales »** : un itinéraire nocturne dans le cœur du vieux Troyes relie entre elles quatre églises où sont proposés des sons et lumières (chaque fin de sem. du 21 juin à fin août, durée environ 1/4h).

Concerts « ville en musique » du 21 juin à fin août, chaque fin de sem., le soir, différents sites sont animés par des concerts gratuits de tous styles (jazz, rock, classique, chorales...). Le **théâtre de Champagne** *(bd Gambetta)* et le **théâtre de la Madeleine** *(R. Jules-Lebocey)* permettent d'assister à de nombreux spectacles. Se procurer la brochure « Théâtres de Troyes » pour chaque saison.

VISITES TECHNIQUES D'ENTREPRISES

Des entreprises du département de l'Aube accueillent les touristes sur rendez-vous de juil. à oct.(se renseigner à l'Office de tourisme pour avoir la liste).

Le Vitrail – *4 r. Brulard, 10000 Troyes*, ☎ *03 25 73 38 87*. Visite sur rendez-vous. M. Vinum a restauré les vitraux de la cathédrale, de l'église St-Urbain et de St-Pantaléon.

SPÉCIALITÉS

Les andouillettes – On les mange grillées, nature ou arrosées d'huile dans laquelle on a fait rissoler des fines herbes et une gousse d'ail hachée. Elles se dégustent avec de la moutarde au vin de champagne ou de la moutarde de Meaux. Une purée de pommes de terre, de haricots rouges ou des rondelles d'oignon frites, préalablement passées dans du lait ou de la bière, puis dans de la farine, les accompagnent.

Boucherie Boutin – *Marché central des Halles. Mar.-jeu. 7h30-12h45, 15h30-19h, ven.-sam. 7h30-19h, dim. 9h-12h30*. On fera ici provision des véritables andouillettes de Troyes élaborées par Gilbert Lemelle, le plus grand fabricant français.

Charcuterie fine R. Peultier – *Marché central des Halles*, ☎ *03 25 73 27 74. Mar-jeu. 7h30-12h45, 15h30-19h, ven. sam. 7h30-19h, dim. 9h-12h30*. Voici une autre adresse de qualité pour l'andouillette de Troyes maison.

Parmi les autres spécialités, il faut citer le fromage de Chaource, la choucroute au cidre ou au champagne, le rosé des Riceys, le cacibel (apéritif à base de cidre, de cassis et de miel). Fromagers : La boîte à fromages, *18 r. du Général-de-Gaulle* ; Jean-Pierre Ozérée, *halles de l'hôtel de ville*.

MARCHÉS

Le marché a lieu chaque jour, aux halles, pl. St-Remy. Le grand marché se tient le sam. Un autre a lieu dans le quartier des Chartreux le mer. et le dim. matin. Un « marché de terroir » se tient le 3ᵉ mer. du mois sur les allées du bd Jules-Guesde.

ACHATS

Nombreuses animations commerciales toute l'année dans le centre-ville. Shopping dans les zones de magasins d'usine situés à la sortie de Troyes (sites de St-Julien-les-Villas et de Pont-Ste-Marie)

Marques Avenue – *114 bd de Dijon, 10800 St-Julien-les-Villas, informations* ☎ *03 25 82 00 72*. 80 boutiques sont installées dans 5 bâtiments dont certains sont des anciens hangars.

Mc Arthur Glen – *Voie des Bois, 10150 Pont-Ste-Marie, informations* ☎ *03 25 70 47 10*. Ouvert en 1995, le village regroupe 60 magasins installés le long d'une galerie extérieure couverte. Horaires : *lun. 14h-19h, mar.-ven. 10h-19h, sam. 9h30-19h.avec des ouv. exceptionnelles certains dim. et j. fériés (se renseigner)*. Navette Paris-Troyes : dép. de Paris en car le samedi (90F AR) information et réservation ☎ *0800 809 243*

Rue Champeaux

Particulièrement large pour une rue du 16ᵉ s., elle était la principale artère du quartier.

À l'angle de la rue Paillot-de-Montabert, la **maison du Boulanger** abrite le centre culturel Thibaud-de-Champagne et, en face, c'est la **Tourelle de l'Orfèvre**. Celle-ci doit son nom à la profession de son premier propriétaire. Recouverte en partie d'un damier d'ardoise, elle est soutenue par des cariatides et un atlante aux pieds de chèvre. En se dirigeant vers l'église St-Jean et en se retournant, vous aurez un point de vue sur cet ensemble typiquement troyen du 16ᵉ s.

Longer l'église St-Jean, puis prendre la rue Mignard qui ramène rue Champeaux.

En face se trouve l'**hôtel Juvénal-des-Ursins** datant de 1526. Il tire son nom d'une famille champenoise dont Jean Iᵉʳ, magistrat né à Troyes, prévôt des marchands de Paris, contribua à faire donner la régence du royaume à Isabeau de Bavière en 1408.

Ruelle des Chats★

Vision médiévale que celle de ces maisons aux pignons si rapprochés de part et d'autre de la ruelle, qu'un chat peut aisément sauter d'un toit à l'autre. Les bornes à l'entrée de la ruelle empêchaient les roues des chariots de heurter les murs. La nuit, comme la plupart des autres rues, une herse la fermait.

La ruelle s'élargit, devient rue des Chats.

Sur la gauche un passage donne accès à la **cour du Mortier d'Or,** très belle reconstitution à partir d'éléments anciens.

Reprendre la ruelle des Chats et tourner à gauche dans la rue Charbonnet.

Hôtel de Marisy

Édifié en 1531, ce bel hôtel de pierre est orné d'une ravissante tourelle d'angle, de style Renaissance, décorée de figures et de blasons.

Tourner à gauche dans la rue des Quinze-Vingts, et ensuite à droite dans la rue de la Monnaie.

Ravissant oratoire Renaissance au-dessus de la porte d'entrée ornée d'un fronton triangulaire.

Rue de la Monnaie

Elle est bordée de belles maisons à pans de bois. Au nᵒ 34, hôtel de l'Élection du 16ᵉ s. couvert d'essentes. Nᵒˢ 32 à 36, hôtel de la Croix d'Or (début 16ᵉ s.) en pierre et à damier, ancienne demeure de Nicolas Rigert, maire de Troyes.

Prendre à gauche la rue des Ursins et gagner la place Audiffred. Sur cette place, l'ancien hôtel particulier de Nicolas Camusat, maire de Troyes en 1759, construit au 18ᵉ s., abrite la Chambre de commerce et d'industrie.

Revenir sur ses pas et poursuivre la rue de la Monnaie.

Tourner à gauche dans la rue Colbert et encore à gauche rue de la Bonneterie.

Place Jean-Jaurès

◄ C'est l'ancienne place du Marché au blé.

Prendre à droite la rue de Turenne.

À l'angle de cette rue, une maison ancienne a été élevée sur un rez-de-chaussée moderne (remarquer la porte d'entrée au premier étage).

Hôtel de Chapelaines

55 rue de Turenne. Il fut construit entre 1524 et 1536 par un riche teinturier, dont les descendants anoblis devinrent barons et marquis de Chapelaines. Belle façade Renaissance.

Prendre la rue Général-Saussier, puis tourner à gauche dans la rue de la Trinité.

Hôtel de Mauroy★★

C'est un intéressant exemple de l'architecture troyenne du 16ᵉ s. Sa façade sur la rue est appareillée en damier champenois tandis que dans la cour *(accessible lors de la visite de la maison de l'Outil et de la Pensée ouvrière)* s'intercalent colombages, briques, damier d'ardoise, bandeaux,

La maison formant l'angle avec la rue de Vauluisant montre un bel exemple de l'appareil champenois en brique et craie. Son encorbellement repose sur des consoles sculptées représentant des visages ; au coin une jolie Vierge de l'Apocalypse sur son croissant de lune.

autour d'une tourelle polygonale. Remarquer également les colonnes de style corinthien supportant une galerie de bois. Cet hôtel construit en 1550 par de riches marchands devint, grâce à la générosité de Jean de Mauroy, l'hôpital de la Trinité. On y accueillait les enfants pauvres pour leur apprendre un métier. En 1745 des machines pour la fabrication de bas y furent introduites. Ce fut le début de la bonneterie mécanique à Troyes. En 1966, la ville de Troyes remit cet hôtel entre les mains des Compagnons du Devoir qui le restaurèrent et y installèrent un musée.

Juste à côté, à l'angle des rues de la Trinité et Thérèse-Bordet se trouve la maison des Allemands.

Maison des Allemands
Construite au 16ᵉ s. et décorée au 18ᵉ s., cette maison à pans de bois accueillait les marchands d'Allemagne au moment des foires. Elle est devenue la bibliothèque des Compagnons du Devoir et du Tour de France.

Tourner à droite dans la rue Thérèse-Bordet. Par la rue Larivey, rejoindre la rue Général-Saussier.

Rue Général-Saussier
Ancienne rue du Temple — une commanderie de templiers y était située — elle présente un bel alignement de maisons anciennes. Un passage mène à la pittoresque cour intérieure à pans de bois et galerie ; au nᵒ 11 : hôtel de pierre du 18ᵉ s. où Napoléon résida pendant la campagne de France ; au nᵒ 3 : belle maison de pierre et brique au toit couvert de tuiles vernissées en écaille ; elle fut construite sous Louis XIII et appartenait au Commandeur de l'ordre de Malte.

> **D**ans un angle, au nᵒ 26 de la rue du Général-Saussier, remarquez l'hôtel des Angoiselles agrémenté d'une tour à clocheton.

Revenir sur ses pas et prendre à droite la rue de la Montée-des-Changes longeant l'hôtel des Angoiselles.
Traverser la rue Émile-Zola, la rue de la Montée-des-Changes devient un passage avant d'atteindre la place du Marché-au-Pain.

Place du Marché-au-Pain
Autrefois place aux Changes, elle voyait les changeurs installer leurs tables au cours des foires.

> **D**e la place du Marché-au-Pain, agréable en été car ombragée, une jolie vue s'offre sur la tour d'horloge de l'église St-Jean aux allures de minaret.

Suivre la rue Urbain-IV jusqu'à la place de la Libération. Traverser le canal. Prendre la rue Roger-Salengro puis la rue Linard Gonthier, célèbre maître-verrier au 16ᵉ s.

Au nᵒ 22, hôtel du Petit Louvre, ancienne demeure d'Henri de Poitiers (14ᵉ s.). Relais de poste en 1821, c'est aujourd'hui un centre international de recherches.

Tourner à gauche pour rejoindre la place St-Pierre.

On passe devant le musée d'art moderne installé dans l'ancien évêché et devant la cathédrale aux portails surmontés de gâbles ouvragés.

Rue de la Cité
C'est l'ancienne voie romaine (Lyon-Boulogne) qui croisait à angle droit la route de Paris à Troyes.

Faire quelques pas dans la rue du Paon, très calme, bordée de maisons à colombage et en damier.
On longe l'ancien **Hôtel-Dieu,** édifice du 18ᵉ s., aujourd'hui antenne de l'université de Reims.

Retraverser le canal, longer le côté Nord de la basilique St-Urbain et rejoindre la place Alexandre-Israël.

Détail de la belle grille monumentale de l'hôtel-Dieu exécutée en 1760 par Pierre Delphin.

visiter

LES ÉGLISES

Cathédrale St-Pierre-et-St-Paul★★
Construite du 13ᵉ au 17ᵉ s., c'est un édifice remarquable par ses dimensions, la richesse de sa décoration et la beauté de sa nef.
La façade (début 16ᵉ s.), très ouvragée, est ornée d'une belle rose flamboyante. Les trois portails sont surmontés de gâbles ouvragés. Sculptures et statues ont été détruites à la Révolution. Des deux tours prévues, seule celle de

> **UN ARCHITECTE TRÈS PRISÉ**
> La façade de la cathédrale est due en partie à Martin Chambiges, constructeur du transept de la cathédrale de Beauvais, qui travailla aussi à la cathédrale de Sens.

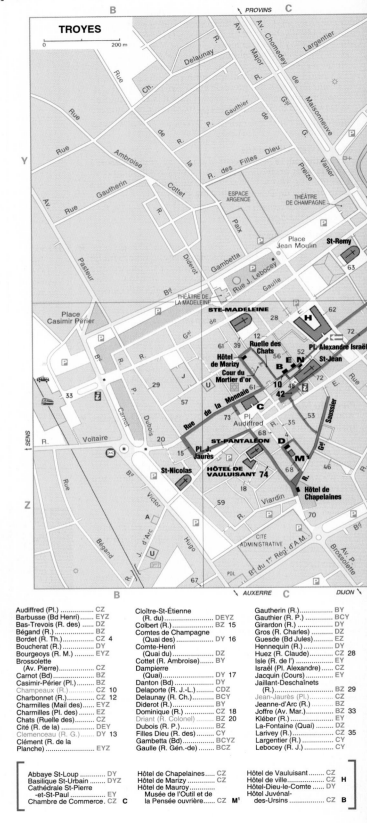

TROYES

0   200 m

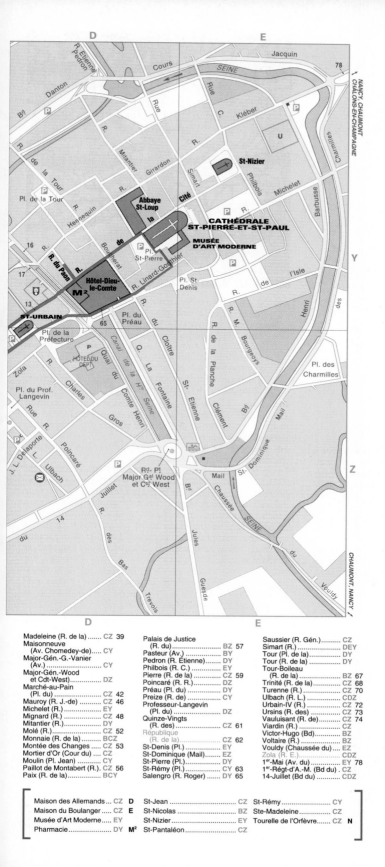

*« Pressoir mystique »,
célèbre vitrail du 17ᵉ s.*

gauche *(en restauration),* haute de 66 m, a été terminée au 17ᵉ s. À sa base une plaque rappelle le passage de Jeanne d'Arc à Troyes, le 10 juillet 1429.

Contourner la cathédrale par la gauche pour admirer le portail du transept Nord (13ᵉ s.) dont la statuaire (disparue à la Révolution) lui avait valu le nom de Beau Portail ; la partie supérieure est remarquable : une immense rose, qui inscrit dans un carré ses 12 rayons en ogives, est accompagnée de quatre rosaces.

Intérieur — Une impression de puissance et de légèreté s'en dégage. L'élégance de l'architecture, l'harmonie des proportions et l'éclat des vitraux soulignent l'admirable perspective de la nef et du chœur.

Les **verrières★★** permettent de comparer la technique du vitrail à des époques différentes.

Les vitraux du chœur et du déambulatoire datent du 13ᵉ s. D'un dessin primitif, qui se soucie peu de la perspective, ils charment par la chaleur et l'intensité de leur coloris : ils représentent surtout de grands personnages isolés — papes et empereurs — et des scènes de la Vie de la Vierge. Du début du 16ᵉ s., les verrières de la nef sont d'une autre facture : la pureté des tons où dominent les rouges et la souplesse de la composition forment de véritables tableaux peints sur verre. On remarque, au Nord, l'*Histoire de la Vraie Croix*, la *Légende de saint Sébastien*, l'*Histoire de Job* et celle *de Tobie* ; au Sud, l'*Histoire de Daniel*, celle *de Joseph*, la *Parabole de l'Enfant prodigue* et un magnifique *Arbre de Jessé*.

La rose de la façade, œuvre de Martin Chambiges, a été terminée en 1546 et décorée d'une verrière exécutée par Jehan Soudain : les Patriarches entourent Dieu le Père. Elle est partiellement masquée par le buffet d'orgue du 18ᵉ s., provenant de l'abbaye de Clairvaux.

Trésor★ — Dans une salle voûtée du 13ᵉ s. sont exposés un coffret d'ivoire teinté de pourpre (11ᵉ s.), quatre émaux cloisonnés (11ᵉ s.) de forme semi-circulaire figurant les symboles des quatre évangélistes, un psautier dit du comte Henri, manuscrit aux lettres d'or du 9ᵉ s., deux couvertures de missel ornées de pierres précieuses, la châsse de saint Bernard (12ᵉ s.), des émaux mosans du 12ᵉ s., une chape rouge brodée de médaillons (14ᵉ s.). *De juil. à fin sept. : tlj sf lun. 10h-12h, 14h-18h, dim. et j. fériés 14h-18h. Gratuit.* ☎ 03 25 76 98 18.

Basilique St-Urbain★

Elle illustre l'art gothique champenois du 13ᵉ s. Elle fut construite de 1262 à 1286, par ordre du pape Urbain IV (1185-1264), originaire de Troyes, sur l'emplacement de l'échoppe de savetier de son père.

Extérieur — La façade Ouest date du 19ᵉ s. ; sous le porche, portail du 13ᵉ s., dont le tympan représente le Jugement dernier. Longer l'édifice jusqu'au chevet pour admirer la légèreté des arcs-boutants, l'élégance des fenêtres, la grâce des pinacles, des gargouilles et des autres éléments décoratifs. Les portails latéraux s'abritent sous des porches du 14ᵉ s.

Intérieur — Tout l'intérêt se concentre sur le chœur, construit d'un seul jet. Exemple rare au début du gothique, les verrières occupent une surface considérable, réduisant les murs à une simple ossature de pierre. Les **verrières** du 13ᵉ s. occupent les médaillons des fenêtres basses du sanctuaire, les fenêtres hautes du sanctuaire et du chœur et les médaillons de la chapelle St-Joseph, à gauche du chœur.

Dans la chapelle à droite du chœur, sur l'autel, se trouve la souriante « **Vierge au raisin★** ».

Église Ste-Madeleine★

C'est la plus ancienne église de Troyes. L'église primitive de la fin du 12ᵉ s. a été très remaniée au 16ᵉ s. Elle reçut une nouvelle abside de 1498 à 1501, ainsi que la tour Renaissance de la façade Ouest.

La nef gothique reconstruite dans la seconde moitié du 19ᵉ s. a un triforium aveugle surmonté de fenêtres géminées, mais toute l'attention est attirée par le remarquable jubé de pierre.

Les verrières★ — Le chevet est orné de grandes verrières Renaissance au coloris éclatant : de gauche à droite, la vie de saint Louis (1507), la Création du Monde (1500) — dont les premières scènes en bas à gauche montrant la séparation des eaux, la lumière... sont des réalisations presque abstraites —, la *Légende de saint Éloi* (1506), l'*Arbre de Jessé* (1510), la *Passion* (1494) — en bas sont représentés les donateurs et leur saint patron —, la *Vie de sainte Madeleine* (1506) et *Le triomphe de la Croix*.

Dans le bas-côté droit contre un pilier de la nef, belle **sainte Marthe★**. Représentative de l'école troyenne du 16ᵉ s., cette œuvre du maître de Chaource frappe par son visage grave et émouvant. Patronne des servantes (dont elle porte ici le costume du 16ᵉ s.), sainte Marthe est figurée terrassant la tarasque en l'aspergeant d'eau bénite avec un goupillon *(bas-côté droit contre un pilier de la nef)*.

En face, dans le bas-côté gauche, statue en bois de saint Robert (début 15ᵉ s.) portant dans chaque main les abbayes de Molesmes et de Cîteaux, fondées par lui.

Devant le vitrail de la Passion s'élève une très belle statue de saint Sébastien (16ᵉ s.). En sortant de l'église, à gauche, remarquer la porte flamboyante de l'ancien charnier (1525) décorée de la Salamandre, emblème de François Iᵉʳ et de son monogramme « F ».

> **SOMPTUEUX**
>
> De style flamboyant, le **jubé ★★** de l'église Ste-Madeleine fut exécuté de 1508 à 1517 par Jean Gailde, sculpteur et architecte troyen. Une balustrade fleurdelisée le surmonte ; côté chœur, un escalier, dont la rampe repose sur une corniche ornée de figures grotesques et de choux frisés, atteint la galerie. Sur la face collatérale Nord du jubé, un groupe de bois peint et doré, délicatement sculpté, est une œuvre flamande du 16ᵉ s.

Composé de trois arcs d'ogives festonnés, le jubé est enrichi d'une merveilleuse floraison de feuillages et de figurines sculptées portant les costumes Renaissance.

Église St-Pantaléon★

Cette église du 16e s., voûtée de bois au 17e s., éclairée de hautes verrières Renaissance la plupart en grisaille, présente un surprenant balcon sinueux et une importante collection de **statues★** placées principalement sur les piliers de la nef ; elles proviennent d'églises détruites à la Révolution. Au premier pilier, à droite, la statue de saint Jacques par *Dominique Florentin* est un autoportrait de l'artiste. Face à la chaire la belle *Vierge de douleur* est d'esprit gothique, tandis qu'aux piliers du chœur, la *Charité et la Foi,* œuvres de Dominique Florentin, sont teintées d'italianisme.

Église St-Jean

La tourelle d'horloge de cette église est du 14e s. La nef, assez basse est de style gothique ; le chœur, réédifié au début du 16e s., est beaucoup plus élevé. Au-dessus de l'autel, deux tableaux de Mignard. Le tabernacle de marbre et bronze a été exécuté sur les dessins de Girardon (1692).

Église St-Nicolas

Reconstruite après l'incendie de 1524, son portail Sud flanqué de pilastres est orné de statues de François Gentil. À l'intérieur, tribune très ouvragée, occupée par la chapelle du Calvaire, avec loggia et balustrade. Prendre l'escalier dans le bas-côté pour admirer la voûte à clés pendantes. *Mar.-sam. 16h-18h. Paroisse.* ☎ 03 25 73 02 98.

Église St-Remy

Élevée aux 14e et 16e s. puis restaurée, elle se signale par son fin clocher d'ardoises hélicoïdal, cantonné de clochetons aigus.

L'intérieur est orné de nombreux panneaux peints sur bois en grisaille, du 16e s. Médaillons en bas-relief et crucifix en bronze de Girardon, paroissien de St-Remy. *De juil. à fin août : 10h30-12h30.*

Église St-Nizier

Cette église du 16e s. se remarque de loin par sa toiture recouverte de tuiles vernissées multicolores. Elle possède à l'intérieur une belle *Mise au tombeau* et une *Pietà* du 16e s. *De juil. à fin août : 14h30-16h30.*

LES MUSÉES

Musée d'Art moderne★★

En 1976, Pierre et Denise Levy, industriels troyens, firent don à l'État de l'importante collection d'œuvres d'art qu'ils avaient rassemblée depuis 1939. La ville de Troyes décida alors d'aménager les bâtiments de l'ancien palais épiscopal pour présenter cette collection. ᪲ *Tlj sf mar. 11h-18h. Fermé j. fériés. 30F, gratuit mer.* ☎ 03 25 76 26 80.

Le bâtiment — Encadrant une cour donnant sur un côté de la cathédrale, l'évêché comprend une partie Renaissance, où l'on retrouve le damier champenois en brique et pierre, et une aile, ajoutée au 17e s., dont le fronton est orné des armes de l'évêque qui la fit construire.

La collection — Elle comprend 388 peintures (toutes de la fin du 19e s. et du début du 20e s.), 1 277 dessins, 104 sculptures, des verreries et des pièces d'art africain

Port de Collioure, le cheval blanc *l'une des œuvres d'André Derain où explose la couleur.*

et océanien. Elle est particulièrement riche en **œuvres des peintres fauves★★**. Les toiles de Derain, grand ami de M. Levy, explosent de couleurs dans les représentations de Londres *(Hyde Park, Big Ben)* et de Collioure, ainsi que celles de Vlaminck *(Paysage à Chatou)*, de Braque *(Paysage à l'Estaque)*, et de Van Dongen qui utilise le même procédé « fauve » de la couleur pure étendue en larges aplats dans ses portraits mondains.

De la période antérieure aux fauves, on remarquera dans les premières salles, deux petits Courbet, un beau double portrait de Degas, une saisissante esquisse de Seurat, un attachant Vallotton et les insolites représentations d'usines de Vuillard.

Les œuvres plus récentes comptent des tableaux de Robert Delaunay, avant sa période abstraite, des œuvres de Roger de La Fresnaye, de Modigliani, de Soutine, de Buffet, de Nicolas de Staël, de Balthus et de nombreuses toiles de **Derain** postérieures à sa période fauve.

Pierre Levy a aussi rassemblé un important fonds d'un autre Troyen, Maurice Marinot, peintre qui devint verrier et dont on admirera les créations de style Arts Déco. Les dessins, en nombre important, sont présentés par roulement dans une vaste salle d'exposition aménagée dans les combles sous une belle charpente.

Enfin la collection d'**art africain**, présentée comme dans un écrin, comprend des statues, des figures de reliquaire, des cuillers, une statue en bronze du Bénin représentant un suivant de l'Oba, des cimiers — coiffes bambaras représentant des antilopes stylisées qui inspirèrent de nombreux peintres du début du siècle.

LES FAUVES
Le surnom de fauve avait été donné, au salon de 1905, à quelques peintres qui « faisaient rugir la couleur ». Les formes étranges et l'absence de perspective leur avaient aussi valu le surnom d'invertébrés.

Maison de l'Outil et de la Pensée ouvrière★★
Elle occupe l'hôtel de Mauroy restauré par les **Compagnons** du Devoir qui y ont installé un musée original regroupant une superbe collection de l'outil « dit de façonnage à main ». *9h-13h, 14h-18h, w.-end et j. fériés 10h-13h, 14h-18h. 40F.* ☎ 03 25 73 28 26.

Un itinéraire de visite *(notice d'explication détaillée fournie)* permet d'admirer une multitude d'outils du 18ᵉ s. disposés harmonieusement dans de grandes vitrines. Témoignage d'une époque où l'habileté manuelle était à l'honneur, ces outils sont groupés par catégories (nombreux marteaux pour le travail du cuir, de l'acier..., étaux, haches, varlopes, compas, magnifiques bigornes, truelles) ou par métiers (charron, vannier, menuisier, maréchal-ferrant, couvreur), un grand nombre de métiers du bois, du fer, de la pierre étant ainsi évoqués. Certains sont sculptés ou gravés par l'artisan ou le forgeron taillandier.

A gauche, dans la cour, sont exposés dans une grande salle des chefs-d'œuvre de compagnons : église, escalier, porte...

Enclume de couvreur.

Maillet de tailleur de pierre.

Un colporteur vendant des châles à des femmes de la région troyenne, tableau de Valton, conservé au musée historique.

Attenant au musée, une **bibliothèque** de littérature ouvrière comprend de nombreux ouvrages techniques, encyclopédiques et historiques.

Hôtel de Vauluisant★

Juil.-août : tlj sf mar. 10h-18h ; janv.-juin : tlj sf lun. et mar. 10h-12h, 14h-18h. Fermé j. fériés. 30F (enf. : 5F), gratuit mer. ☎ 03 25 42 33 33.

L'hôtel de Vauluisant présente une belle façade Renaissance à tourelles, dont les toits sont surmontés d'épis représentant le soleil et la lune.

Construit au 16ᵉ s. sur l'emplacement d'un édifice appartenant aux abbés de Vauluisant. Il a conservé sa salle d'apparat avec son plafond à la française et sa splendide cheminée de pierre. Deux musées s'y cotoient.

Musée historique de Troyes et de Champagne★ — Une première section présente un panorama de l'art en Champagne méridionale, de l'époque romane à la fin du 16ᵉ s., par la fameuse école troyenne : sculptures (*Christ en croix* attribué au maître de Chaource, *Vierge à l'Enfant* en pierre polychrome de Villenauxe, *Mise au tombeau* de Montier-la-Celle), peintures *(Le Songe de saint Joseph, L'Assomption de la Vierge)*, quelques objets d'art.

Une salle évoque l'architecture troyenne au 16ᵉ s. avec des éléments de pans de bois sculptés (abouts de poutre) tableaux et documents graphiques. Une salle du vitrail présente un panorama de l'école troyenne de peinture sur verre de la fin du 15ᵉ au début du 17ᵉ s.

Une collection de carreaux de pavement en terre cuite du 13ᵉ au 17ᵉ s. est présentée dans les caves voûtées.

Musée de la Bonneterie — La bonneterie est l'activité essentielle de la ville qui en est la capitale française. Plusieurs salles illustrent les procédés de fabrication et l'histoire de la bonneterie. Une belle collection de bas à décor brodé, perlé ou incrusté au tricotage est exposée par roulement. Un ensemble de machines et de métiers dont les plus anciens datent du 18ᵉ s. (métiers rectilignes, circulaires, exceptionnelle tricoteuse dite « Jacquard à ficelles »), et la reconstitution d'un atelier artisanal de bonnetier au 19ᵉ s. montre l'évolution des techniques.

Abbaye St-Loup

Juil.-août : tlj sf mar. 10h-13h, 14h-18h, dim. 10h-12h, 14h-18h ; janv.-juin : tlj sf mar. 10h-12h, 14h-18h. Fermé j. fériés. 30F, gratuit mer. ☎ 03 25 76 21 68.

Les bâtiments de l'ancienne abbaye St-Loup des 17ᵉ et 18ᵉ s., agrandie aux 19ᵉ et 20ᵉ s., abritent aujourd'hui deux musées et la bibliothèque.

Musée d'Histoire naturelle — Occupant une partie du rez-de-chaussée, il présente une belle collection de mammifères et d'oiseaux du monde entier. Dans le cloître sont rassemblés une collection de squelettes (ostéologie) ainsi que des minéraux et météorites.

Musée des Beaux-Arts et d'Archéologie★ — Situées ▶ dans les vastes caves de l'ancienne abbaye, les collections d'**archéologie régionale★** vont de la Préhistoire aux Mérovingiens. La galerie des **sculptures médiévales** montre l'activité qui régna sur les chantiers de la Champagne méridionale du 13e au 15e s. : chapiteaux, gargouilles, très beau Christ en croix du 13e s.

À l'entresol, cabinet de dessins et miniatures du 16e au 18e s. présentés par roulement.

Au 1er étage, les galeries de **peintures** exposent des œuvres de toutes les écoles du 15e s. au 19e s. Le 17e s. est particulièrement bien représenté avec des œuvres de Rubens, Van Dyck, Philippe de Champaigne, Jacques de Létin, Le Brun, Mignard... ainsi que le 18e s. avec deux petits tableaux de Watteau (*L'Enchanteur et L'Aventurier*), des toiles de Natoire, de Boucher, de Fragonard, de Lépicié, de Greuze, de David, de Mme Vigée-Lebrun.

Dans ces galeries sont également présentés des sculptures (œuvres de Girardon), des émaux du 16e s. et des meubles.

Bibliothèque — Fondée en 1651, elle possède plus de ▶ 340 000 volumes. L'histoire du livre est représentée depuis le 7e s. avec plus de 8 000 manuscrits et 700 incunables.

Hôtel-Dieu

L'ancienne **apothicairerie★** possède une riche collection de bocaux en faïence du 18e s., une exceptionnelle série de 320 boîtes de bois peint décorées de motifs (souvent végétaux) représentant les différentes variétés médicinales, des mortiers de bronze des 16e et 17e s. L'ancien laboratoire est aménagé en musée : bustes-reliquaires du 16e s., pichets en étain. &. *Juil.-août : tlj sf mar. 10h-18h ; janv.-juin : mer. et w.-end 14h-18h. Fermé j. fériés. 20F, gratuit mer.* ☎ *03 25 80 98 97.*

Boîtes de bois joliment décorées appartenant à l'ancienne apothicairerie.

alentours

De nombreuses localités dans les environs immédiats de Troyes ont une église digne d'intérêt. Le détour sera souvent l'occasion d'une belle découverte.

St-Parres-aux-Tertres *(5 km à l'Est)*

Église — Construite à l'emplacement où aurait été enseveli saint Parres, martyr troyen du 3e s., elle date du ▶ 16e s. et le portail méridional a conservé son ornementation Renaissance. À l'intérieur, de beaux vitraux du 16e s. qui avaient été déposés en 1939 ont retrouvé leur place. *De juil. à fin août : visite guidée 15h-18h. Mairie.* ☎ *03 25 72 12 30.*

Nécropole paléochrétienne — Le bâtiment a été construit pour exposer les sarcophages gallo-romains et les différents objets découverts dans les sépultures, suite aux fouilles effectuées à proximité de l'église.

Parmi les pièces maîtresses : l'Apollon de Vaupoisson, bronze gallo-romain de 1,10 m de haut, et « le trésor de Pouan », ensemble exceptionnel d'armes et d'objets de parure en orfèvrerie cloisonnée et en or massif, provenant d'une tombe princière de la période mérovingienne (5e s.).

COUP D'ŒIL
La grande salle de la bibliothèque visible à travers une paroi vitrée au 1er étage du musée faisait office de dortoir des chanoines avant la Révolution.

De nombreuses œuvres d'art sont à remarquer : statue de saint Parres tenant sa tête, dans la chapelle Nord, une ravissante *Vierge* à *l'Enfant* dans la chapelle Sud.

OÙ DANSER
Le Miami — *2 r. de la Croix Blanche,* ☎ *03 25 74 73 95. Mer.-sam. 22h-5h.* Cette petite discothèque à la mode programme de la musique des années 1970 à 1990. Spectacle (voyance, show érotique) le jeudi ou le vendredi.

À REMARQUER
Dans la nef romane voûtée en berceau, admirez les sarcophages, les chapiteaux et une statue de sainte Marthe tenant la tarasque enchaînée. À droite, dans la nef gothique : beau Christ en bois du 13e s.

Sur le maître-autel, la lumière tombe d'une baie dissimulée dans le clocher, éclairant un Christ en bois, du 13e s., de l'école espagnole.

St-André-les-Vergers *(4 km au Sud)*

Prendre le boulevard Victor-Hugo, le boulevard de Belgique puis la N 77, tourner à droite dans la rue de la Croix-Blanche.
L'église du 16e s. s'ouvre à l'Ouest par le portail dit « des Maraîchers », décoré de guirlandes de fleurs, de fruits et de légumes.
À l'intérieur : très belles statues en bois polychrome du 16e s. de la Vierge et de saint Jean. *Visite guidée 14h-18h sur demande préalable auprès du Syndicat d'initiative, 21 av. du Maréchal-Leclerc.* ☎ *03 25 71 91 11.*

Isle-Aumont *(13 km au Sud-Est par la N 71)*

La butte d'Isle-Aumont témoigne d'un passé particulièrement riche rappelant que la vallée de la Seine fut un axe de passage privilégié. Sur ce promontoire se sont succédé stations néolithiques et celtiques, sanctuaires païens et chrétiens, camp viking, nécropoles, monastères et châteaux. Des vestiges de toutes ces époques subsistent.

◀ Des fouilles ont révélé une succession d'édifices. Du 5e au 9e s., il y eut un établissement monastique détruit par les Normands. La présence de superbes sarcophages mérovingiens (5e au 8e s.) indique que ce sanctuaire était très fréquenté. Au 10e s., l'**église** fut reconstruite : de cette phase datent l'abside de forme semi-circulaire, dégagée sous l'actuel chœur, ainsi que la table d'autel. En 1097, Robert de Molesme fonda un prieuré bénédictin, mais c'est au 12e s. que l'église actuelle apparaît. Édifice plus vaste que le précédent, elle comportait une nef avec deux collatéraux et se terminait par un chœur surélevé, l'ancien ayant été remblayé. Les collatéraux furent démolis au 15e s. et au 19e s. Aux 15e et 16e s. fut ajoutée une seconde nef. *Visite guidée sur demande préalable auprès de la mairie,* ☎ *03 25 41 81 11 ou de M. Jacotin,* ☎ *03 25 41 82 33.*

Bouilly *(13 km au Sud)*

Ce village est situé au pied du versant Est de la forêt d'Othe.
L'église St-Laurent du 16e s. restaurée au 18e s. offre, au-dessus du maître-autel, un remarquable retable Renaissance en pierre, représentant des scènes de la Passion ; sous ce retable, un bas-relief d'une grande finesse a pour thème la *Légende de saint Laurent* ; statues du 16e s. parmi lesquelles un curieux *Saint Sébastien* décoré d'un collier en coquilles St-Jacques, et une belle *Sainte Marguerite. S'adresser au presbytère.* ☎ *03 25 40 20 11.*

Pont-Ste-Marie *(3 km au Nord)*

Au bord de la Bâtarde, l'**église** construite au 16e s. présente une belle façade ornée de trois portails monumentaux, celui du centre est de style flamboyant (niches, archivolte à crochets), tandis que les deux autres sont de pur style Renaissance (guirlandes, rinceaux).
À l'intérieur, de nombreuses œuvres d'art et une très belle verrière de Linard Gontier. *S'adresser à la mairie lun.-ven. 9h-12h30, 13h30-18h (ven. 17h).* ☎ *03 25 81 20 54.*

Ste-Maure *(7 km au Nord)*

L'église date du 15e s. et renferme le tombeau de sainte Maure (sarcophage du 9e s.). *Visite sur demande auprès de la mairie : lun.-mar., jeu.-ven. 9h-12h, 14h-18h, mer. et sam. 9h-12h.* ☎ *03 25 76 90 93.*

Fontaine-lès-Grès *(19 km au Nord-Ouest par la N 19)*

◀ L'**Église Ste-Agnès**★ fut construite en 1956 par l'architecte Michel Marot. De plan triangulaire, elle est surmontée d'un clocher élancé dont les arêtes prolongent celles du toit.
À l'intérieur, des lambris de bois aux teintes chaudes recouvrent une ossature métallique. Chaque angle est coupé par un autel, disposition qui tempère la sécheresse du triangle.

Parc naturel régional de la Forêt d'Orient★★★

À une dizaine de kilomètres de Troyes, ce parc avec son lac et ses activités de loisirs multiples est un lieu de séjour parfait pour la famille et les sportifs *(voir Forêt d'Orient).*

Varennes-en-Argonne

Louis XVI et sa famille connurent l'humiliation de leur vie, en s'y faisant arrêter lors de leur fuite à l'étranger. Aucun doute, cet événement historique rendit célèbre cette petite ville qui, le reste du temps, respire tranquillement sur les bords de l'Aire.

La situation

Cartes Michelin nᵒˢ 56 plis 10, 20 ou 241 pli 18 — Schéma p. 87 — Meuse (55). À l'Est de la forêt d'Argonne, Varennes se trouve dans le département de la Meuse. 🛈 *Mairie, 55270 Varennes-en-Argonne,* ☎ *03 29 80 71 01.*

Le nom

Varennes viendrait du mot garenne signifiant pays boisé et giboyeux.

Les gens

679 Varennois sans oublier l'épicier Sauce (1755-1825), devenu procureur de la commune, qui contribua à l'arrestation de Louis XVI. Sa fonction de greffier du tribunal criminel de la Meuse s'est maintenue plus d'un siècle dans sa famille.

LA « FUITE À VARENNES »

Ayant reconnu le roi à Ste-Menehould le 21 juin 1791, Drouet, traversant à cheval la forêt d'Argonne par des raccourcis, arriva à 23h à Varennes où il donna l'alerte. « Il faisait très noir, raconta-t-il, les voitures étaient le long des maisons. Pour ne pas être reconnus ni soupçonnés, nous jetâmes nos baudriers et nous ne gardâmes que nos sabres. » Aidé de son compagnon Guillaume, commis du district, de quatre gardes nationaux et de deux étrangers, Drouet arrêta la berline royale et son escorte près du beffroi actuel dit tour de l'Horloge. Ayant montré leurs passeports mais n'ayant pu répondre sans se troubler aux questions qui leur étaient posées, le roi et sa famille furent conduits, près de là, dans la maison de l'épicier Sauce, procureur de la commune. Louis XVI ne chercha plus à nier qu'il était et embrassa Sauce en lui disant : « Oui, je suis votre roi. » Tous ses espoirs de se voir délivrer par les troupes de Bouillé allaient s'envoler devant l'attitude énergique des Varennois et des gardes nationaux accourus des environs au son du tocsin. Le lendemain 22 juin, arrivait le décret de l'Assemblée ordonnant l'arrestation du roi. Le retour à Paris s'acheva le 25 juin.

visiter

Musée d'Argonne

Dans un bâtiment moderne, le musée comprend, sur deux niveaux, une exposition Louis XVI présentant des documents relatifs au roi et à son arrestation, une galerie consacrée aux arts et traditions de l'Argonne (céramique sigillée de l'Argonne, faïences des Islette et de Waly),

Maquette de l'arrestation de Louis XVI, réalisée par Brigitte Duboc, au musée d'Argonne.

une salle groupant des souvenirs de la guerre de 1914-1918 (combats souterrains de l'Argonne et intervention américaine). *Juil.-août : 10h30-12h, 14h30-18h ; mai-juin : 15h-18h ; avr. et de sept. à mi-oct. : w.-end et j. fériés 15h-18h. Fermé mi-oct. à Pâques. 21F.* ☎ *03 29 80 71 01 ou* ☎ *03 29 80 71 14.*

Mémorial de Pennsylvanie
Grandiose monument aux morts américains commémorant les combats de 1918. Jolie vue sur l'Aire et sa campagne, au Nord.

Vendeuvre-sur-Barse

Vous projetez de vous arrêter à Vendeuvre ? Alors vérifiez l'état de vos chaussures de marche et regonflez votre vélo. Au cœur de la magnifique forêt d'Orient avec ses lacs, ses majestueuses chênaies et ses sentiers de découvertes, cette petite ville est le point de départ idéal pour explorer le parc naturel.

La situation
Cartes Michelin n⁰ˢ 61 pli 18 ou 241 pli 38 — Aube (10). Sur la N 19, la ville est à mi-chemin entre Troyes et Bar-sur-Aube. 🚹 *Pl des Anciens-Combattants, 10140 Vendeuvre-sur-Barse,* ☎ *03 25 41 44 88.*

Le nom
Vieux nom celtique qui signifierait rivière ou source qui surprend. La rivière la Barse prend sa source sous le château de Vendeuvre.

Les gens
2 792 Vendeuvrois, passionnés et bénévoles, participent chaque année au spectacle qui a lieu dans le parc du château.

visiter

Église St-Pierre et St-Paul
Cet édifice du 16ᵉ s. présente au-dessus du portail Nord une intéressante sculpture Renaissance et à l'extérieur à droite une Pietà du 16ᵉ s.

Château
Il fut construit aux 16ᵉ et 17ᵉ s. au-dessus des vestiges d'une ancienne forteresse (1107). Ce vaste édifice dominant un agréable parc ouvert au public sert de cadre chaque été à un grand spectacle son et lumière « vindovera » où quelque 500 figurants retracent 15 siècles d'histoire locale.

Intérieur de la Sainterie, ancienne manufacture d'art religieux qui ferma ses portes en 1961.

SAINTERIE
La porte d'entrée au décor néo-gothique et les bâtiments témoignent de l'importance de cette manufacture d'art religieux qui fonctionna de 1842 à 1961. Les statues ornaient bon nombre d'églises de France ainsi que des pays étrangers là où il y avait des missionnaires, notamment dans les anciennes colonies. Mais les missions et les colonies ayant disparu, l'art de la statuaire ayant changé, l'entreprise ne survécut pas aux évolutions de la seconde moitié du 20ᵉ s. Le Paradis qui avait été construit pour exposer les modèles fabriqués a été démoli en 1979, mais devrait être reconstitué au château.

Vignory ★

Prenez le temps de faire une halte à Vignory, dominé par les ruines de son château du 15ᵉ s. et les restes de son donjon du 13ᵉ s. De ce village niché au creux de son vallon se dégagent une atmosphère accueillante et un cachet à l'authenticité sympathique.

La situation
Cartes Michelin nᵒˢ 61 pli 20 ou 241 pli 39 — Haute-Marne (52). Le village est situé entre Chaumont et Joinville, au carrefour de la D 40 avec la N 67.

Le nom
Vangio Rivus, Vangionum Rivus appelé ainsi du fait de sa position sur le ruisseau de Vangion, nom d'un ancien peuple établi dans cette contrée.

Les gens
335 Vangionnais. C'est la patrie de Mme Barrois dont l'histoire retiendra qu'elle fut le premier commissaire-priseur en France.

Ce remarquable lavoir, situé Grande-Rue, en forme de temple à péristyle toscan, date de 1832.

se promener

Église St-Étienne ★
Bâtie vers l'an mille par Guy Iᵉʳ, seigneur de Vignory, c'est un exemple précieux de l'architecture romane du milieu du 11ᵉ s.
La tour du clocher, de plan rectangulaire, montre, sur chacune des faces des deux étages supérieurs, deux couples de baies géminées et, au-dessous, un étage de baies murées assez profondes. Elle est coiffée d'un cône de pierre que recouvre un toit octogonal.

Intérieur ★ — Bien que remaniée, l'église a conservé son aspect primitif avec sa charpente apparente, sa nef de 9 travées séparée des collatéraux par un mur qui s'élève sur trois étages : grandes arcades, claire-voie et fenêtres hautes. À l'étage inférieur, les grandes arcades reposent sur des piles rectangulaires ; au-dessus, chaque baie géminée est séparée par une colonne à fût trapu dont le chapiteau montre des influences celtes et orientales : chevrons, triangles, feuillages et animaux stylisés.
Le chœur, réuni à la nef par un arc triomphal très élevé, se divise en deux parties : un avant-chœur à deux étages et une abside en cul-de-four séparée du déambulatoire par sept colonnes, alternativement rondes et trapézoïdales, dont certaines présentent des chapiteaux ouvragés (lions, gazelles).

> **D**ans la première chapelle du bas-côté, voir un devant d'autel représentant le Couronnement de la Vierge entre saint Pierre et saint Paul ainsi qu'un retable.

L'église est riche en **sculptures** des 14e, 15e et 16e s. provenant d'ateliers provinciaux. Dans la chapelle axiale, une grande statue de la Vierge portant l'Enfant Jésus un oiseau à la main (14e s.). Dans la quatrième chapelle, série de petites scènes de la Nativité (fin du 14e s., 15e s.).

Ruines du château fort

Accès en voiture par une petite route en montée jusqu'au donjon. De l'esplanade aménagée en aire de pique-nique, belle vue sur la ville.

Villenauxe-la-Grande

Villenauxe fleure bon la campagne. Blottie dans les vallonnements de la « falaise » d'Île-de-France où affleurent çà et là de blanches taches crayeuses, elle est à deux pas des 3 000 ha de la forêt de Traconne. De là à envisager une balade accompagnée d'une cueillette de champignons...

La situation

Cartes Michelin n°s 61 pli 5 ou 237 pli 33 — Aube (10). Sur la D 951, à 15 km au Nord de Nogent-sur-Seine et à 20 km à l'Est de Provins. ⓘ *Accueil et tourisme, r. de la Gare, 10370 Villenauxe-la-Grande,* ☎ *03 25 21 38 94.*

Le nom

Villonissa en 1153. Plus tard il deviendra Villenoxe, Ville sur la Noxe, nom de la petite rivière.

Les gens

2 135 Villenauxois dont les ancêtres furent mineurs. Appelés glaisiers, ils exploitèrent durant un siècle les argiles réfractaires aujourd'hui extraites à ciel ouvert.

visiter

Église

Les carrières de grès de Villenauxe ont fourni le matériau de cette église, ce qui explique sa fruste décoration extérieure. Sa tour du 16e s. s'élève sur les premières travées du bas-côté Nord. Le portail flamboyant, très dégradé, porte les effigies de saint Pierre et de saint Paul. À l'intérieur, on est frappé par l'ordonnance du chœur gothique et du déambulatoire du 13e s. La voûte lambrissée du chœur est soutenue par de hautes arcades en tiers-point qui retombent sur des piliers ronds.

Le déambulatoire est éclairé par des doubles fenêtres surmontées d'oculi à cinq lobes.

Pour en avoir la meilleure perspective, se placer dans le déambulatoire à hauteur de l'autel. La nef Renaissance, aux arcades plus spacieuses et moins décorées que celles du chœur, est couverte de voûtes d'ogives ramifiées plus élevées. Le bas-côté Sud possède de belles clés pendantes.

alentours

Nesle-la-Reposte *(6 km au Nord)*
Quitter Villenauxe par la D 52 et, avant la voie ferrée, prendre à gauche la D 197 qui remonte un frais vallon.
Village campagnard, Nesle-la-Reposte est né d'une abbaye bénédictine des 12e-13e s., dont subsistent quelques vestiges.
Dans l'église, un tombeau d'abbé (début 13e s.) provenant du cloître de l'abbaye. *Visite sur demande auprès de Mme Martin, 2 r. d'Esternay.*

Fort de **Villy-la-Ferté**

Ce fort fut un des sites où se déroulèrent certains combats de la Seconde Guerre mondiale. Pour les spécialistes, c'est un des ouvrages « Nouveaux Fronts » construits à partir de 1935 avec des améliorations techniques.

La situation
Cartes Michelin n°s 56 pli 10 ou 241 pli 15 (10 km au Sud-Est de Carignan) — Marne (51). Villy devait être le « pilier Ouest » de la Ligne Maginot, gardant la vallée de la Chiers. L'ouvrage se réduisit à deux blocs d'infanterie, réunis par une galerie et flanqués de deux casemates d'artillerie (l'une d'elles borde la route face au chemin d'accès).

Le nom
À cheval sur deux communes, Villy et la Ferté-sur-Chiers, le fort porte le nom de ces deux villages.

Les gens
107 valeureux soldats réfugiés dans la galerie souterraine mal ventilée périrent asphyxiés le 18 mai 1940, sous la violence de l'attaque des Allemands.

visiter

Le fort
Rameaux-Toussaint : visite guidée (1h1/2) dim. et j. fériés 14h-16h30 (juil.-août : tlj sf lun.). 20F. ☎ *03 24 27 50 80 ou 03 24 29 79 33.*
La visite permet de découvrir l'entrée en chicane, les créneaux de tir à rotule plus protecteurs, les cloches d'« armes mixtes » associant mitrailleuses et canon antichars très précis et la galerie creusée à plus de 30 m de profondeur reliant les deux blocs d'infanterie.
À l'extérieur, adossé au champ de rails antichars un monument rappelle ce sacrifice. Sur les « dessus », les dégâts subis par les cloches et la tourelle basculée par une charge explosive témoignent de la violence des combats.

Vitry-le-François

On comprend immédiatement que Vitry est un véritable nœud fluvial : sur la rive droite de la Marne, elle voit se rejoindre les canaux de la Marne au Rhin et de la Marne à la Saône. Inutile donc de préciser qu'elle bénéficie de plans d'eau rares dans une même ville. Imaginer toutes les activités liées à cette nature généreuse ne devrait pas vous conduire à avaler un cachet d'aspirine, même si Vitry connut son ancêtre...

La situation

Cartes Michelin nos 61 pli 8 ou 241 pli 30 — Marne (51). Dans une vaste plaine fertile, Vitry, capitale du Perthois, occupe une situation géographique exceptionnelle au pied de la falaise crayeuse de Champagne. **⌷** *Pl. Giraud, 51304 Vitry-le-François,* ☎ *03 26 74 45 30.*

Le nom

L'origine de Vitry-le-François est relativement récente, puisque c'est **François Ier** qui la fit construire pour remplacer Vitry-en-Perthois, ville stratégique sur la Saulx, rasée en 1544 par les troupes de Charles Quint.

Les gens

17 032 Vitryats. Pierre-Joseph Leroux, né à Vitry en 1795, fut le premier à obtenir de l'écorce du saule, la salicine d'où est venue l'aspirine.

comprendre

Une vocation militaire — À la nouvelle ville forte, **François Ier,** le roi chevalier donna son nom et ses armes « d'azur à la salamandre d'or... chargé de trois fleurs de lis d'or... ». Un ingénieur bolonais, Jérôme Marini, en conçut le plan en damier, avec une grande place d'armes pourvue d'un pilori, des fortifications bastionnées et, à l'Est, une citadelle détruite au 17e s.

En fait, le rôle stratégique de Vitry ne se révéla guère avant 1814 : **Napoléon,** qui mena un raid hardi sur les arrières ennemis, manqua de peu d'y capturer l'empereur Alexandre de Russie, le roi de Prusse et le généralissime autrichien Schwartzenberg. Démolie à 90 % en 1940, elle est aujourd'hui reconstruite sur son plan primitif.

VITRY-LE-FRANÇOIS

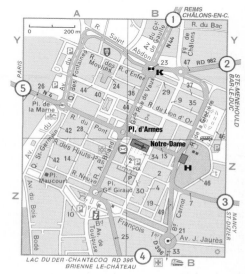

visiter

Église Notre-Dame
Dominant la **place d'Armes**, cette église des 17ᵉ et 18ᵉ s. constitue un intéressant exemple de style classique par les lignes équilibrées et les proportions rigoureuses de sa façade : typiques tours jumelles cantonnées de volutes et surmontées de pots à feu.

À l'intérieur, on apprécie la majesté de la nef et du transept que prolonge une abside datant seulement de la fin du 19ᵉ s. Le mobilier comprend, entre autres, un autel surmonté d'un baldaquin, un buffet d'orgue provenant de l'abbaye de Trois-Fontaines *(voir p. 238)* et des boiseries (chaire, banc d'œuvre) du 18ᵉ s.

> ▶ **R**emarquez une *Crucifixion* peinte par Jean Restout en 1737 *(derrière la chapelle du bas-côté gauche).*

Hôtel de ville
Il occupe les bâtiments d'un ancien couvent de Récollets du 17ᵉ s.

Porte du Pont
Ce bel arc de triomphe (1748) portant des trophées avait été élevé en l'honneur de Louis XIV à la sortie Ouest vers Paris. Il fut démonté en 1938 et il fallut attendre 1984 pour le voir réinstallé à l'entrée Nord de la ville.

Trophée placé à l'extrémité gauche de la porte du Pont, arc de triomphe de Vitry-le-François.

alentours

St-Amand-sur-Fion★ *(10 km au Nord)*
Ce village, qui s'étire le long des deux rives du Fion, conserve nombre de maisons à pans de bois.

> ▶ **A**U FIL DE L'EAU
> Parcourez les ruelles et les sentes de St-Amand-sur-Filon, cette promenade vous permettra de découvrir les six moulins et les lavoirs.

Église★ — Au 12ᵉ s., le comte de Champagne avait fait don du village de St-Amand aux chanoines de la cathédrale de Châlons. Ceux-ci édifièrent alors une église romane dont il subsiste le beau portail central, quelques parties de la nef. Au 13ᵉ s. le chœur et la nef furent reconstruits dans le pur style ogival champenois.

Le beau porche à arcades de l'église romane de St-Amand-sur-Fion date du 15ᵉ s.

L'**intérieur** frappe par son élancement, sa grâce accentuée par les tons doux de la pierre rose. L'abside à pans est ajourée de trois rangées de fenêtres dont l'intermédiaire est un triforium qui se prolonge autour des croisillons. Le transept, du 13ᵉ s. mais remanié au 15ᵉ s., montre des caractéristiques du style flamboyant.

Le beau porche à arcades date du 15ᵉ s. ainsi qu'une partie des chapiteaux au décor plein de fantaisie.

Devant l'abside se détache une poutre de gloire du 17ᵉ s.

Vitry-en-Perthois *(4 km par la D 982)*

Ce village reconstruit à l'emplacement de l'ancienne ville médiévale, incendiée en 1544, reçut à la suite de ce tragique événement le nom de Vitry-le-Brûlé.

Du pont sur la Saulx, jolie vue sur la rivière et un moulin.

Ponthion *(10 km au Nord-Est)*

Entre le canal de la Marne au Rhin et la Saulx, Ponthion possède une église des 11ᵉ et 15ᵉ s. précédée d'un joli porche en appentis du 12ᵉ s. L'entrevue entre le pape Étienne II et Pépin le Bref, dont l'une des conséquences fut la naissance des États pontificaux, eut lieu en 754 à Ponthion.

Vouziers

François Iᵉʳ a fait de Vouziers, jusqu'alors simple village médiéval, un centre commercial important en y créant une foire en 1516. Aujourd'hui, les cars de touristes ont remplacé les charrettes et les curieux attirés par le portail de l'église St-Maurille, les marchands d'autrefois.

La situation

Cartes Michelin nᵒˢ 56 pli 8 ou 241 pli 18 - Ardennes (08). Petite ville baignée par l'Aisne, Vouziers est situé à un carrefour de routes (D 946, D 982, D 983). 🛈 *79 pl. Carnot,* ☎ *03 24 71 97 57.*

Le nom

Son nom serait dû à trois fermes nommées les Vouzières groupées au Nord-Ouest du territoire.

Les gens

4 807 Vouzinois. L'aviateur Roland Garros qui traversa la Méditerranée en 1913 repose au cimetière de Vouziers. Il fut abattu en combat aérien sur le territoire de St-Morel, en octobre 1918. Vouziers est également la patrie de Taine (1828-1893), philosophe et historien, du poète Paul Drouot (1886-tué en 1915) et d'Albert Caquot (1881-1976), l'un des plus grands ingénieurs du 20ᵉ s.

Triple portail richement décoré Renaissance de l'église St-Maurice.

visiter

Église St-Maurille

Elle s'ouvre par un triple **portail**★ Renaissance. Réalisés au milieu du 16ᵉ s., ces portails richement décorés devaient être l'amorce d'une église nouvelle dont la construction fut interrompue par les guerres de Religion. Pendant plus de deux siècles, le portail resta isolé en avant de l'église. En 1769, on le réunit à l'édifice par la construction de deux travées intermédiaires auxquelles on ajouta, sur la façade, un campanile d'un style regrettable.

Les statues des quatre Évangélistes occupent des niches séparant les trois porches. Le tympan du porche de gauche montre un squelette, celui du porche de droite le *Christ ressuscité*. À la première voussure du porche du portail central, dont le tympan évoque l'*Annonciation*, de curieux pendentifs figurent le *Bon Pasteur* et six apôtres.

Wassy

Au cœur d'une région dont la tradition métallurgique remonte au Moyen Âge, en bordure de la Blaise poissonneuse et dans une campagne aussi verdoyante que sereine, une petite ville tranquille et retirée : voici Wassy.

La situation

Cartes Michelin nᵒˢ 61 pli 9 ou 241 pli 34 — Haute-Marne (52). Wassy appartient au Vallage, « pays » de la Champagne humide, entre Marne et Voire. 🛈 *Tour du Dôme, 52130 Wassy,* ☎ *03 25 55 72 25.*

Le nom

La cité doit probablement son nom, d'origine celtique, au plus ancien des Wasseyens : un certain Wassy ou, peut-être, Vassy (incertitude qui a longtemps empêché de dormir les spécialistes).

Les gens

3 921 Wasseyens. Paul et Camille Claudel dont le père était conservateur des Hypothèques habitèrent l'ancien immeuble situé en face du Temple de 1879 à 1881. Paul fut élève du collège de Wassy pendant un an.

Portrait de François de Lorraine, duc de Guise atelier de François Clouet (vers 1522-1572), huile sur bois.

LE MASSACRE DE WASSY

Revenant de Joinville où il était allé visiter sa mère, **François de Guise** (1519-1563) entra en son fief de Wassy, partiellement gagné à la Réforme, un dimanche (1ᵉʳ mars 1562) à l'heure du prêche. Là, ses gens se prirent de querelle avec des protestants qui assistaient à leur assemblée dans une vaste grange, et bientôt on en vint aux mains. Les arquebusiers du duc pénétrèrent dans la grange et massacrèrent les « parpaillots » qui leur tombaient sous la main. Ce « massacre de Wassy », que François de Guise devait désavouer, bien qu'il y eût assisté, causa une profonde émotion dans toute la France protestante et fut à l'origine des guerres de Religion qui déchirèrent le royaume jusqu'en 1598, année de l'édit de Nantes.

---

se promener

Église Notre-Dame

C'est dans l'ensemble un édifice de la seconde moitié du 12ᵉ s. offrant des éléments romans et gothiques : à l'extérieur, tour romane et portail gothique ; à l'intérieur, chapiteaux romans aux motifs décoratifs particulièrement riches et voûtes gothiques.

Hôtel de Ville

Édifice de 1775. Dans le bureau du maire, intéressante horloge astronomique du début du 19e s. réalisée par l'artisan serrurier François Pernot. *Visite sur demande tlj sf dim. 9h-12h, 14h-17h, sam. 9h-12h. Fermé j. fériés. Gratuit.* ☎ *03 25 55 72 25.*
De la place Notre-Dame, on accède à la rue du Temple.

Le Temple

Construit sur l'emplacement de la Grange du Massacre des protestants, c'est aujourd'hui le **Musée protestant :** exposition sur l'histoire de l'Église reformée de Wassy aux 15e et 17e s. avec montage audiovisuel et sur la révocation de l'édit de Nantes. *De mi-juin à mi-sept. : tlj sf lun. 14h-18h.* ☎ *03 25 55 31 90.*

Gare de Wassy

De dimension imposante pour la localité, la gare fut inaugurée par le président Carnot en 1892. Le **train touristique de la Blaise et du Der** circule en direction d'Éclaron et de Doulevant-le-Château avec possibilité d'arrêt à Dommartin-le-Franc.

Lac-réservoir des Leschères *(1 km au Sud)*

Dans un cadre verdoyant, cette retenue alimente le canal de la Blaise. Baignade, pêche, sentier pédestre...

Index

Source iconographique

p. 1 : G. Gsell /DIAF
p. 4 : G. Gsell /DIAF
p. 4 : D. Thierry /DIAF
p. 5 : Ph. Gagic /MICHELIN
p. 5 : Cephas /TOP
p. 14 : G. Gsell /DIAF
p. 16 : Pratt-Pries/DIAF
p. 17 : X. Richer/HOA QUI
p. 18 : Ch. Valentin/HOA QUI
p. 18 : D. Thierry/DIAF
p. 19 : Th. Demont/MICHELIN
p. 19 : Morand-Grahame/ HOA QUI
p. 22 : P. Stritt/HOA QUI
p. 23 : F. Lechenet/ALTITUDE
p. 23 : P. Stritt/HOA QUI
p. 24 : Association du Parc de Vision de Belval
p. 25 : Pratt-Pries/DIAF
p. 25 : P. Stritt/HOA QUI
p. 26 : P. Stritt/HOA QUI
p. 26 : J.-P. Pesce/Attigny, A.T.V.A
p. 27 : Établissement HUSSON
p. 27 : P. Stritt/HOA QUI
p. 28 : P. Bourguignon/Maison du Lac du Der-Chantecoq
p. 29 : G. Gsell/DIAF
p. 30 : P. Stritt/HOA QUI
p. 32 : P. Stritt/HOA QUI
p. 32 : P. Stritt/HOA QUI
p. 33 : Cathy Burg /Éditions Zodiaque
p. 34 : L'Est-Éclair
p. 34 : Bulliard/ KIPA-INTERPRESS
p. 35 : Ph. Gajic/MICHELIN
p. 36 : Morand-Grahame/ HOA QUI
p. 36 : Morand-Grahame/ HOA QUI
p. 37 : P. Stritt/HOA QUI
p. 39 : C. Valentin /HOA QUI
p. 40 : J. Guillard /SCOPE
p. 40 : C. Valentin /HOA QUI
p. 40 : Pratt-Pries /DIAF
p. 41 : J.-D. Sudres /DIAF
p. 42 : J. Guillard /SCOPE
p. 42 : J. Guillard /SCOPE
p. 42 : S. Grandadam / HOA QUI
p. 42 : P. Stritt /HOA QUI
p. 43 : Pratt-Pries /DIAF
p. 43 : C. Vaisse /HOA QUI
p. 44 : MOËT& CHANDON
p. 44 : A. Desmoulins & Cie
p. 45 : A. Desmoulins & Cie
p. 46 : P. Stritt /HOA QUI
p. 46 : G. Durand /DIAF
p. 47 : P. Stritt /HOA QUI
p. 47 : P. Stritt /HOA QUI
p. 48 : Zefa /HOA QUI
p. 50 : Ph. Gajic /MICHELIN
p. 50 : P. Bourguignon/ Maison du Lac du Der-Chantecoq
p. 51 : P. Stritt /HOA QUI
p. 52 : C. Lacz /SUNSET
p. 53 : P. Stritt /HOA QUI
p. 53 : B. Kaufmann
p. 54 : Ph. Gajic /MICHELIN
p. 54 : P. Stritt /HOA QUI
p. 55 : J. Guillard /SCOPE
p. 56 : P. Stritt /HOA QUI
p. 57 : P. Stritt /HOA QUI
p. 57 : J.-C. Guibaud /Espace Pelletier
p. 58 : J.-D. Sudres /DIAF
p. 58 : P. Stritt /HOA QUI
p. 59 : P. Stritt /HOA QUI
p. 59 : J.-D. Sudres /DIAF
p. 59 : M. Roche /Musée de Châlons-en-Champagne

p. 60 : C. Valentin /HOA QUI
p. 60 : C. Valentin /HOA QUI
p. 61 : C. Valentin /HOA QUI
p. 61 : Ch. Fleurent/TOP
p. 61 : Ch. Fleurent/TOP
p. 62 : R. Mazin /DIAF
p. 62 : P. Stritt /HOA QUI
p. 63 : P. Stritt /HOA QUI
p. 64 : Collection Viollet
p. 64 : GIRAUDON
p. 65 : M. Besnier /CDT Aube
p. 65 : Collection VIOLLET
p. 66 : LAUROS- GIRAUDON
p. 66 : AKG Paris
p. 66 : LAUROS-GIRAUDON
p. 66 : Ouzounoff/DIAF
p. 68 : Comité National des Traditions des Troupes de Marine
p. 68 : LAUROS-GIRAUDON
p. 68 : LAUROS-GIRAUDON
p. 69 : BRANGER-VIOLLET
p. 70 : BM TROYES MS
p. 70 : LAUROS-GIRAUDON
p. 71 : BM Epernay
p. 78 : J. Guillard /SCOPE
p. 78 : Ph. Gajic /MICHELIN
p. 79 : P. Stritt /HOA QUI
p. 80 : Ph. Gajic /MICHELIN
p. 80 : B. Kaufmann
p. 81 : B. Kaufmann
p. 81 : P. Stritt /HOA QUI
p. 82 : Ph. Gajic /MICHELIN
p. 84 : LAUROS-GIRAUDON
p. 85 : Ph. Gajic/MICHELIN
p. 87 : Ph. Gajic /MICHELIN
p. 88 : J. Guillard/SCOPE
p. 90 : Ph. Gajic/MICHELIN
p. 90 : Hôtel-restaurant Moulin du Landion
p. 91 : NIGLOLAND
p. 92 : J. Guillard/SCOPE
p. 93 : Ph. Gajic/MICHELIN
p. 95 : Ph. Gajic/MICHELIN
p. 95 : Ph. Gajic/MICHELIN
p. 96 : LAUROS-GIRAUDON/ © Adagp, Paris 2000
p. 98 : Ph. Gajic/MICHELIN
p. 99 : Ph. Gajic/MICHELIN
p. 100 : PROTET S.A.
p. 101 : PROTET S.A.
p. 102 : EXPLORER
p. 103 : P. Stritt/HOA QUI
p. 105 : Ph. Gajic/MICHELIN
p. 108 : Ph. Gajic/MICHELIN
p. 108 : P. Stritt/HOA QUI
p. 109 : Ph. Gajic/MICHELIN
p. 110 : Musée municipal, Châlons-en-Champagne
p. 111 : Musée Garinet, Châlons-en-Champagne
p. 112 : Ph. Gajic/MICHELIN
p. 114 : J.-D. Sudres/DIAF
p. 115 : Musée des traditions/OGER
p. 116 : Rock-Cephas/TOP
p. 118 : P. Stritt/HOA QUI
p. 119 : Ph. Gajic/MICHELIN
p. 119 : Ph. Gajic/MICHELIN
p. 121 : GIRAUDON
p. 122 : Ph. Gajic/MICHELIN
p. 123 : Musée A. Rimbaud
p. 124 : Ph. Gajic/MICHELIN
p. 125 : Ph. Gajic/MICHELIN
p. 125 : A. Nozay/CDT ARDENNES
p. 125 : Ph.Gajic/MICHELIN
p. 127 : Musée de l'Ardenne
p. 130 : RMN
p. 130 : Collection Musée Jean de La Fontaine, Château-Thierry
p. 131 : Ph. Gajic/MICHELIN

p. 134 : Ph. Gajic/MICHELIN
p. 134 : P. Stritt/HOA QUI
p. 137 : H. Lewandowski/RMN
p. 139 : © Photographie Éditions Gaud
p. 140 : PIX
p. 141 : Pratt-Pries/DIAF
p. 144 : JACANA
p. 144 : Ph. Gajic/MICHELIN
p. 145 : Ph. Gajic/MICHELIN
p. 145 : Ch. Valentin/HOA QUI
p. 149 : P. Guérin/HOA QUI
p. 149 : Musée de Castellane
p. 151 : Ch. Valentin/HOA QUI
p. 153 : P. Stritt/HOA QUI
p. 154 : P. Stritt/HOA QUI
p. 155 : L. Gaignerot/Parc naturel régional de la Forêt d'Orient
p. 158 : Musée d'automates
p. 158 : Ph. Gajic/MICHELIN
p. 159 : D. Fouss/DIAF
p. 162 : BN/Paris
p. 163 : Ph. Gajic/MICHELIN
p. 164 : P. Stritt/HOA QUI
p. 165 : P. Stritt/HOA QUI
p. 166 : LAUROS-GIRAUDON
p. 167 : J. Sierpinski/DIAF
p. 168 : B. Kaufmann
p. 170 : Ph. Chardon
p. 171 : P. Stritt/HOA QUI
p. 172 : P. Stritt/HOA QUI
p. 172 : Ph. Gajic/MICHELIN
p. 173 : G. Gsell/DIAF
p. 176 : Ph. Gajic/MICHELIN
p. 176 : Ph. Gajic/MICHELIN
p. 178 : P. Stritt/HOA QUI
p. 179 : J. Bravo/HOA QUI
p. 180 : Ph. Gajic/MICHELIN
p. 180 : S. Chirol
p. 184 : M. Dusart/PIX
p. 185 : Ph. Gajic/MICHELIN
p. 187 : Ph. Gajic/MICHELIN
p. 188 : Ph. Gajic/MICHELIN
p. 188 : Ph. Gajic/MICHELIN
p. 189 : Ph. Gajic/MICHELIN
p. 190 : Pratt-Pries/DIAF
p. 191 : Ph. Gajic/MICHELIN
p. 193 : Musée du feutre
p. 193 : Ph. Gajic/MICHELIN
p. 194 : P. Stritt/HOA QUI
p. 194 : Ph. Gajic/MICHELIN
p. 195 : Studio Didier Vogel
p. 196 : B. Kaufmann
p. 198 : Ph. Gajic/MICHELIN
p. 200 : P. Stritt/HOA QUI
p. 200 : Ph. Gajic/MICHELIN
p. 202 : BN, Paris
p. 206 : G. Dubois/PIX
p. 206 : Y. Travert/DIAF
p. 207 : Ph. Gajic/MICHELIN
p. 208 : Ph. Gajic/MICHELIN
p. 211 : LAUROS-GIRAUDON
p. 214 : Ch. Valentin/HOA QUI
p. 214 : J. Guillard/SCOPE
p. 215 : RMN
p. 218 : Ph. Gajic/MICHELIN
p. 220 : D. Faure/DIAF
p. 221 : Ph. Gajic/MICHELIN
p. 222 : B. Kaufmann
p. 224 : B. Kaufmann
p. 225 : R. Mazin/DIAF
p. 225 : LAUROS-GIRAUDON
p. 227 : Reims, Musée automobile
p. 229 : D. Czap/SCOPE
p. 230 : Ph. Gajic/MICHELIN
p. 231 : D. Repérant/HOA QUI
p. 232 : Ph. Gajic/MICHELIN
p. 233 : Ph. Gajic/MICHELIN
p. 233 : P. Stritt/HOA QUI
p. 234 : J. Guillard/SCOPE
p. 235 : Office de tourisme des Riceys
p. 236 : F. Lechenet/ALTITUDE

Par dizaines de millions, vous partez chaque année à la découverte de l'immense richesse du patrimoine bâti et naturel de la France. Vous visitez ces palais nationaux et ces sites classés que l'État protège et entretient. Mais vous admirerez également ce patrimoine de proximité, ce trésor constitué de centaines de milliers de chapelles, fontaines, pigeonniers, moulins, granges, lavoirs ou ateliers anciens..., indissociables de nos paysages et qui font le charme de nos villages.

Ce patrimoine n'est pas protégé par l'État. Souvent abandonné, il se dégrade inexorablement. Chaque année, des milliers de témoignages de la vie économique, sociale et culturelle du monde rural, disparaissent à jamais.

La Fondation du Patrimoine, organisme privé à but non lucratif, reconnu d'utilité publique, a été créé en 1996. Sa mission est de recenser les édifices et les sites menacés, de participer à leur sauvegarde et de rassembler toutes les énergies en vue de leur restauration, leur mise en valeur et leur réintégration dans la vie quotidienne.

Les délégations régionales et départementales sont la clef de voûte de l'action de la Fondation sur le terrain. À partir des grands axes définis au niveau national, elles déterminent leur propre politique d'action, retiennent les projets et mobilisent les associations, les entreprises, les communes et tous les partenaires potentiels soucieux de patrimoine et d'environnement.

Rejoignez la Fondation du Patrimoine!

L'enthousiasme et la volonté d'entreprendre en commun sont à la base de l'action de la Fondation.

En devenant membre ou sympathisant de la Fondation, vous défendez l'avenir de votre patrimoine.

✂ ....

Bulletin d'adhésion

Nom et prénom :

Adresse :

Date :   Téléphone *(facultatif)* :

Membre actif *(don supérieur ou égal à 300F)*
Membre bienfaiteur *(don supérieur ou égal à 3 000F)*
Sympathisant *(don inférieur à 300F)*
Je souhaite que mon don soit affecté au département suivant :

Bulletin à renvoyer à :
Fondation du Patrimoine, Palais de Chaillot, 1 place du Trocadéro, 75116 Paris.
Merci de libeller votre chèque à l'ordre de la Fondation du Patrimoine.

Fondation du Patrimoine, Palais de Chaillot, 1 place du Trocadéro, 75116 Paris.
Téléphone : 01 53 70 05 70 – Télécopie : 01 53 70 69 79.

286